元典文化丛书编委会

主　　编　李振宏

编　　委　（以姓氏笔画为序）
　　　　　　王宏斌　白本松　孙克强　何晓明
　　　　　　宋会群　李振宏　张曙光　郝铁川
　　　　　　高秀昌　崔大华　龚留柱

常务编辑　刘小敏

王政全书

——《吕氏春秋》与中国文化

张富祥 著　●河南大学出版社

目 录

序 ……………………………………… 冯天瑜（1）

"元典文化丛书"的说明 …………… 李振宏（5）

本书引言 ………………………………………（1）

一　吕不韦 ……………………………………（4）

二　吕不韦主编《吕氏春秋》………………（11）

三　"十二月纪"：上古王政的年历 ………（25）

四　天道观·发展观·历史观 ………………（35）
　　1.《吕氏春秋》的天道观和"天命"观 ………（35）
　　2.《吕氏春秋》的变易发展观和历史观 ………（42）

五　尚贤传统与"无为"政治 …………（51）

1. 《吕氏春秋》论尚贤 …………………（51）
2. 《吕氏春秋》论"无为"政治 ……………（60）

六　性理之说与帝王修身 …………（66）

七　礼乐文化与儒的功用 …………（79）

1. 《吕氏春秋》与礼乐文化 ………………（79）
2. 论乐八篇 …………………………………（81）
3. 《吕氏春秋》对儒学的汲纳 ……………（89）
4. "十际"之说及其他 ……………………（107）

八　民本思想与法的折衷 …………（109）

1. 《吕氏春秋》的民本思想 ………………（109）
2. 《吕氏春秋》与法家学说 ………………（120）
3. "尊君"问题 ……………………………（128）

九　墨与名的吸收和批判 …………（130）

1. 《吕氏春秋》对墨家学说的吸收 ………（130）
2. 《吕氏春秋》对名家的批判 ……………（135）

十　论兵八篇 …………………………（145）

十一　农学四篇 ………………………（159）

1. 论畎亩的耕作 …………………………（165）

  2. 论土地的利用 …………………………(168)
  3. 论种植 …………………………………(170)
  4. 论农时 …………………………………(171)

十二 《吕氏春秋》的文化史价值 ……(176)
  1. 古典王官文化与先秦诸子 ……………(176)
  2.《吕氏春秋》与诸子的关系 ……………(187)
  3. 王政理想与大一统政治 ………………(201)
  4.《吕氏春秋》的史料价值及其对后世的影响 …(211)

附录一 《吕氏春秋》选译 ……………(228)

孟春纪(228) 本 生(231) 贵 公(233) 情 欲(236)
尽 数(238) 论 人(240) 孟夏纪(243) 劝 学(245)
尊 师(248) 大 乐(251) 孟秋纪(253) 荡 兵(255)
顺 民(257) 仲冬纪(260) 当 务(263) 有始览(265)
务 本(268) 孝行览(270) 下 贤(273) 贵 因(276)
察 今(279) 审分览(282) 任 数(286) 用 民(289)
为 欲(292) 恃君览(295) 长 利(298) 爱 类(301)
贵直论(304) 贵 当(307) 士容论(309) 上 农(312)

附录二 主要参考书目 ………………(316)

序

公元前6世纪前后的几百年间(即德国哲学家雅斯贝尔斯所称"轴心时代"),南亚的印度人、西亚的希伯莱人、南欧的希腊人和东亚的中国人,在各自历经长时段的文明积淀之后,不约而同地达到文化史的一个临界点——人们已不满足于对现实的直观反映,而致力于对世界的本质和运动规律的探索,并思考作为实践与思维主体的人类在茫茫时空中的地位,开始形成深刻的而不是肤浅的、辩证的而不是刻板的关于宇宙、社会和人生的学说,并首次用完整的典籍将其记载下来,从而使得此前处于萌芽状态的、散漫的宗教、科学、文学、史学、哲学成就得以凝集、综汇和升华。这些第一次强有力地歌咏出诸文明民族"元精神"的为数有限的典籍,可以称之"文化元典"①。

---

① 关于"文化元典"的界说,详见拙著《中华元典精神》,上海人民出版社1994年5月版。

如果说，《吠陀文献》和《佛典》是印度元典，《古圣书》是波斯元典，《理想国》、《形而上学》等先哲论著是希腊元典，《圣经》是犹太及基督教元典，那么，在中华文化系统中，堪称"元典"的，首推《诗》、《书》、《礼》、《易》、《春秋》等"五经"。被儒家尊为经典的《论语》、《孟子》、《荀子》，被道家及道教奉为经典的《老子》、《庄子》，被墨家视作圭臬的《墨子》，法家的集大成《韩非子》，都享有"元典"之尊。此外，一些专科创始之作，如军事家鼻祖《孙子兵法》、医学宝典《黄帝内经》也可排入"元典"行列。

元典率先系统荟萃先民智慧，其思想富于原创性，其主题具有恒久性，因而元典有着立足于现实基础上的超越性，它们的思考指向宇宙、社会、人生等普遍性问题，在回答这些普遍性问题时，所提供的并非实证性结论，而是哲理式原型；并非僵固式的教条，而是开放性的框架，有着广阔的"不确定域"，从而为历代阅读者和解释者保留了"具体化"和"重建"的无限空间，使之可以纵横驰骋，这便是所谓《诗》无达诂，《易》无达占，《春秋》无达辞"（《春秋繁露·精华》），以至在两千余年间，元典常释常新。一部中华元典诠释史与整个中国文化史的进程相伴相依，互为表里。

历史的辩证法反复昭示：发展不是简单的生长和增进，它往往不一定呈直线式进步，而是通过一系列螺旋式圈层实现的。这样"回复"便不总是重复往昔，而可能是一种上升的形式，是"唤醒"事物在其开端时即已蕴蓄着的可能性的一种形式。作为由具有自觉意识的人类创造的文化，也生动地展现着螺旋式的发展轨迹，如欧洲"文艺复兴"的崇尚古希腊、"宗教改革"的服膺《圣经》，便是对"元典精神"的发扬和再造，而欧洲文化正是在这种"回复"中赢得历史性进步的。这种向"文化元典"汲取灵感,获得前进基点的现象在中国也多次出现,著名的"古文运动"便是典型事例。考之以中国近现代思想文化史,这种"返本开新"、"以复古为解放",即回归元典精神以求新变的情形也俯拾即是。当然,现代化是一个文化转轨过程,充满变异与新生,现代生活好比一台巨大过滤器,对往昔文化传统或放行,或阻遏,于弃取间行扬抑之道。近世中国人立足于文明转型和挽救民族危亡的社会实践,选择中华元典精神里的变通哲学、忧患意识、华夷之辨、革命观念和民本思想,并与外来西学的相关部分彼此激荡交融,从而锻造出在近世中国发挥巨大作用的社会变易论、社会救亡论、民族国家论、社会革命论和民主主义。可见,元典精神的选择性发扬和创造性转换,是近现代文化的题中应有之义。这一题旨,也是今人和后人所要反复探讨和力加实践的。

我从事元典研究多有年所,然困惑处不少,亟望友朋切磋。令人高兴的是,河南大学出版社推出"元典文化丛书",这使我顿觉良师益友在侧,其欢欣鼓舞自不待言。该丛书将先秦时期应运而生的一批文化元典逐部加以诠释,并阐扬其对中国历史、中国文化及中国民族性格的全方位影响,从而揭示今人精神之来源,民族文化之来龙去脉。这套丛书旨趣高远,而行文切实,为一雅俗共赏佳品。主事者今嘱余为之序,特撰上述,以谢盛意,并藉此就教于丛书作者和读者诸君。

冯天瑜

1994 年 8 月 21 日于武昌

"元典文化丛书"的说明

春秋战国时期,是中国历史上不同寻常的年代。在这段长达数百年的历史转型过程中,中国历史不仅在政治、经济上经历着深刻的变迁,而且在思想文化领域,此前处于萌芽状态的各种意识形态、哲学观念、历史意识、宗教神学、文化科学等,也都以成熟的形态凝聚、荟萃,涌现出一批文化元典,从而为后世中华文化的发展,奠定了一个义域广阔的开放性基础。这些文化元典,诸如《诗》、《书》、《易》、《礼》、《春秋》、《论语》、《老子》等,包含了后世中华文化的各种文化因子,历史地决定了中华义化发展的方向及其文化性质和特征。中华文化传统之所以成为今天人们所熟悉的面貌,中国国民性格之所以显示出大异于西方民族的特征,中华民族之所以能以独特的历史道路自立于世界民族之林,即是受惠于这批文化元典的历史奠基。

二千多年后的今天,中国又处在一个历史的转型期。传统社会向现代社会的过渡,必然要求以文化的变革为先导,为前提,同时也作为最终巩固经济、政治变革成果的牢固根基。然而,任何一个民族的文化变革,都不可能是对先前文化传统的革除和清洗,而恰恰相反,民族文化的每次更新,都是原有文化传统精髓在更高层次上的发扬和转换,是将原有文化传统在其开端时已蕴涵着的文化意蕴在新形势下重新发现,重新唤起,并赋之以新的生命活力。惟有如此,文化才有更新,才有发展;惟有如此,文化也才有绵延不断的统绪,也才能为全体民族成员认同和承袭。大概正因为如此,传统文化的研究和清理,从80年代以来,越来越成为引人注目的热点选题。

研究和清理民族文化传统,自然应将目光投向奠定了民族文化传统基础的文化元典,它们之中包含着我们民族文化的基因,蕴藏着民族精神的范型。这一点,似乎不少文化学者都注意到了,因此,近年来出版了不少关于文化元典的通俗读本,白话、译作蔚为一时之盛。然而,民族文化的清理是一项严肃而艰巨的工作,通俗性的讲解和翻译,只是一个最必要的基础;我们还需要去深入挖掘诸文化元典的内在意蕴,特别是这些经典著作对中国文化、中国历史的发展,对中国国民性格的塑造,怎样起到了一种奠基性、支配性的作用,也都需要理个清楚;我们还需要知道我们的民族精神之来源以及民族文化传统形成、发展的来龙去脉,从而站在今天的历史高度,对民族文化的发展史,作出清醒的考察和历史的批判。但这种从历史角度考察文化元典的作用,进行文化精神寻根探源的艰巨工作,似乎还没有人做过。文化人的责任心和使命感,使我们选择了编撰"元典文化丛书"这个课题,并为丛书确定了这样的宗旨:揭示文化元典著作的内在精神,并以主要篇幅阐述这些元典著作对中国历史、中国文化、中华民族性格的全方位历史影响,使广大读者能够在一本书中了解一种元典论著的深刻内涵,并将今天的民族精神与之联系起来,知道今人精神之来源,弄清民族文化的来龙去脉,从而更深刻地认识文化元典的历史价值,寻找文化创新的契合点。

"文化元典"是著名文化学者冯天瑜先生创制的概念。"元典"包含有始典、首典、基本之典及大典、善典、宝典等意蕴,亦即圣典、经典之义。文化元典之中应是蕴藏了民族文化的基本精神。这样的典籍并不很多。然而,从民族文化整体去考察,有蕴涵其整体精神的元典之作,如传统的"五经"、"四书"即是;而就某一种文化领域来说,又有该领域的创始之作,如兵学有宝典《孙子兵法》,医学有首创之作《黄帝内经》,神话之源《山海经》,算学之宗《九章算术》,史学的范型《史记》等等。这种某一文化领域的创始作,自然也应填于元典之列。这样,我们这套丛书初选了部分文化元典,分别考察它们对中国文化的全方位影响,以期从一个新的基点上重新认识古代典籍的文化价值。

揭示文化元典的深刻内涵,并着重阐述其全方位的历史影响,并非易事,要有较深的研究工夫;再加上要面对普通读者,又需有将学术成果通俗化的能力。因此,这套丛书的编写,对著作者提出了较高的要求:应对整个中华文化的发展道路、中华文化的基本精神有一概略的总体的认识和把握;应对以往学术界的研究状况有全面的了解,尽可能全面地认识元典著作的整体性、全方位的历史价值,并具备驾驭这些成果及将其融为一体的能力;应具备将学术成果准确而不失生动活泼地进行阐述的语言文字能力。然而,在具体写作中,在具体的学术观点上,每个作者又都享有充分的自由,他们可以对自己著作的立意、结构和行文,进行创造性的构思和安排。因此,丛书的每一本著作,既是丛书整体中的一分子,又不失每位作者个人著作之特色。

本丛书的撰写是一项艰难的研究工作。但为了使它能拥有更广泛的读者,我们对作者提出了思辨性与通俗性、学术性与可读性相统一的要求;并力求在编写体例上、文风上照顾普通读者的需求,对一些艰涩的引文尽可能加以译述,或直接译为白话文加以征引。

现在,这套丛书开始出版了。作为一个文化人,当自身的使命感开始化作现实的时候,有一种掩饰不住的喜悦。然而,我不能不说,这套丛书所以能面世,真正对它做出了贡献的是每一位作者,而为它付出了代价的则是出版者。在当前到处都在谈论经济效益的情况下,河南大学出版社欣然承担这套很可能要赔钱的大型丛书的出版工作,表现了他们博大的胸怀和眼光以及庄严的历史责任感、使命感。

65年前,郭沫若在研究中国古代社会时说:"对于未来社会的待望逼迫着我们不能不生出清算过往社会的要求。目前虽然是'风雨如晦'之时,然而也正是我们'鸡鸣不已'的时候。"今天的中国早已不是风雨如晦的年代,然而,却处于一个历史、文化的转型期,一个社会全方位变革的时候,清理古代文化,弄清未来的方向,也是一个极为迫切的任务,我们仍需要为祖国新文化的建设鸡鸣不已。愿我们的"元典文化丛书"能为中华民族文化的发展和更新尽一点绵薄之力。

李振宏
1994年9月11日

本 书 引 言

　　先秦诸子对中国上古文化史和当时社会现实的多维度思考,至今仍令学者神往。那思考的现存书面形式所透露出来的,不论是狭如桃荫柳巷或广如大宇长宙,也不论是浅如清溪磊落或深如瀚海不测,抑或柔似不绝若线或强似星际力场,整合观之,似乎都是后来学界不曾出现过的。于是溯诸当时,诸子大师的操作有如关纽的启动,一把钥匙开一把锁,使固有的文化基因(恶性的和善性的)都一齐发生变异,不但记录下春秋战国那一个特殊的五百年历史文化转型期,而且对随之而来的文化形态嬗变过程发生突破性的影响。
　　这里要介绍和讨论的《吕氏春秋》一书,在中国古代学术史上是有一定地位的,历来阅读它的人不算少。但也许由于它是集体的创作,或者还有主编者的人格评价及内容体系上的泛杂等多方面的原因,所以它一向不大被看做是典型的诸子书。至少,从强调私家学术的一面来看,人们也并非没有理由觉得它的作者与孔、墨、老、庄、孟、荀、韩等不能坐同一条板凳。因此,以往对此书作专门研究的人不是很多。其实,这一部综合性的书,在文化反思的性质上与诸子书并无不同,只是因为它的主编者是一位政治人物,便不免与私家诸大师拉开了距离。然而李悝、吴起、商鞅、申不害等人原亦不是纯粹的学问家,他们的学术却未尝不可以列入诸子。吕不韦虽与这些人又有不同,而《吕氏春秋》一书仍不好被排除在诸子之外,所以我们现在就称这部书的作者群叫"吕氏学派"。至于这书的学术影响,想来人人都知道是不可忽视的,现在"元典文化丛书"把它收录在内,就足以说明它的价值所在。

《吕氏春秋》是谈政治的,虽有思辨,却也平实,不大有玄玄乎乎的东西。一谈到政治,人们往往以为实在复杂,不好拆析。实则笼而统之,中国古代政治也不过"王道"与"霸道"两种。本来,号令天下的称"王",在王政衰落之后,裹挟着天子硬要号令天下的称"霸"。但在上升为政治概念之后,"王道"和"霸道"就不拘于统治者的身份了。"王道"是正统的,"霸道"是权宜的;"王道"是讲求理想的,"霸道"是注重功利的;"王道"是保守的,"霸道"是开放的;"王道"是繁琐的,"霸道"是简便的……种种特征可以分而言之,然而说到底政治还是一个。所以鲁迅先生说:"在中国的王道,看去虽然好像是和霸道对立的东西,其实却是兄弟,这之前和之后,一定要有霸道跑来的。人民之所讴歌,就是为了希望霸道的减轻,或者不更加重的缘故。"这是说的"阶级的统治",而鲁迅先生在举了一些例证之后又说:"据长久的历史上的事实所证明,则倘说先前曾有真的王道者,是妄言,说现在还有者,是新药。孟子生于周季,所以以谈霸道为羞,倘使生于今日,则跟着人类的智识范围的展开,怕要羞谈王道的罢。"(《关于中国的两三件事》)这话是针对着20世纪30年代的中国社会现实的,也有普遍的意义;但若用俗间的眼光来看,则中国古代政治也还是有开明与不开明之分。说开明的倾向于"王道"理想,或者就是"人民之所讴歌"的吧;说不开明的也不见得就是"霸道",而总之是要闹到民不聊生,被指为"时日曷丧,予及汝偕亡",非垮台不可的。实际"王道"这玩艺儿,在传统的观念上看来,也不过是中国古代政治历久形成的一套所谓"正面"价值系统;"反面"的呢,便都归之于"霸道"。"王道"多是表面文章,与"学统"有些关系;"霸道"玩实在的,反映"政统"的真面目。故而在今天的观念上看来,所谓"正面"的"王道"包含的反面东西正多,所谓"反面"的"霸道"倒也并非毫无正面的东西。孟子羞谈"霸道",起因于周季的"霸道"太盛;而同样生于周季的吕氏学派,在推行"霸道"正起劲的秦国编书,照理该不会大谈"王道"吧?可是在检索了一番之后,我们发现《吕氏春秋》所谈的却基本上是"王道",反而对"霸道"并不怎么措思。况且吕夫子手下人多,著书时采取杂泛,道起王政来倒比孟夫子更系统。想来想去,为了凑出一句"炼语",我们就权且称之为"王政全书"。妥与不妥,各人阅读时自有理会,又未可拘泥于这本小册子的题目。

这本小册子是介绍性的,而在介绍的时候,又免不了要对原书作些解析,提出一些自己的看法。用的方法还是文献学的,然这方法颇枯燥,尽管涉及古典文化不能不广,而于具体材料仍无法扯得过多。正文便从原书的主编者吕不韦谈起,逐次及于书中材料的各个方面,咀嚼不烂或至生吞活剥之处,还望同行指责。

一 吕不韦

吕不韦的生平,在现存古文献的记载中很有些传奇的色彩。

他原是战国末年卫国濮阳(今河南濮阳西南)人,但史书上说他是"阳翟大贾","家累千金",看来这一家族世代经商,到他这一辈已经南迁而家居阳翟(今河南禹州市)了。不过他经商的范围不限于本地,北从赵国的都城邯郸,西到秦国的都城咸阳,跨今山东、河北、河南、山西、陕西各省之地,大概都曾在他经常奔走的范围之内。这样一位从事国际贸易的大商人,凭借着雄厚的经济实力,便免不了要萌发攫取政治权力的心思。果然,当他在邯郸结识一位名叫异人的秦国公子时,忽发奇想,以为"奇货可居",可以拿这位公子做笔大买卖,遂通过一系列精心的策划,作了一次成功的政治上的投机。

当吕不韦真的成为政治家之后,他作商人时的事迹自然就被掩盖起来,很少再有仔细的记录了。可是《战国策·秦策》

中仍有吕不韦同他父亲的一段戏剧性的谈话——

不韦问父亲:"耕田种地能获利几倍?"

"十倍。"父亲答道。

"那么做珠玉珍宝的买卖能盈利几倍?"不韦又问。

"百倍。"父亲又答。

不韦又说:"如果资助一个人当上诸侯国的国君,那么能获利多少倍呢?"

父亲说:"无数。"

不韦听罢,乐滋滋地下了决心:"现在尽力耕田,辛辛苦苦,还不能做到衣食有余;如果能够树立一国之君,做上高官,恩泽可以流传后世。我要去做这笔生意了。"

看来吕不韦的家庭,原是经营土地兼做商人的。现在他要作政治投机,意思是想办法把异人从赵国送回秦国,让他当上秦国的国君。这对吕不韦本人来说,等于是用现有的丰厚家财换取政治权力,而此举一旦实现,自然也就能够获取仅靠经商而望尘莫及的更多物质利益。

异人嬴姓,是秦国国君昭襄王之孙、孝文王之子。昭襄王(一般称秦昭王)是一位有作为的君主,在位56年,起用了一批能人,争城夺地,大力扩张,秦统一六国的基础多半是在他当政时期奠定起来的。孝文王名柱,初封安国君,后来因为他的兄长荡死去,得以继立为昭王的太子。这位太子柱妻妾成群,有20多个儿子,其中最受他宠幸的妃子是华阳夫人(楚国公族之女)。异人的生母是夏姬,不大受太子的宠幸;加上异人在兄弟中又不居长(居长的名叫子傒),因而被送到赵国去做人质。以宗室子弟乃至太子、大臣做人质,在古时国与国之间是常有的事。这样的人质,当两国关系和缓时,会受到一定的礼遇,表示两国有结盟之谊;但到两国关系紧张时,人质就名副其实地成为抵押品了,日子不会好过。秦昭王晚年大力东向扩张,曾屡次攻赵,在此种情势之下,异人为质于赵,确有点像落难王孙,"困不得意"。吕不韦瞅准了这一点,于是不失时机地找上门去,对异人说:

"我能扩大您的门庭。"

异人不解,说:"您不扩大自己的门庭,何必多管闲事来扩大我的门庭?"

不韦说:"您不知道,我的门庭要靠您的门庭来扩大。"

异人好像明白了什么,沉默了好一阵子,然后让坐与他谈话。不韦乘机进说:"昭王老了,现在安国君为太子。我听说华阳夫人没有儿子,但能为太子立嫡嗣(继承人)的只有华阳夫人(正妻之子方可继承王位)。我能帮助您回国,让安国君和华阳夫人立您为嫡嗣。"

这项交易一拍即合,异人甚至答应事成之后,与不韦共分秦国。据说吕不韦一面供给异人钱财,让他倾力结交宾客,树立自己的名誉;一面打点珍宝等物,入秦为异人游说。他首先通过华阳夫人的姐姐(一说是其弟阳泉君)向华阳夫人进言,作为晋见华阳夫人的阶梯。及被召见,又添油加醋地说异人如何孝悌贤智,视华阳夫人为生母,虽在赵国为人质,还是日夜涕泣,思念着夫人和太子。华阳夫人自己不曾生儿子,本亦担心色衰爱弛,废立难测,经吕不韦一番游说,终于同意把异人收为自己的儿子,并为之改名楚,使吕不韦为师傅。华阳夫人原为楚女,故为异人改名楚,后来史籍多称之为子楚,是为秦始皇父亲的正名。随后,华阳夫人通过枕边风,使太子安国君答应立子楚为嫡嗣,并刻玉符为信。秦昭王五十年(前 257

年),秦将王齮围攻赵都邯郸时,赵人欲杀子楚,子楚用吕不韦之计,逃归秦国。

秦昭王五十六年(前251年),昭王死去,太子柱继位。这时柱已经53岁,第二年就发病死了,是为孝文王。接着是子楚名正言顺地继位,吕不韦由师傅被委任为相国,封文信侯,从此开始了他的政治航程。子楚这年30岁,按说正当年富力强,不料在位仅3年,也于公元前247年死去,谥称庄襄王。他的儿子政(也写作"正")继承王位,时年13岁,即后来所称秦始皇。

秦王政的真实血缘身份,现在不大好考究了。传说吕不韦还在政治投机之始,就在子楚将来的继承人问题上做了手脚:他先是娶了一位绝对美丽而又善长歌舞的邯郸女子(一说为赵国豪家女,又称赵姬),使她怀孕,然后把她献给子楚——这暗度陈仓而生下的孩子便是后来的秦王政。政出生在赵国,当他父亲子楚逃回秦国时,他和母亲未得脱身随父逃走,幸亏被人藏匿了起来,才得以活命。其时他两岁多,从此就随母亲姓赵氏。直到秦孝文王时,子楚被正式立为太子,母子俩才被赵人送还秦国,从此政亦改从秦王室本姓,史称嬴政。

嬴政即位后,吕不韦继续担任相国,并被嬴政尊称为"仲父"。这"仲父"的称呼,原是对父辈的尊称,因齐桓公对帮助他夺取王位和称霸诸侯的管仲曾称"仲父",所以嬴政对吕不韦也用了此称。吕不韦自担任相国时起,就继续奉行秦昭王东扩的策略,曾协助庄襄王命大将蒙骜攻占韩国的成皋、荥阳之地,设置了三川郡(在今黄河、洛河、伊河之间);又攻取赵国的上党、榆次等37城,设置了太原郡。不过在进攻魏国时,被魏国上将军、信陵君公子无忌联合五国兵打败了。吕氏的封邑,开始有蓝田(今属陕西)的12个县和河南洛阳的10万户,后来又包括了燕国献给秦国的河间10座城（在今河北献县一带），并有家僮万人，食客三千人，一时莫比。

不过吕不韦在与王室的关系上也有隐忧，就是他和赵姬的关系。赵姬在庄襄王即位后，被立为王后；及秦王政即位，她自然又成为太后。照传说所言，吕不韦在攫取政治权力的过程中，始终与这位赵姬保持着私通关系。然而在她成为太后之后，吕不韦不能不有所顾忌，时时担心与太后的私通会毁坏自己的前程。于是他又偷梁换柱，另找了一位"大阴人"嫪毐做替身，使他假充宦官进入后宫，以满足太后的淫欲。其不知这一举动，恰恰埋下了他在日后宫廷斗争中失势的祸根。

相传这位年不满30的太后"绝爱"嫪毐，为此她不得不付出作为一个女人虽不情愿却又不可避免的代价——先后两次怀孕生子。为遮人耳目，她在远离都城咸阳的雍城（今陕西凤翔南）建了别宫，时时出居。嫪毐常为贴身侍从，得赏赐无数，家资暴涨，羽翼渐丰。到秦王政八年（前239年），这位假宦者竟被封为长信侯，不但领有在山阳（今河南焦作东）的采邑，而且有太原郡作为封国，凡宫室、车马、衣服、苑囿、驰猎，一应具物，任其铺张挥霍。他还借助太后控制朝政，事无大小，皆得参决，成为秦国政坛上炙手可热的人物。此时嫪毐有家僮数千、宾客千余，太后集团与吕氏集团之间的对立开始显现出来。

人所共知，史称"蜂准（马鞍鼻）、长目、挚鸟膺（鸡胸）、豺声，少恩而虎狼心，居约易出人下，得志亦轻食人"的秦王政，原不是可以任人玩弄于掌股之间的傀儡君王。公元前238年，即当他22岁时，他正式接受加冕典礼，戴冠佩剑，亲理政务，从此便一改"居约"之态，开始借机对嫪、吕两党进行打击。其时有人告发嫪毐不是宦官，常与太后私通，有私生子二人，都藏匿私养,外人不知。嫪毐得知自己的丑事败露,竟利用秦王政去蕲年宫(在今陕西凤翔)加冕之机,抢先在秦都咸阳发动暴乱,欲进攻蕲年宫。秦王政得知嫪毐叛乱的消息,马上指令相国昌平君、昌文君发兵平叛,一举消灭了嫪毐集团的所有实力,屠其三族,并杀太后所生二子;又下令太后迁出咸阳,使她幽居于雍城,不准再干预朝政。在这场血腥的清洗中,依附于嫪毐的卫尉、内史、左弋、中大夫令等高官,有20余人被枭首车裂;嫪毐的舍人亦几乎全被削除爵位,流放到蜀地充军,只有少数牵连较轻的被罚为工徒。事情闹大了,一向号称"仲父"的吕不韦,这时显然也脱不了干系。不过秦王政当时并没有触动他,直到第二年十月才免去了他的相国职务,而仍然保留着他的文信侯爵位。此后,有一位在秦国为客卿的齐人茅焦,以母子之情说服秦王政迎回太后,仍使她居住在咸阳甘泉宫。为了防止吕不韦再与太后私下交往,秦王政下令吕不韦以文信侯身份出居他在洛阳的封国。接着又下令遍搜于国中,大规模地驱逐在秦国的各国游士,只是因李斯的上书劝谏才停止下来。

当时的国际关系错综复杂,吕不韦在各诸侯国中还有着相当的威望,因此在他出居河南的一年多时间里,各国派往秦国请求赦免其罪的宾客使者相望于道。秦王政恐怕发生变故,于是在公元前235年下令吕不韦及其家属一并迁往蜀地。吕不韦接令,自度穷途末路,早晚不免被诛戮,遂喝下鸩羽毒酒自杀。他的死,最终结束了秦国历史上从昭王去世到秦王政亲政这样一个特殊的时段。

吕不韦的享年无从确考。现在假定他初识异人时在30岁上下,那么他死时应该在55岁左右吧。据比较可靠的文献记载，吕不韦死后，他往日的门下客数千人自动聚集起来，把他秘密合葬于北邙山下他的亡妻的墓中（相传此墓亦因其妻先葬而名曰吕母冢，墓址在今河南偃师市首阳山镇大冢头村，至今墓冢完好）。秦王政查知其事，仍穷加案治，处分结果是：凡是吕不韦的舍人，如果参加了葬礼，是晋人的一律驱逐出境，是秦人的一律夺爵流放；是秦人而未参加葬礼的，爵禄在六百石以上者（中高级官员）亦夺爵流放，爵禄在五百石以下者（低级官员）流放而不夺爵。这年秋天，秦王政下诏准许原迁于蜀地的嫪毐舍人返回原居地，而其后对吕不韦的舍人却不见有同样的宽免。

有关吕不韦生平的材料大致止于此。时至今日，不管对吕不韦的为人和行事怎么看待，他是战国末年的一位大政治家应该是可以认同的。他为秦相13年，政绩应该多有可言，可惜史载语焉不详。惟是他在中国古代文化史上的地位，因有《吕氏春秋》一书传世，反而可称不可磨灭。近时朱绍侯先生作《秦相吕不韦功过简论》一文（载《河南大学学报》2000年第5期），对吕不韦的功过有客观的评价，认为他功大于过，即使说他是"秦始皇统一的奠基人"也并不过分。

二　吕不韦主编《吕氏春秋》

《吕氏春秋》一书是战国中后期社会历史的产物。

关于此书的编纂缘起和经过,《史记·吕不韦传》有简要的记载:

> 当是时,魏有信陵君,楚有春申君,赵有平原君,齐有孟尝君,皆下士喜宾客以相倾。吕不韦以秦之强,羞不如,亦招致士厚遇之,至食客三千人。是时诸侯多辩士,如荀卿之徒,著书布天下。吕不韦乃使其客人人著所闻,集论以为八览、六论、十二纪,二十余万言,以为备天地万物古今之事,号曰《吕氏春秋》。布咸阳市门,悬千金其上,延诸侯游士宾客,有能增损一字者予千金。

文中所说齐、楚、赵、魏四"公子"的生平年代,大致与吕不韦相近或稍早。这类人物为巩固自己的权力地位,倾心收养"食客",亦是战国时代的一大文化景观。盖自春秋以来,伴随旧有的"封建"秩序和"世卿世禄"制的解体,以新型"知识分子"为主体的士阶层便渐次兴起，而且人数一天比一天增多。他们当中的大多数散布于社会中下层，原不具备相对稳定的经济基础，至于时常以"游食"为急的等而下之者，更只能靠一技之长游走度日。所以到了战国晚期，随着士阶层人数的激增，大批游士便以托身私门作为仕宦进身的途径，纷纷拥挤到各诸侯国卿相权臣的门下。通常所谓"食客"，在早不过是"度身而衣，量腹而食"（《吕氏春秋·高义》），以有衣蔽体、填饱肚子为准；因为这些人都是寄居，所以又称"舍人"。不过当养客之风极盛之时，舍人也是有组织和分等级的。如齐国孟尝君的门下，就有传舍、幸舍、代舍之分，每舍皆有舍长，各舍的食客自然也就有上、中、下之分，居处、交通和饮食条件都不一样。舍人的分等标准并不是固定不变的，可以根据能力和贡献升迁黜降，有着种种类似考核制度的规定。而严格意义上的所谓"宾客"，大概与"上客"同义，是食客中等级最高、最受礼遇的分子。有突出贡献和专长的宾客可以为官，实际兼具公、私两种身份，如吕不韦的门下就有相当一批六百石以上的中高级官吏（《云梦秦简》称"六百石吏以上，皆为显大夫"）和五百石以下的低级官吏，由此构成门主控制国家权力的关系网。这样，各等级的食客便不一定都聚集在专门的居舍中，特别是对于有官爵俸禄的高等级宾客而言，他们和门主之间事实上仅仅保持着一种从属的关系和类似于故吏门生的身份。

"士"的流品本来就极其复杂，战国私门的舍人中既不乏豪侠死士、鸡鸣狗盗之徒，也不乏浑浑噩噩、一无所能之辈，但总有多数可称之为"知识分子"。这些"知识分子"也不见得都能著书立说，《史记》说吕不韦使三千门客人人著论所闻，此乃概而言之，事实上不可能每人都能做得到。《汉书·艺文志》说

二　吕不韦主编《吕氏春秋》

《吕氏春秋》乃"秦相吕不韦辑，智略士作"，这"智略士"三字便确切地道出了作书者是吕氏门客中的一部分学者。但这些学者究竟是些什么人，现在也全无资料可供查考了。就连可以确实知道当初曾为吕不韦舍人，并被任用为郎，后来又做了秦朝丞相的李斯，他对撰辑《吕氏春秋》是否尽过一些力或参加过一些什么意见，史书上也无半句提及。不过这里可以提出一种推测：参加编书的人可能有一部分原来是齐国稷下学宫的学者。

战国中叶的学术中心在齐国，稷下学宫曾是百家诸子的聚集地，这是了解古代学术史的人都知道的。而偏处西陲的秦国在早却是另外一种情形。照余英时的说法："秦国从来对学术思想本身的价值缺乏同情的了解。它所用的三晋客卿，如商鞅、张仪、范雎、李斯等人都是一些纵横法术之士，对学术思想未见有真正的兴趣。而且鸟尽弓藏，这些人谁都没有好下场。"（《士与中国文化》第63页）这种状况，起码可以说，直到秦昭王时还变化不大。公元前288年，秦昭王和齐湣王并称西帝和东帝，双方实力都在强盛时期。而到前284年，燕昭王联合秦、魏、韩、赵诸国出兵伐齐，连下七十余城，齐湣王被迫逃到莒，齐国从此走下坡路。下至前260年，秦将白起大破赵军于长平，坑杀赵卒四十余万，使当时惟一的尚可勉强与秦国抗衡的赵国遭到沉重打击，从此便形成了秦国独霸的局面。在这样的形势下，踌躇满志的秦昭王自然会"厌天下辩士，无所信"（《史记·范雎蔡泽列传》），因而当荀子西游入秦而会见昭王时，昭王劈头便发问："儒无益于人之国？"（《荀子·儒效》）荀子当然并不赞成秦昭王的意见，所以当范雎问他"入秦何见"时，他的回答是：山川形胜，民风淳朴，百吏肃然，朝事通畅，类似于古代的太平之世；然而犹有忧惧的是，这些都和"王者之功名"（王道）相差很远，原因是"无儒"，此乃"秦之所短"（《荀子·强国》）。其实荀子本人原是并不怎么看重"略法先王而不知其统"的儒的，《荀子》书中攻击"腐儒"、"贱儒"之类的文字很多，但他对秦国的"无儒"还是很不满意。不过由荀子入秦的事实也可以看出，到秦昭王时，秦国已开始受到东方齐学的沾染了。想来荀子入秦时，必定有一部分弟子随从，其中有的人可能就留在了秦国。稷下学术的兴盛期在齐宣王时，时当秦昭王继位前后；而到齐湣王时，稷下学宫走向萧条，其"老师"及其弟子们有不少流散到他国，其中大致以进入秦、楚的为多，荀子的西行游秦正可作为一证。郭沫若推断荀子游秦或者与吕不韦初入秦约略在同时，"而在这'无儒'的秦国，仅仅十年之后，吕不韦却把大量的儒者输入了"（《十批判书》第400页）。李斯原为荀子的学生，其入秦在庄襄王死去的时候，也可作为齐学输入秦国的一例。由这一类蛛丝马迹，推测吕不韦门下多有旧时的稷下学者，并非是空穴来风。

其实这方面最好的证据还是《吕氏春秋》本书。此书的整个面貌，不论是兼收并蓄的风格，还是特重黄老、兼重儒学的主体思想倾向，都是和齐学极相近的。要展开说明这一问题需要有专篇，这里不妨举一个微例，以见书中的有些材料纯出于稷下学者。《吕氏春秋·长见》篇云：

> 吕太公望封于齐，周公旦封于鲁。二君者甚相善也，相谓曰："何以治国？"太公望曰："尊贤上（尚）功。"周公旦曰："亲亲上（尚）恩。"太公望曰："鲁自此削矣。"周公旦曰："鲁虽削，有齐者亦必非吕氏也。"其后齐日以大，至于霸，二十四世而田成子有齐国。鲁公以削，至于觐（仅）存，

三十四世而亡。

这条材料,涉及中国文化史上的一个重大问题,即所谓周初齐鲁两条文化路线问题(有人称这两条路线是中国传统文化的两大干流,后世许多文化分支和流派都可曲曲折折地归于这两大干流里)。其中所反映的理论概括究竟有多高的准确性,在此亦暂不论;若仅就资料本身而言,则不但所记太公、周公的对话不可信,即有关齐强鲁弱的预言性说法亦足证其出于战国中晚期无疑。类似的文字又见于《史记·鲁周公世家》、《淮南子·要略训》及《汉书·地理志》等,意思大体无异,而以《吕氏春秋》的这段记载为最早,再往前则在《左传》及诸子书中均已查无出处。进一步地说,此种材料的中心内容几乎全是称扬姜太公的思想与政绩的,且带有明显的贬低"周礼"的意味,因此可以肯定它们本为齐国稷下学者的说话;反过来看,有关记载最早见于《吕氏春秋》,也就可以证明吕不韦门下必多有往日的稷下学者。同样的例子,在《吕氏春秋》中几乎所在皆是,遽难详述,因此我们估计撰辑《吕氏春秋》的骨干学者大都是属于齐学流派的。以情理而论,像这样带有一些官修性质的综合性大著本该出于稷下才是,但也许因为稷下学术巨擘过分注重了各自的著书立说,而战国末年齐国政坛上又缺少一位吕不韦式的注重学术的大人物,结果却使这种百科全书式的总结性工作转移到了秦国。此又正可反衬出吕不韦在古代学术文化史上的地位和贡献。不过齐国也有类似的书,这就是《管子》,只是《管子》可能是后来的齐学之士集结起来的,未曾经过像《吕氏春秋》这样的有计划、有组织、有系统的编修。

《吕氏春秋》的始撰年份不详,最后成书于秦王政八年(前239年),正好在嬴政亲政之前。依照汉代学者对先秦诸子的划分,此书一向被视为"杂家"的代表作。这"杂家"之名也许多少有些贬意。不过就书论书,《吕氏春秋》的撰辑既经过精心的筹划和设计,在材料的组织上也是有选择、有裁定的,尤其是全书的思想倾向基本一致,因此"杂"中有不杂,决非一般的泛杂记录之书或后世类书之作所能比况。它事实上是一部展示吕氏学派政治思想、文化史观的论文集,《汉书·艺文志》杂家类小序所谓"兼儒墨,合名法,知国体之有此,见王治之无不贯",正可说是对于本书宗旨的确当的揭示。

从当时的国际环境和秦国的具体情况来看,吕不韦主编此书是别有深意的。郭沫若曾指出:"《《吕氏春秋》)成书于(秦王政)八年,草创或当在六七年时。在这时候,内则始皇已近成人,而嫪氏势力日益膨大,外则六国日见衰颓,天下将趋于一统。吕氏在这时候纂成这一部书,综合百家九流,畅论天地人物,决不会仅如司马迁所说,只是出于想同列国的四公子比赛比赛的那种虚荣心理的。"(《十批判书》第398页)吕不韦本出身于豪富巨商,在他初入政界之时,当然同样对学术思想未必有真正的兴趣;然而当他渐次成为秦国政治航船的舵手,并经庄襄王之世而取得相当的经验之后,便开始作更为长远的筹划和打算,这大概也就是他的"野心"吧。秦王政即位后的秦国政治形势,如《史记·秦始皇本纪》所说:"秦地已并巴、蜀、汉中,越宛有郢,置南郡矣;北收上郡以东,有河东、太原、上党郡;东至荥阳,灭二周,置三川郡。吕不韦为相,封十万户,号曰文信侯。招致宾客游士,欲以并天下。李斯为舍人,蒙骜、王齮、麃公为将军。王年少,初即位,委国事大臣。"兼并天下乃是秦国的既定目标,吕不韦意欲促成此项空前的大事业,其宏大抱负决非列国"四公子"所能有。但在秦国内部的政治背景之下,他一方面不得不提防着太后之党与嫪毐的势力,思考着怎样清除隐患;另一方面,对于"王年少"、"委国事大臣"的状况,他也不能不作更深层的考虑。秦人尚军功,领兵大将的地位一向在丞相之上,我们看秦始皇称帝后的琅邪台刻石,其正文之下列名的次第,大将王翦、王贲、赵亥、(嬴?)成、冯毋择等人就都在丞相隗状、王绾之上。这一题名,不见得可以用来反证吕不韦的相权就小于当时诸将的兵权,但从《吕氏春秋》张扬"王道"、不尚"霸道"的主导倾向来看,吕不韦对于秦国自商鞅以来所提倡的"霸道"政策未必是通盘赞同、顺承不变的;加上他与秦王室的特殊历史关系(或者还应包含他与秦王政的血缘关系),这些都容易造成他对"王道"理想的追求和向往,并成为他顺应历史形势发展,力求通过学术活动改变秦国尚武非文局面的内在动力。

无须赘说,吕不韦作为秦王政的"仲父",对于这位年少君主的性格、为人和发展轨迹一定是了解极深、彻入骨髓的。他不会不时时想到将来伴君如伴虎,想到怎样避免重蹈他的前辈商鞅、张仪、范雎等人的覆辙。这也同时促使他及早谋划改造这位"虎狼心"的少年王者,力图使他走上中国人自古崇尚的"王道"正途。这不是猜测,《吕氏春秋·序意》便明明白白地记载着:

> 文信侯曰:"尝得学黄帝之所以诲颛顼矣,爰(曰):'有大圜(天)在上,大矩(地)在下,汝能法之,为民父母。'盖闻古之清世,是法天地。凡十二纪者,所以纪治乱存亡也,所以知寿夭吉凶也。上揆之天,下验之地,中审之人。若此,则是非、可不可,无所遁矣。天曰顺,顺维生;地曰固,固维宁;人曰信,信维听(圣?)。三者咸当,无为而行。

行也者,行其理也。行数,循其理,平其私。夫私视使目盲,私听使耳聋,私虑使心狂。三者皆私设精(甚),则智无由公。智不公,则福日衰,灾日隆。"

这一篇《序意》,看上去像是"十二纪"的序,但也许是全书的总序,可惜文字已经残缺,无从窥见原貌。现在所存留的,在上引文字之下还有一段,叙述赵襄子及青荓、豫让的故事,系后世窜乱而误相衔接,全不知其来历。

《序意》中最重要的文字是"尝得学黄帝之所以诲颛顼"一语,这真是开门见山,毫不掩饰地道出了吕不韦欲以此书训导秦王政的苦心。序中所说法天地,纪治乱,知吉凶,辨是非,行无为,循理数,去私存公,消灾致福,毋宁是全书的纲领。可知在秦王政继位之后,吕不韦是怎样的处心积虑,意图笼括天地,取鉴古今,编一部前所未有的帝王教科书,既借以改进秦国王政,又以之垂范后世,用作大一统的指南。书中有大量的言论,都使人感觉是针对秦王政而发的。宋人高似孙《子略》曾略引《吕氏春秋·任数》篇中的一段话:"十里之间而耳不能闻,帷墙之外而目不能见,三亩之宫而心不能知,其以东至开梧,南抚多颥,西服寿靡,北怀儋耳,若之何哉?"以为这是"讥始皇也"。"讥"(批评)虽未必然,但此类言论的针对性确实极强,并有普遍的意义,也难说不然。明人方孝孺读此书,也以《勿躬》、《用民》、《达郁》、《分职》诸篇的记载为例,认为"皆尽君人之道,切中始皇之病"。元人陈澔的《礼记集说》也指出:"吕不韦相秦十余年,此时已有必得天下之势,故大集群儒,损益先王之礼,而作此书。名曰'春秋',将欲为一代兴王之典礼也。"这尤其可称是破的之言。想来吕不韦以此书悬千金求损益,决不仅是为了"显其名于后世",其诱导秦王的意图也是极

其明显的。这样,我们对《吕氏春秋》一书的性质就可作如下概括:

——它是先秦诸子中"杂家"的代表作(就其综合性而言也可说是开山之作);

——它是吕氏学派的一部政治文化论文集;

——它是一部古典王政全书,是一部百科全书式的帝王教科书。

具体的评价,留待后面再随文而详加解说。

附带指出,以黄帝为华夏共同祖先的观念起于田齐(最早见于《陈侯因𰯼(齐威王)敦铭》),所谓"黄帝之学"也是最早在齐国流行的。齐学以稷下为学府,历世传习太公、管子之学,至战国时期,乃融合同样传习既久的五帝三王故事及道、法、儒等学术,创成"百家言黄帝"的局面。稷下黄老学派以道家学术为主,但也不排斥儒家的仁义礼乐,至于其中慎到、田骈的一派更向法家的方向发展。这些都与传统的太公、管子之学不相悖。《吕氏春秋》的主体思想,在某种程度上也可以说是主承稷下黄老学派的。其《序意》直言"黄帝之所以诲颛顼"(颛顼也是上古东夷首领),执笔者可能就是齐学之士。

另有几点关于本书的文献学细节尚需说明。

《吕氏春秋》是按古人著书的一种规矩,分三大部分组织起来的,篇章结构非常整齐。《史记》的《吕不韦传》和《十二诸侯年表》都说三部分的顺序是"八览"、"六论"、"十二纪",而自汉代以来的传本都以"十二纪"居首。有人认为司马迁所说应该是原来的次序,但纯从数字上考虑,当初辑书者应当是或者以六、八、十二为序,或者以十二、八、六为序,不应该以"六论"夹在"八览"、"十二纪"之间。再就是"春秋"本为编年体史书

（纪年之书）的专名，《吕氏春秋》既有"上观尚古，删拾《春秋》"（当理解为仿承孔子著书以论世）之意，因而也用"春秋"之名，那么"十二纪"理应居首，今本的顺序可能无误，并且由"纪"入"览"而终之以"论"也顺理成章。

原书"十二纪"各5篇，"八览"各8篇，"六论"各6篇，总共160篇；外加《序意》，则为161篇。每篇自为标题，各"纪"、"览"、"论"则以首篇的标题为标题。今《诸子集成》本尚存古法，标题皆在篇后。今本仍为160篇，但必须将《序意》篇也算在内才能凑足此数，实际《有始览》部分只存7篇，必定缺去了一篇。现在《序意》标题下注云"一作廉孝"，可能《有始览》脱去的就是《廉孝》篇。《序意》若是全书的总序，按理应放在全书的最后，而且不仅叙"十二纪"，也应叙及"览"和"论"。今本置于"十二纪"之后，未知是否本来如此；也可能原书以三大部分各自单行，所以《序意》也放在"十二纪"之后了。秦人之数尚"六"，此书"六论"各有6篇，"十二纪"是"六"的倍数，全书有160篇，都符合秦人的习惯。"十二纪"各有5篇，而"五"是"天数"；"八览"共64篇，又合于"八卦"之数。这些都可能是有意安排的。也许作者形式思维的逻辑是：天地有四时，四时有十二个月，因此首列"十二纪"；四时的运转合于五行，因此"十二纪"各有5篇，以"一"（天、太极、道）统"四"（四时）；四时、五行生"八卦"，因此继之以"八览"；"八卦"的重合卦，每个卦体有六爻，因此终之以"六论"。在中国古代的原始宗教意识下，有一系列数字被赋予神秘的意义，看来《吕氏春秋》也采用了这个外壳。

古人著书往往整齐其体制，篇数既有一定，各篇长短也约略相等，这对全书内容上的系统性和体例上的合理性实际是极有害的。《吕氏春秋》正犯此病,所以有好些篇目是勉强凑成的,或者把一篇割裂为数篇,从而在内容结构上造成了不少杂乱情况,材料和文字也不免重复和抵牾。比如《应同》和《召类》两篇,就明显是由一篇割裂而来的,割裂的痕迹还彰彰可寻。

《应同》篇的最后,于"名实不得,国虽强大,曷为攻矣"句下有个说明:"解在乎史墨来而辍不袭卫,赵简子可谓知动静矣。"其事见于《召类》篇,而后者"史墨"作"史默"(当以作"史墨"为正,见《左传》;"墨"原是书写用品或书写之意,故用为史官之名)。这是在割裂之后,前者意不足,故不得不采用互见之法以足之。

《召类》篇开头的一段话:"类同相召(《应同》篇'同'作'固'),气同则合,声比则应。……凡人之攻伐也,非为利则固为名也(《应同》篇'固'作'因')。名实不得,国虽强大,则无为攻矣。"凡176字,全是由《应同》篇节选而来的,只有个别字词不同(有的是故意改动,有的是抄写致异)。如果此篇去掉这一段,《应同》篇去掉最后说明互见的一句,那么两篇就完全衔接起来了。不过《应同》篇的末段有错字,也许原稿割裂时归于《召类》了,又从《召类》篇抄回的。

《应同》篇的标题下,清人毕沅有个注:"旧作'名类',乃'召类'之讹,然与卷二十篇目复。旧校云'一名应同',今即以'应同'题篇。"可见原篇割裂前本题作《召类》,因为编书时标题都放在篇末,所以在割裂之后,本题仍然放在后一篇。前一篇照理已经改题《应同》,大约因为改而未尽,遂致不同抄本之间出现了"应同"、"召类"的差异。这样就有了并存两个《召类》篇的本子,传抄者或者不知其缘故,乃又擅改前者篇题为"名类"。实际割裂分篇本就不该,割裂之后勉强用两个标题,也应前者用本题,后者另起名。今本《应同》和《召类》应该互换标题才是。

根据同样的理由(特别是篇中所存的互见之语),可以确定是一篇分割为两篇的还有:《去尤》→《去宥》,《听言》→《不屈》,《淫辞》→《应言》,《下贤》→《谨听》(箭头表示两篇文字在未经分割的原篇中的顺序,即箭头前的在前,箭头后的在后)。这一类的分割,有的后一篇没有用作发端的概括提示语,可以直接与前一篇衔接起来;有的和《召类》篇一样,虽节引前一篇之文或径用前一篇的后一段文字作开头,读起来仍令人觉得突然,与全书其他各篇皆有精要发端语的体例不合。《听言》篇末有一段话:"不学而能听说者,古今无有也,解在乎白圭之非惠子也,公孙龙之说燕昭王以偃兵及应空洛之遇也,孔穿之议公孙龙、翟翦之难惠子之法。此四士者之议皆多故矣,不可不独论。"所说诸事分见《不屈》、《应言》、《淫辞》篇,可能写作时原拟总为一篇,后因内容较多,所以分出一部分"独论",从而割裂为两篇,再后来又各自一分为二,结果成了4篇。另外,《谨听》篇似是从原篇中抽出来的,不是上下割断的一分为二,所以要是跟《下贤》篇合并的话,须穿插在《下贤》篇中间,不能前后相接。

问题最严重的是《务本》、《谕大》、《务大》三篇的分合关系。这三篇属于同一内容,而《务大》篇与前两篇都有重复文字。如果把三篇合起来,去其重复,算作它们的原稿(篇题应当是《务大》),那么把原稿分为五段,就可以看出:第一、第二段单独取出来成了《务本》篇,第三、第四段单独取出成了《谕大》篇,然后又重复取出第一、第四段并缀合原稿的第五段而成了《务大》篇(用的还是原稿标题)。《务大》篇在全书最后一部分的《士容论》之下、农学四篇之上，显见是在全书编定时为凑足篇数而临时补进去的，所以只好抄截成篇（实际是截取了《务本》篇的开头和《谕大》篇的后半部分），而内容与同卷诸篇毫无联系。问题还不止于此。《务本》、《谕大》两篇之下的《孝行览》开头就说："凡为天下，治国家，必务本而后末。"其下《本味》篇的开头又说："求之其本，经旬必得；求之其末，劳而无功。"从内容来看，这五篇文字都是有紧密联系的。很可能原稿是一个总篇，或者以《务本》为标题，或者并无标题，现在的《孝行》、《本味》二篇原是其前半部分，《务本》、《谕大》、《务大》三篇原是其后半部分；两部分割离之后，又各分为两篇、三篇，而越分越糊涂，重复越多。

不能肯定是否曾经割裂而内容很相近的篇章，还有《察贤》与《期贤》、《遇合》与《必己》（一作《不遇》）、《执一》与《不二》（后者有一段字窜入《安死》篇）等。此类篇章一般没有重复，也无互见之语，但至少是同类内容的分写。《孟夏纪》部分的"劝学"4篇，内容条理也不清，很可能也是原有总稿而后来又分写的。与此相反的是，有的篇章有互见之语，内容却不相近。如《务本》篇末说"解在……薄疑应卫嗣君以无重税"，事见《审应览》；《谕大》篇末说"解在乎……及匡章之难惠子以王齐王也"，事见《爱类》篇。这类互见之篇的内容都不相同，可能是编定时作过审查，发现用例一样，所以采用了互见之法。

同类的问题，倘若详加校勘，可能还有不少。据此以为全书的编制体裁相当拙劣，也是不算过分的。估计最初的编撰成果约在百篇左右，而一旦硬要凑成160篇，各种问题就都出来了。不过现在读这部书，重视的是它的内容价值，编纂上的问题还是次要的。文献学者如能将全书作统一的整理校订，指出其中的问题，勘正讹字误句，将会更便于使用。

　　本书现存最早的传本是东汉高诱的注本，凡分 26 卷。旧时著录或作 30 卷，大概是误记，历代正史的艺文志皆作 26 卷。另外《史记》说此书有"二十余万言"，但今本字数实际只有十余万，远不足二十万；若说在流传过程中脱佚过半，则由现存本子来看又不像，恐怕司马迁据流行的说法记录，并未作过仔细的统计。高注本的自序说到："故复依先师旧训，辄乃为之解焉，以述古儒之旨。凡十七万三千五十四言……"此数大约是连注文都计算在内的，今本正文亦不足此数。高注较简明，但也有一些附会和误解。《诸子集成》收录的是清人毕沅根据高注本所作的复注本，对高注有一些驳正，高注原文仍都保存着。近世注释和校勘较详的本子是许维遹的《吕氏春秋集释》和陈奇猷的《吕氏春秋校释》。

三 "十二月纪"：上古王政的年历

我国古代的"月令"文字，记录农历（夏历）一年四季的时令物候、行政措施和相关事物等，经过系统整理而至今完整流传下来的，要以《吕氏春秋·十二纪》各卷的首篇为最早。因为这些篇什是按月记载的，所以通常又合称为"十二月纪"。

关于这类文字的起源时代，目前尚无确定的说法，恐怕今后也难有确实的指证。郭沫若曾指出："《十二月纪》同于《礼记》中的《月令》、《淮南鸿烈》中的《时则》，《逸周书》中也有这一篇，这论理不是吕氏门下所撰录，但不能出于战国以前。"（《十批判书》第 404 页）仅就现在所知，《大戴礼》中所保存的《夏小正》（相传为夏代历书），大概是比《吕氏春秋》早出的文献，其中已多有时令内容（突出记载的是物候）；但据考订，《夏小正》的成书也不能早于战国。《管子》一书，一般认为成编于战国秦汉间，其中保存此类材料特多，如《幼官》、《幼官图》、《四时》、《轻重己》、《五行》等篇，大致都可说是时令之作。特别是《幼官图》,用中、东、南、北、西五"方图"的形式,各分本图和副图,按季节叙次"从始辅官齐政之法"("幼官"即始官),可说是时令行政的总括。此篇显然原有10幅图,每图各有说明,现存的文字只是原来的说明,图已经全都失落了。《幼官》篇的文字,与《幼官图》全无异,只是先把本图的说明集录在一起,然后集录副图的说明,当是为传习方便而采取的做法。《四时》篇按春夏秋冬的顺序编排,各与东南西北和星日辰月相对应,中间又加"中央曰土"一项,以"辅四时入出",内容较《幼官》篇简括。《轻重己》按"四至"的循环顺序编排,内容更简。《五行》篇实际也是谈时令的,只是综合叙述,未按季节编排。这几篇文字都是按五行学说的框架组织起来的,书中其他篇章散见的相关内容尚不一而足。齐国本是阴阳五行学说的发源地、大本营,时令文字无疑最早在齐国发达起来,这是考察时令文字的起源时首先应当加以注意的。

《礼记·月令》篇的载录,几乎与《吕氏春秋》的"十二月纪"全无异,每篇所增添者也不过三五字,只是有不少异字;另外就是在季夏与孟秋之间加了"中央土,其日戊己"云云一段,以便与完整的五行体系配套,然文字甚简,与各"月纪"不类,无疑为后儒增补。照东汉末郑玄的看法,《月令》本是礼家好事者由《吕氏春秋》的"十二月纪"抄录来的,后人认为是记礼的文字,遂用"月令"的标题编入了《礼记》。注《吕氏春秋》的高诱也持此种看法。而马融、贾逵、蔡邕、王肃及孔晁、张华等人,则据《逸周书》的载录,认为《月令》本为周公所作,是吕不韦著书时改换标题抄了《月令》,而不是相反。这后一种说法,现在恐怕不大会有人相信了,因为郑玄已明白地指出,篇中"官名时事多不合周法",说周公作《月令》,大前提就不可靠。马、贾、蔡、王等人以此篇托古，大约除了传统儒家思想的影响外，多半出于对吕不韦其人的成见，旧时学者往往因此而对《吕氏春秋》一书有微词。过去有说《月令》是马融补进《礼记》的，恐怕也不可靠，《四库提要》在《礼记正义》的提要中有驳论。《月令》和"十二月纪"用字的不同，大概都是传抄过程中出现的问题，其中有不少应以"十二月纪"为正，可以看出是《月令》抄错了，或是传抄者臆改而致误。此亦可反证《月令》抄录"十二月纪"无疑。

《淮南子·时则训》也是由"十二月纪"改编来的，对于"月纪"本文并无多少变动，只是增加了一些汉代流传的相关内容。

月令文字的流传，大约在战国时代就不止一种或几种。有人认为这类政书性质的材料，很可能是若干世纪累积起来的官方文书；但还应指出，这类材料的性质、来源更可能与古代王朝的颁正朔、授时历有关，或者可说是原始农历书的孑遗。吕不韦主编《吕氏春秋》时，肯定对这类材料有所依据和参考，并不都是自出心裁的创作，甚至对其中的主要部分都照录原文也是可能的；但把它们系统地整理和记录下来，构成有条不紊的分类文献，应该算是吕氏门下的一项功劳，即使说它们本为吕氏门下所撰录，恐怕也不算过分。特别是与《管子》书中的同类材料相比较，"十二月纪"逐月记录，内容已较前条理、清晰、简要、系统得多，而且注重五行学说中所包含的自然规律因素，附会其迷信成分的地方较少。后世月令、时令之书皆当推本于此。

"十二月纪"在《吕氏春秋》中有着特殊的意义和位置，这可从全书的定名、篇章结构和《序意》的写作得到证明。不过据实而论,"十二月纪"大抵属于记录的性质,其他148篇则几乎全是论说文字,二者在体裁上并不一致。我们说《吕氏春秋》是吕氏学派的一部论文集,主要是就后者而言的,对于"十二月纪"则应当另作分析。

"十二月纪"的写作有一定格式,内容大致可分为四项:一是从历法入手,记录当月的时令、天象、物候、常规祭祀的古帝王和神灵、五行学说的对应诸元素、天子的时服和饮食器物等;二是当月王政活动的主要节目,包括节令礼仪、朝政大典、重点事务及其注意事项等;三是根据时令指导民事活动的原则规定和时令禁忌等;四是每篇末各有专门文字,指出不按时节行政将会带来的自然灾害。由于时令的运转是连续不间断的,特别是在每一季度之内,各月的时令变化有同有异,因此王事活动的月程安排不可能全异。不过"月令"的记录在异而不在同,异者多,同者少,每月有每月的时令特点。这样,把各月的内容联贯起来,也就可以展示一年当中王者施政的大体过程。纯从文献学的角度看,著书而以月令为"纪",欲以囊括天地古今,或者可以算是一种巧妙的安排。其《序意》说:"凡十二纪者,所以纪治乱存亡也,所以知寿夭吉凶也。"由此可以窥知作者的著书宗旨和意图。但是"纪治乱存亡"而不用史体,古今变化之迹无由概见,剩下的就只有"知寿夭吉凶"了。通观《吕氏春秋》全书,作者的著述宗旨仍不离中国文化的一个古老命题——"天人合一",即从人与自然的关系这个基本点出发议论政治人事。这也就是《序意》篇所强调的"上揆诸天,下验之地,中审之人",亦即吕氏门下以"十二月纪"为全书纲领的用意之所在。

直接展示这一点的,莫过于"八览"部分的第一篇《有始览》。此文开篇即叙述"天地有始",揭出"天地合和,生之大经也"的道理,把万物本体归结于天地自然的离合生成。而尤其值得注意的是,全文所论最后落实于"天地万物,一人之身也,此之谓大同"。这个"大同"也就是所谓"天人合一"了,参透了这个"大同"的真谛,也就可以明白"一人之身"乃包含了宇宙的全部信息——这真可称是跨越数千年的超前科学概念。照作者的意见,无论"一人之身"的耳目口鼻也好,还是自然的寒暑变化、五谷的生殖循环也好,这些"众异"都是万物毕备而"大同"的条件;天地汇聚万物,"圣人"观其类而察其情,懂得了宇宙天地之所以形成,风雨雷电等自然现象之所以发生,阴阳二气之所以化生万物材用,人类与禽兽之所以各得其所,也就可以因任而治,求得社会与自然的统一。质言之,顺天、法地而信人,"三者咸当",自可"知寿夭吉凶",避祸而趋福。观《有始览》所论,不啻是"十二纪"的纲领之纲领。"六论"部分的第一篇《开春论》,也由时令论起而及于人事:"开春始雷,则蛰虫动矣;时雨降,则草木育矣;饮食居处适,则九窍百节千脉(人身各构造器官)皆通利矣;王者厚其德,积众善,而凤皇、圣人皆来至矣。""览"、"论"皆由天人之际引入,可见这两大部分也与"十二纪"有一定的关系。

　　重复地说,《吕氏春秋》没有通记古代历史文化的变迁,而是截取一年的时段以为"纪",用系月的方式展示王者施政的历程,这样就在一定程度上构成了一部微观的文化史。说它是微观的,是因为它的记录以"年"为单位;但其中也包含有宏观的内容,所记各种自然和人事现象都不是一年到头之后就过时或不再发生了的。其直接文化意义在于可据以印证中国古代典型农耕文化的特征。我国历法的起源和成熟很早,还在传说时代的东夷少昊集团的"鸟官"系统中,就已有"五鸟"(以鸟为图腾的5个部族或氏族)所担任的历法官职:凤鸟氏为历正(负责校订和实施历法的主管官员),玄鸟氏司分(管理春分和秋分),伯赵(伯劳)氏司至(管理夏至和冬至),青鸟氏司启(管理立春和立夏),丹鸟氏司闭(管理立秋和立冬)。对此当然不能过于质实地理解为信史,但说中国人的季节观念早在原始社会末期已经萌芽,应该没有疑问。有学者曾据甲骨文所见,考证商代"年"的概念尚只有春、秋两季而无夏、冬,这看法恐难以成为定论。因为商代历法已经成熟,一年既分十二个月(并有闰月的十三月),则四季观念亦不应迟至周代才有。古代历法是和农事活动紧密联系在一起的,划分季节本身便是根据农事发展的需要而对天象物候长期进行观察和研究的结果。"十二月纪"区分季节,逐月记载,其中的岁时内容即保存了这方面相当丰富的观察经验,反映出上古历法的形成机制。

我国传统农业社会的突出特征之一是岁时祭祀和节日的繁多。"十二月纪"中所见的祭祀的活动多达几十项,不仅涉及常规的祭天、祭地和祭祖三大祭祀系统,而且还有种种与时令相应的繁杂祭祀,其中绝大多数都已成为古代王政日程上必不可少的活动项目。学者共知,我国古代文化的特色主要表现在礼乐传统上面。这一传统,探寻上古王官文化和民间文化的发展过程,实际主要源出于神权统治时代的祭祀活动。传统所谓"周礼",虽然大纲细目,经纬万端,仍无不与祭祀相联系。"十二月纪"并不是专记祭祀的,因此元人陈澔说它"多有未见与礼经合者";但他同时指出,所记"犹能仿佛古制,故记礼者有取焉"(《礼记集说》)。这就是"十二月纪"之所以会被改题收入《礼记》的原因。古时祭祀和岁时节日之间并无严格的区分界限,有些祭祀活动行之既久即成节日;反过来,在一般节日活动中,祭祀礼仪也往往必不可少。如"十二月纪"所载祈求丰收、祭祀土谷神道的活动,包括孟春的"祈谷"、季春的"为麦祈实",孟夏的"尝麦""升麦"、仲夏的"祈谷实""登黍""尝黍",孟秋的"升谷""尝新"、仲秋的"尝麻"、季秋的"尝稻",孟冬的"祈来年"等等,在早期可能都具有节日的性质;后世以至今日,在民间的许多地方仍然流传着此类古俗。

一般认为,我国最早的农事节日应是节气时令上的"四立"、"二分"、"二至","节日"一词的本义即指此。"十二月纪"特重"四立",皆有较详细的记载。如《孟春纪》:"是月也,以立春。先立春三日,太史谒之天子,曰'某日立春,盛德在木',天子乃斋。立春之日,天子亲率三公、九卿、诸侯、大夫,以迎春于东郊。还,乃赏卿、诸侯、大夫于朝。命相布德和令,行庆施惠,下及兆民,庆赐遂行,无有不当。乃命太史守典奉法,司天日月星辰之行,宿离不忒,无失经纪,以初为常。"这一活动在我国流传久远。《后汉书·祭祀志》对"迎春"仪式有更具体的记载:"立春之日,皆青幡帻,迎春于东郭外。令一男童冒(帽)青巾、衣青衣,先在东郭外野中。迎春者至,(男童)自野中出,则迎者拜之而还。"汉以后的迎春节又因时变化,先后增出"鞭春牛"等活动。如宋人张世南曾记载:"立春前一日,出土牛于鼓门之前。若晴明,自晡后(晚饭后)达旦,倾城出观。巨室或乘轿旋绕,相传云'看牛则一岁利市'。"(《游宦纪闻》)至今我国各地农村的迎春活动仍然缤彩纷呈,只不过带上更多的欢娱色彩,已没有上古、中古时代那样一本正经的祭祀礼仪了。

如上所说,《吕氏春秋》以"十二月纪"浓缩天、地、人关系的意图,其实并不仅仅在于岁时节令本身。岁时节令可以反映我国古代农业社会的生产结构、生活方式,同时也决定着王政活动的规律性进程。在当时的生产条件和社会组织体系下,王政活动必须顺应自然,不得违背自然规律。如下列各月的记载:

《孟春纪》:"是月也,天气下降,地气上腾,天地和同,草木繁动。王布农事,命田舍东郊,皆修封疆,审端径术(审理端正土地疆界)。……禁止伐木。无覆巢,无杀孩虫、胎夭、飞鸟,无麛无卵。"

《仲春纪》:"是月也,日夜分,雷乃发声,始电。蛰虫咸动,开户始出。……无竭川泽,无漉陂池(无使陂池干涸),无焚山林。"

《季春纪》:"是月也,生气方盛,阳气发泄,生者毕出,萌者尽达……命野虞无伐桑柘。"

《孟夏纪》:"是月也继长增高,无有坏隳。无起土功,无发大众,无伐大树。……劳农劝民,无或失时。"

《仲夏纪》:"是月也……令民无刈蓝以染,无烧炭(不要焚烧草木为灰),无暴(曝)布。门闾无闭。……日长至,阴阳争,死生分(植物有生有死)。"

《季夏纪》:"是月也,树木方盛……无或斩伐。……土润溽暑,大雨时行。烧薙行水,利以杀草,如以热汤,可以粪田畴,可以美土疆。"

《孟秋纪》:"是月也,农乃升谷。……完堤防,谨壅塞,以备水潦。修宫室,坿墙垣,补城郭。"

《仲秋纪》:"是月也,日夜分,雷乃始收声,蛰虫俯户。杀气浸盛,阳气日衰,水始涸。日夜分,则一度量,平权衡,正钧石,齐斗甬(桶)。"

三 "十二月纪"：上古王政的年历

《季秋纪》："是月也，草木黄落，乃伐薪为炭。蛰虫咸伏在穴，皆墐（塞）其户。"

《孟冬纪》："是月也……天气上腾，地气下降，天地不通，闭而成冬。命百官谨盖藏，命司徒循行积聚。……"

《仲冬纪》："命有司曰：土事无作，无发盖藏，无起大众，以固而闭。……日短至，则伐林木，取竹箭。……"

《季冬纪》："是月也，日穷于次，月穷于纪，星回于天，数将几终，岁将更始。专于农民，无有所使。天子乃与卿大夫饬国典，论时令，以待来岁之宜。"

古代农事活动是循环往复的，王事活动亦不能摆脱这种循环过程。"十二月纪"的全部内容，可用《孟春纪》的一句话来概括："无变天之道，无绝地之理，无乱人之纪。"虽然有关记载也蒙蔽着一层五行学说的阴影，但其实质还是顺应自然之理而经理人事，因此吕氏学派要用"十二月纪"来提挈全书。这中间还包含着一种朴素而又很可宝贵的生态环境保护意识，从上面的引文可以很清楚地看到这一点，其他一些岁时禁忌也是不能全从五行说的角度视为迷信的。专从政治上看，"十二月纪"所反映的王政思想也可用另一句话来概括，即"国之大事在祀与农"。上古兵农合一，原不分家，所谓"国之大事在祀与戎"的观念，大概是到春秋战国时代才流行起来的。《吕氏春秋》作于战国末，然而"十二月纪"却视无故"称兵"为岁时大忌，屡出之以"无作大事（征伐）以妨农"之词。诸如此类，我们在后面的叙述中还将随文作些讨论。

后人研究《礼记·月令》，皆推本于经学，几乎忘记了它原是《吕氏春秋》的文字，这是不公道的。然而这些文字的文化价值毕竟是不容否定的。宋人张虑曾撰《月令解》十二篇奏进朝廷，奏表称可以用来"裁成天地之道，辅相天地之宜"。《四库提要》又评论说："古帝王发政施令之大端，皆彰彰具存，得其意而变通之，未尝非通经适用之一助。"这些说法大致合乎实际，而治学者对其精神内核，亦当联系先秦元典来参看。

四　天道观·发展观·历史观

1.《吕氏春秋》的天道观和"天命"观

传统哲学上的天道观,是和"天"的神性或非神性联系在一起的。按照近世以来的习惯说法,承认"天"有主观神性,把它看成是超自然、超社会的人格力量("上帝"),那么这样的天道观就是唯心主义的;反之,不承认"天"有主观神性,认为它是自然的、客观的,有自己的运行规律,那么这样的天道观就倾向于唯物主义。不过,中国古代的天道观念甚为复杂,并不能纯从唯心与唯物两大阵营去划分。至于"天人合一"观念,如《吕氏春秋》的"十二月纪"所显示的那样,虽夹杂一些被赋予了迷信色彩的五行学说,仍须与天道观两分来看。

人类在荒古时代,对迷离恍惚的自然现象不能解释,便生出原始宗教对神灵的信仰。中国传说时代的颛顼"绝地天通",

通过巫师做人神交通的桥梁,不准人民直接和上天的神灵打交道,已开神权统治的先河。直到商代,王官文化的性格基本上还是神本主义的,如《礼记·表记》所说,"殷人尊神,率民以事神"。商王既是政治上的最高统治者,又是宗教上的最高祭司,他们的动静行止都要通过占卜由神灵来决定,近世成批商代甲骨的出土证明了这一点。不过到商代末期,史官文化开始发展起来,人本主义开始抬头,传统的天道观念已渐次发生变化。《史记·殷本纪》载有一个故事:"武乙(殷末代王帝辛的曾祖)无道,为偶人,谓之天神,与之博。令人为行,天神不胜,乃僇(戮)辱之。为革囊盛血,仰而射之,命(名)曰射天。"这种对于"天神"的恶作剧可以看成是特例,不过也实实在在地证明了至上人格神的权威在减弱。西周时代,史官的地位和权能大大加强,王官文化进一步走向理性化和人本主义,虽然这时"上帝"的观念在统治者心目中仍然是不能否定的,但"敬德保民"的观念已明显地成为转换时期的文化主旨之一。所以下至春秋战国,伴随旧的宗法封建制的渐次崩溃和数百年的社会大动乱,人本主义思想日益凸显起来,传说的"天道"观念被置之虚位,所谓"远鬼神,近俗世"或"轻鬼神,重人事"的社会思潮亦因之渐次风行。《左传》及《论语》等书中的有关事例很多,诸如"天道远,人道迩","未能事人,焉能事鬼","民为神主","妖由人兴"等言论,都是对"神道"化入"人道"的典型表述。

与《吕氏春秋》同时代成书的《易传》,仍然称说"圣人以神道设教",然而这个"神道"也已经不是传统的东西。《易传》的宇宙观,立足于"一阴一阳之谓道",同时又将阴阳变化推本于"太极"。《系辞传》说:"易为太极,是生两仪(天地),两仪生四象(四时),四象生八卦(八种基本物质)……"这个"太极",又称"太一"或"道",更质实一点说就是"精气"或"元气",实际是指物质世界的初始状态。由"太极"而"分阴分阳,递用柔刚",于是天地判别,万物化生。至于其中是否存在神秘的"第一推动力",《易传》作者并未追问。因此《系辞传》把"神"描述为"范围天地之化而不过,曲成万物而不遗,通乎昼夜之道而不知",即所谓"阴阳不测之谓神";又说"精气为物,游魂为变,是故如鬼神之性状,与天地相似,故不违"。《说卦传》又总括说:"神也者,妙万物而为言者也。"这些都是指宇宙自然的运行规律变化莫测,与人格神的观念两不相及。

以"道"为"精气"的观念又见于《管子》。《管子》的《心术》上下、《内业》、《白心》共四篇,一般认为是稷下道家学派的作品。其《内业》篇说:"凡物之精,比则为生。下生五谷,上为列星,流于天地之间谓之鬼神,藏于胸中谓之圣人,是故名气。"对"精气"和"鬼神"的解释与《易传》一致。《易传》的作者问题,至今还难以确切考求,我们倾向于认为它出自稷下后学之手,本来也是属于齐学的。此外,《礼记·祭义》称"因物之精,制为之极,明命(名)鬼神",以造物的精巧圣智为"鬼神"的旨意也表述得相当清楚。

《吕氏春秋》一书的政治性极强,所以书中的所有论说都极为重视理性,而不甚纠缠于"天道"问题。从一些片断的言论来看,其天道观念大略与《易传》和《管子》四篇相近。如《大乐》篇说:

> 太一出两仪,两仪出阴阳。阴阳变化,一上一下,合而成章。浑浑沌沌,离则复合,合则复离,是谓天常(即天道)。天地车轮,终则复始,极则复反(返),莫不咸当。日月星辰,或疾或徐,日月不同,以尽其行。四时代兴,或暑或

寒,或短或长,或柔或刚。万物所出,造于太一,化于阴阳。这些文字的语言风格和内容都接近于《易传》。《易传》是以儒家学说为主而综合道家学说的。《吕氏春秋·大乐》篇对"道"和"太一"的定义也套用了道家的语言:

> 道也者,视之不见,听之不闻,不可为状。有知不见之见、不闻之闻、无状之状,则几于知之矣。

> 道也者,至精也。不可为形,不可为名,强为之[名],谓之太一。

原始道家对"道"的解释本来就内容不一。有一种看法认为,《老子》书中的"道"是统摄"气"与"理"的,所谓"有物混成,先天地生"、"道之为物,惟恍惟惚"等等,即隐约表达了一种气化生成的宇宙论观点。不过《老子》书中还没有直接提出"精气"之说。《吕氏春秋》所称的"道"或"太一"的本体究竟是什么,书中也没有明确的诠释,但联系有关论述来看,所指可能就是摄取于《易传》的"精气"。如《圜道》篇解释"天圆地方",便以"精气一上一下"、"万物殊类殊形"为言(详见后)。《尽数》篇更明确指出:

> 精气之集也,必有入也。集于羽鸟与(欤),为飞扬;集于走兽与,为流行;集于珠玉与,为精朗(良);集于树木与,为茂长;集于圣人与,为敻明。精气之来也,因轻而扬之,因走而行之,因美而良之,因长而养之,因智而明之。

类似的论说所展示的是一种天道自然观,和《易传》及《管子》四篇一样,都是与传统的神学世界观格格不入的。这样的观念,实际在"十二月纪"本文中便有多方面的反映,只是尚未有专门的理论解释。

在这样的认识之下,《吕氏春秋》论及"鬼神"之事,也只是

四 天道观·发展观·历史观

把它看成"不知其所以然而然"的东西,几乎全不见称举人格神。传说孔子、墨子治学,"昼日讽诵习业,夜(梦)亲见文王、周公旦而问"。《博志》篇记此而强调指出:

> 用志如此其精也,何事而不达,何为而不成?故曰:精而熟之,鬼将告之。非鬼告之也,精而熟之也。

高诱注云:"史曰日精所学,致无鬼神,故曰有鬼告之也。"此亦《礼记》以精巧圣智为"鬼神"之意。《吕氏春秋·观表》篇说:

> 圣人之所以过人,以先知。先知必审征表,无征表而欲先知,尧、舜与众人同等。征虽易,表虽难,圣人则不可以飘矣。众人则无道至焉。无道至则以为神、以为幸。非神非幸,其数不得不然。

这是说"先知"的"圣人"之所以超过常人,仅在于他们能够审知事物发展变化的表征,并由此总结出"不得不然"的规律而至于"道"而已,并无什么神秘可言;常人不至于"道",或以为"神",或以为"幸"(偶然),其实非"神"非"幸",偶然中包含有必然。所以,《吕氏春秋》对于卜筮之类媒介人神的工具也持否定的态度。如《尽数》篇说:"今世上(尚)卜筮祷祠,故疾病愈来。"《察贤》篇说:"今夫塞(赛)者,勇力、时日、卜筮祷祠无事焉,善者必胜。"《明理》篇则历举种种天妖、人妖、物妖之祸,以说明妖祸之兴皆由于人事之不善。《慎大览》记有一个故事:

> 武王胜殷,得二虏而问焉。曰:"若国(你们国家)有妖乎?"一虏对曰:"吾国有妖。昼见星而天雨血,此吾国之妖也。"一虏对曰:"此则妖也。虽然,非其大者也。吾国之妖甚大者,子不听父,弟不听兄,君令不行。此妖之大者也。"

这假托的故事自然不能出于周初,却也把春秋以来重人事、轻鬼神的思想倾向揭示得非常明白。《疑似》篇还有个不怕鬼的故事,也可借以说明《吕氏春秋》不迷信鬼神的倾向。这故事说:有个乡下老人去赶市,喝醉了酒。归途中,"黎丘之鬼"扮成他儿子的模样扶他走道,百般折磨他。老人回到家,大骂儿子:"我做父亲的哪点对你不好,为什么我喝醉了,你在路上折磨我?"儿子不知怎么回事,跪在地上哭泣说:"真是作孽,根本没有这回事。我到东村借债去了,您可以去问一问。"老人相信了,就说:"一定是那个奇鬼捣乱,我曾听说有这样的事。明天我再去喝酒,要是碰上奇鬼,一定刺杀它。"第二天一大早,老人又到市上,大醉而归。他儿子怕他回不来,就去迎他,不料老人望见真儿子,以为是鬼,拔剑而刺之,把自己的儿子给杀了。——这故事自然是说,"鬼"很会迷惑人。但老人的精神还是可敬的,说明早在数千年前,中国人已经不那么迷信"鬼"了。当然,《吕氏春秋》对鬼神的否定是不彻底的,在谈及阴阳失次、四时异节的妖祸怪异时也还有不少迷信的成分。

在古代天道观的思想链条上,"天命"观念是重要的一环。原始儒家对待这一问题,一向采取两分的立场和务实的态度。例如在孔子那里,便一面承认"天命"的存在,认为"死生有命,富贵在天",主张君子"畏天命","不知命,无以为君子";一面又强调"君子居易以俟命","不怨天,不尤人",面对现实乐观豁达,摒除空言,重视实干,力求尽人事以应天命,乃至"知其不可而为之"。《吕氏春秋·知分》篇对此亦有集中的论说,并且主题即是"达士者,达乎死生之分"的终极关怀,而基本立场仍是儒家的。篇中所举的例证之一是:大禹巡视南方,过江,有黄龙负舟,舟中之人皆大惊失色,举措无主。禹仰天而叹曰:"吾受命于天,竭力以养人。生,性也;死,命也。余何忧于龙焉?"结果黄龙俯首低尾而逝去。作者因此发论道:

四　天道观·发展观·历史观

> 禹达乎死生之分、利害之经也。凡人物者，阴阳之化也；阴阳者，造乎天而成者也。天固有衰嗛废伏，有盛盈蚠息，人亦有困穷屈匮，有充实达遂，此皆天之容、物[之]理也，而不得不然之数也。古圣人不以感私伤神，俞（愉）然而以待耳。

接下又举晏子在齐国内乱中不畏死的事例，以为"晏子可谓知命矣"，并引出对"命"的定义：

> 命也者，不知所以然而然者也，人事智巧以举错（措）者不得与焉。故命也者，就之未得，去之未失。国士知其若此也，故以义为之决（判断）而安处之。

承认"命运"的客观存在，甚至认为它有主导性的一面，向来是有宿命论或命定论之嫌的。先秦墨家从小生产者的立场出发，着力倡导"非命"，主张以"强力"改变自己的命运，这自然有着不可忽视的意义；但是"非命"之说，又与他们的"尊天"、"明鬼"论有着内在的逻辑矛盾。荀子主张"人定胜天"，比孔子和墨子的认识都大大前进了一步。不过中国人对于"命运"，事实上至今仍多采取儒家的一种基本态度，即俗语所谓"谋事在人，成事在天"。《吕氏春秋》把这种态度进一步理性化了，认为"命"这东西原不过是"不得不然之数"、"不知其所以然而然者"；换言之，也就是事物发展过程中的一种必然性。"祸福之所自来，众人以为命焉，不知其所由"（《召类》），就是没有看出这种必然性。这种必然性有时会带来好的结果，有时会带来坏的结果，人们不必过分依赖它，也不必向它低头或翻脸，关键在于能动地把握它、利用它，以便使人事智巧通行无碍。就这一点上说，《吕氏春秋》对"命"的定义还是可取的，与它否定上帝鬼神的立场相一致。当然，《知分》篇的主旨是提倡志士"达乎死生之分,则利害存亡不能惑",亦即原始儒家所主张的"无求生以害仁,有杀身以成仁",并强调贤主明君应该按"义"的标准实行赏罚而区别贤不肖,其政治意义也有尽驱天下之士以为己用的一面。

从理论上说,《吕氏春秋》相信"命"包含了一种必然性;但有资料表明,吕氏学派实际更重视人的主观能动性,对命的看法并不拘泥于所谓人事"不得与"或"安处之"的态度。其《慎人》篇是特别强调这一面的,指出:"功名大立,天也。为是故,因不慎其人,不可。"意在说明,自古大功名的树立有着人为以外的因素("天"),但若因此而否定人为的作用("人"),那就不妥了。例如舜遇尧,禹遇舜,商汤遇桀,周武王遇纣,这是他们成就大功名的历史机遇("时使然也"),但他们个人的努力和业绩却要归之于人为。下面又详举百里奚和孔子的例子,说明人为加机遇才能建功立名。这样的看法,甚至在今天的认识水平上也还是值得肯定的。

2.《吕氏春秋》的变易发展观和历史观

现在换一个角度,由《吕氏春秋》的天道观进而看一看它的变易发展观和历史观。

冯天瑜指出,元典时代的中国哲人普遍承认变易,他们"不仅深入探讨常与变、因与革等变化观问题,而且也力图勾勒变化的线路模式,在这方面形成颇具特色的观点"。这些观点"概言之,从《易经》到《老子》,进而到《易传》,都排斥直线发展观,倡导变易循环论"。而"战国末年成书的《吕氏春秋》,承袭《易经》、《老子》、《易传》、《庄子》的反复观,提出'圜道'说,对中华元典时代的循环论作了一个总结"(《中华元典精神》第221、224页)。

　　《吕氏春秋》全书所反映的变易循环观念是非常鲜明的。这一观念的总根源,便是中国古代农业社会所特有的生产和生活方式。无须赘说,在以农耕为生存基础的中国,农业生产的节奏早已与人们日常生活的节奏息息相通。从一年四季春夏秋冬的周而复始,从播种、耘锄、作物生长到收获的生产周期以及从自然界和社会生活的种种回环往复的现象中,都很容易产生出循环论的思维方式。与之相衔接的,便是由维持简单再生产而滋生的恒久意识,习蹈故常、追求"天长地久"往往是中国人的一种惯性。《吕氏春秋》的"十二月纪",正是截取了农业生产周期的一个循环阶段,并冠以编年史的名号,作为古典王政的一个固定框架模式。节令物候既是恒久类似的循环,那么王者行政自应有常规不稍变的套路,偏离这一套路便要受到诸如"四时禁忌"之类的惩罚。"十二月纪"本文对此没有概括的论说,而《管子·四时》篇有一段精要的结语,不妨移来加以说明:"是以圣王治天下,穷则反,终则始。德始于春,长于夏;刑始于秋,流于冬。刑德不失,四时如一。刑德离乡(向),时乃逆行,作事不成,必有大殃。月有三政(三旬之政),王事必理,以为久长。不中者死,失理者亡。国有四时,固执土事。四守有所,三政执辅。"四时变化既然往返"如一",王事活动自然必须顺从它的运行轨道"以为久长",不能偏离它的大方向,否则"必有大殃"。这样的观念,由于古代政治生活中的治乱分合、朝代更替以及人世间的种种离合变幻,又被大大强化,从而使金、木、水、火、土"五行相生相克"的公式成为循环论自然观与社会观的总体哲学表征。"十二月纪"并未倾心于五行学说的阐发,但仍以五行学说为外壳,并且把古人以五行配节季的大部分项目都罗列出来了,比之其他古文献所见都要完整。

对于循环观念的典型理论说明,详见于《吕氏春秋·圜道》篇。此文开篇即说:

> 天道圜,地道方,圣王法之,所以立上下。何以说天道之圜也?精气一上一下,圜周复杂,无所稽留,故曰天道圜。何以说地道之方也?万物殊类殊形,皆有分职,不能相为,故曰地道方。主执圜,臣处方,方圜不易,其国乃昌。

圜即圆,圜道即圆道,亦即圆周式的循环。所举的具体例证,关于自然现象的如:

> 日夜一周,圜道也。
>
> 月躔二十八宿,轸与角属(始于角宿而终于轸宿),圜道也。
>
> 精(日月)行四时,一上一下,各与遇(各有自己的运行轨道),圜道也。
>
> 物动则萌,萌而生,生而长,长而大,大而成,成乃衰,衰乃杀,杀乃藏,圜道也。
>
> 云气西行,云云然,冬夏不辍;水泉东流,日夜不休。上不竭,下不满,小为大,重为轻,圜道也。

这些例证,都可为《大乐》篇所说"天地车轮,终则复始,极则复反,莫不咸当"作注脚。植物的萌、生、长、大、成、衰、杀、藏,自是一个圆形发展过程;最后一例讲云气时时西行,下降为雨而成水泉江河,江河东流至海,海纳百川而永不满盈,其水复上升为云气而西行,再降雨成河而东流,如此无休无止,同样也是一个自成规律的圆形发展过程。

比较特别的是《圜道》篇对人事循环的解释。其举例和论证是：

人之窍九，“一”有所居则八虚，八虚甚久则身毙。故唯(惟)而听，唯止；听而视，听止。以言说“一”，“一”不欲留，留运为败，圜道也。“一”也，齐至贵，莫知其原，莫知其端，莫知其始，莫知其终，而万物以为宗。

这话的意思是说，人体的各种器官(“九窍”本义指眼、耳、鼻、口七窍及前阴、后阴两窍)是不能专用一个的，专用一个，其他器官就会虚弱衰弊，最终导致身亡。所以思考的时候又专心听着什么，思考就会停止下来；专心听的时候又看着什么，听也会停止下来。用这个来说“一”(即“道”)的道理，它也是圆转无碍的，从不会滞留，滞留了就不能称之为“道”。“道”至高无上，不知其原、端、始、终，所以能够成为万物的总纲领。接下叙王政之理，又回到开篇所说“天圆地方”的辩证法：循环发展过程具有“天”之“圆”的特性，在大圆周上永无稽留；然而每一个圆点又有“殊类殊形”的瞬时稽留，显示出“地”之“方”的特性。人主行政也是这样：“令出于主口，官职受而行之，日夜不休，宣通下究，瀸(洽)于民心，遂于四方，还周复归，至于主所，圜道也。”故曰“主执圜，臣处方，方圜不易，其国乃昌”。人主所执的“圜”，是由朝廷发布政令逐级下达到各地，又由各地将执行、完成情况逐级上达返回朝廷的过程，这是一个、也是无数个有许多“方”点的大圆周；人臣所执的“方”，是政令在各级、各地实施的过程，每一个“方”点也包含着许多小圆周。如此循环往返，畅行无阻，国家就会兴旺。此篇中心议题是“百官各处其职，治其事，以待主，主无不安”，透露出吕不韦对王者行政的一种理想设计，也可说是对秦国独裁政治的反拨、对当时即将亲政的秦王政的启蒙和开导。

古典循环论用于解释国家政权的更替和社会的演进,始于邹衍的"五德终始"学说。邹氏的著作失传了,近乎原版的"五德终始"说尚存于《吕氏春秋·应同》篇:

> 凡帝王者之将兴也,天必先见祥乎下民。黄帝之时,天先见大螾大蝼,黄帝曰:"土气胜。"土气胜,故其色尚黄,其事则土。及禹之时,天先见草木秋冬不杀,禹曰:"木气胜。"木气胜,故其色尚青,其事则木。及汤之时,天先见金刃生于水,汤曰:"金气胜。"金气胜,故其色尚白,其事则金。及文王之时,天先见火,赤乌衔丹书集于周社,文王曰:"火气胜。"火气胜,故其色尚赤,其事则火。代火者必将水,天且先见水气胜。水气胜,故其色尚黑,其事则水。水气至而不知,数备,将徙于土。

"五德终始"说是按五行相克的顺序编排的,所以《荡兵》篇又有"五帝固相与争矣,递兴废,胜者用事"之论。这当然是附会,但也肯定了国家政权的更替乃是不可抗拒的历史趋势,人的主观意志是无能为力的。当吕不韦主编此书时,已预见到"代火者必将水";后来秦始皇统一天下,实践了这一预言,于是以秦朝为"水德",改黄河曰"德水",制服色皆尚黑。不过秦始皇采取这一理论,却与他自称"始皇",希求"万世一系"的初衷相矛盾。他当然可以说别人总要被取代,自己的皇位则会永远地传下去,然而事实是秦王朝仅二世而亡,同样没有逃出"数备将徙"的历史辩证法。从理论上说,"五德终始"说亦可按五行相生的顺序编排,从而为传统的"禅让"制度提供依据,但在现存古文献中未见有这样的记载。

先秦循环论的思维方式,经过《吕氏春秋》"圜道"学说的总结而趋向系统化。秦汉以后,这一思维方式仍盛行于中国社会,不论是学者的自然观、历史观,还是儒、佛、道"三教"的细密理论乃至民间习俗,都广泛浸透着"圜道"观念的深刻影响。具体的例证随手可掬,这里无须一一罗列。即如尽人皆知的小学识字课本《千字文》开首所说:"天地玄黄,宇宙洪荒,日月盈仄,辰宿列张。寒来暑往,秋收冬藏,闰余成岁,律吕调阳。云腾致雨,露结为霜,金生丽水,玉生昆冈……"便不啻是"十二月纪"的缩影。至于《三国演义》第一回开宗明义的"话说天下大势,分久必合,合久必分"等雅俗共赏的熟语,同样是"圜道"观念的体现,展示的都是中国人思维方式的大经络。这也是因为传统的生产和生活方式变化缓慢,周而复始的大格局几乎数千年无所更张,社会进程仍然突出表现为姓族王朝的代换更迭,故致循环论的思维模式长期占据主导的地位。直到近世,当西方工业文明大规模进入中国之际,科学的进化论渐次流行,古老的循环论才被突破一个大缺口,中国人的思维路向也随之发生大改变。

古典循环论具有封闭性的一面,很容易束缚人的思路,因而存在明显的弊端,这在今天看来已是不言而喻的。但是回顾先秦思想界,"圜道"发展观原较直线发展观包含着更多的辩证思维,其中未始没有"否定之否定"与螺旋式上升的成分。事实上,任何事物的发展通常都不是直线单向式的,曲线多向螺旋式的发展才是常规。因此中国人对事物发展过程的观察和描述,很早就习惯于"始、中、终"相异而不离的三段论,而这恰恰是"圜道"观念赖以流行的重要思维基础。《吕氏春秋·察微》篇说:"凡持国,太上知始,其次知终,其次知中。三者不能,国必危,身必穷。"宋人李焘在谈及西周制度时也说:"古之人将有行也,举必及三:惟始、中、终依据审谛,则其设施斯可传久。"(《中兴馆阁录序》)近世龚自珍更总括说:"万物之数括于三:初异中,中异终,终不异初。"(《壬癸之际胎观》第五)此类一脉相承的言论虽不脱循环论的框架,却也蕴含着深刻的哲理和精到的辩证法,足以纠正直线发展观(包括进化论在内)的某些偏颇。

在先秦社会史观的领域,朴素的进化观念也是有形迹可寻的。例如荀子曾提出"明分使群"的社会起源之说,认为人"力不若牛,走不若马",而牛马却可以为人所用,原因就在于人能够"群"(组成社会),能够"分"(有社会分工和等级差别),从而形成相互联系、协同行动的统一整体,并依靠整体的力量战胜自然(《荀子·王制》)。《吕氏春秋·恃君览》所论,差不多就是荀子这一学说的展开。其文略云:

> 凡人之性,爪牙不足以自守卫,肌肤不足以扞寒暑,筋骨不足以从利辟(避)害,勇敢不足以却猛禁悍,然且犹裁万物,制禽兽,服狡虫,寒暑燥湿弗能害,不唯先有其备而以群聚邪?群之可聚也,相与利之也。利之出于群也,君道立也。故君道立,则利出于群,而人备可完矣。昔太古尝无君矣,其民聚生群处,知母不知父,无亲戚兄弟夫妻男女之别,无上下长幼之道,无进退揖让之礼,无衣服履带宫室畜积之变,无器械舟车城郭险阻之备,此无君之患。……圣人深见此患也,故为天下长虑莫如置天子也,为一国长虑莫如置君也……

这由原始社会看出来的社会进化,一方面得自古代传说,一方面也由当时后进民族的文化得到证实。《恃君览》所举非滨之东、扬汉之南、离水之西、雁门之北等四方部族,大都是没有君长的,正可作为追溯中原社会史前状况的参照和共时研究的材料。《荡兵》篇又谈到"天子之立也出于君,君之立也出于长,长之立也出于争。"清人章学诚对此有更浅显的说法:假设有三人居住在一起,那么朝启门,暮闭户,汲水打柴,烧火做饭,就须有分工;既有分工,就会因要求均平而出现纷争;为避免纷争,则必推年长者持其平,于是有上下尊卑之分;待到人类繁衍而"什伍千百,部别班分"之后,作君作师、划野分州、封井田、建学校等文明措施也就随之而起,这些都是"不得不然之势"。(《文史通义·原道》)这一说法基本上还是上承《荀子》、《吕氏春秋》而来的。

先秦时期的历史进化观念,在法家学说中表现得较为突出。如前期法家的代表人物商鞅就是反对历史循环论的,他曾把历史分为三个不同特点的进化阶段,认为"上世亲亲而爱私,中世尚贤而慎仁,下世贵贵而尊官",并由此提出了他"治世不一道,便国不必法古"及"圣人不法古,不修(循)今"的变法理论。(《商君书·开塞、更法》)后期法家韩非也认为"上古竞于道德,中世逐于智谋,当今争于气力",肯定人类社会是一个发展的过程,又进一步提出"世异则事异,事异则备变","圣人期修古,不法常可,论世之事,因为之备"(《韩非子·五蠹》)。法家的这些主张,在《吕氏春秋·察今》篇中也有系统的阐述,且又特别突出了贱古贵今的观念。文中强调"以近知远,以今知古",不同意一味照搬"法先王"的主张,认为先王之法传之后世都是有损益的,固"不可得而法";即使"人弗损益,犹若不可得而法"。因为上古法度皆"有要于时","世易时移",理当"因时变法",否则时已徙而法不徙,便无异于刻舟求剑。文中还提出"择先王之成法而法其所以法",就是法其意而不法其事,这是对"法先王"的一种辩证的解释。

有必要指出,秦国本有变法的传统,《吕氏春秋》虽时时征引古典,却决不见主张复古之论,其历史观实际并不能完全纳入循环论的系统中。研究《吕氏春秋》全书都应当顾及到这一点。

五 尚贤传统与"无为"政治

1.《吕氏春秋》论尚贤

中国古代缺乏真实完备的法治精神,政治文化的核心是人治。《吕氏春秋·察今》篇说:"先王之所以为法者人也,而己亦人也。故察己则可以知人,察今则可以知古。古今一也,人与我同耳。"此虽立论于古今一揆,人我同视,却也道出了王者治世立足于人治的天机。然而由此也产生出源远流长的尚贤传统,成为中国古代政治文化的一大特征。

一般地说,尊贤尚贤的传统是与严格意义上的宗法统治不相容的。《吕氏春秋》也看出了这一点,所以屡有上古君位授予贤人而不授予子孙的论述。如《圜道》篇说:

尧、舜贤者也,皆以贤者为后,不肯与(予)其子孙,犹若立官必使之方。今世之人主,皆欲世勿失矣,而与其子

《士容》篇说：

> 败莫大于愚，愚之患在必自用，自用则戆陋之人从而贺之。有国若此，不若无有。古之与（举）贤，从此生矣。非恶其子孙也，非徼而矜（求而夸耀）于名也，反（返）其实也。

《恃君览》甚至破除戒律，提出了与战国时已然盛行的"尊君"论截然相反的"废君"论：

> 自上世以来，天下亡国多矣，而君道不废者，天下之利也。故废其非君，而立其行君道者。

因为人类能"群"、能"分"，"君道立则利出于群"，故"君之所以立，出乎众"，必定要有贤人才可以做得到。"置君非以阿君也，置天子非以阿天子也，置官长非以阿官长也。德衰世乱，然后天子利天下，国君利国，官长利官。此国所以递兴递废也，乱难之所以时作也。"若有不能"利天下"的"非君"，那就非要废掉不可了，这也是为了"行君道"。

中国上古确曾有一个"天下为公，选贤举能"的时代，这就是我们现在所称的原始社会末期。传说中的尧、舜之"禅让"，就是这样的方式。那时大酋长的位置是传给贤能之人而不是传给子孙的，所以不但尧、舜、禹，就连皋陶、伯益等部族首领，后世也都称之为圣贤。待到三代以来，"天下为私"，万邦方国之上成立起一个中心王朝，编织成姓族统治的"家天下"，君位就由子孙来继承了。由子孙来继承君位，便不能保证在君位的代代都是贤人，这也就是后人造出一个"禅让"的传说并加以歌颂的来由。不过在宗法贵族统治的体制之下，也并不是不用贤的，况且曾经长期存留的贵族会议制度，也还多多少少保存着原始民主制的痕迹。姓族统治也要有异姓参与，重要职事人员更不可能都是王室同姓。夏代的关龙逄、商代的伊尹、周代的姜太公等人，他们或出身于贵族，或拔擢于微贱，都以贤能著称于史。商代政治文化虽说是"神本"主义的，其中也仍然渗透着尚贤意识，史所称"巫贤治王家有成"及"巫贤任职"等（《史记·殷本纪》），实质上还是对贤人作风的肯定。西周以来的尚贤传统，我们在《尚书》等古文献中可以找到更多的论说和例证，这也无须多说。

自春秋以至战国，随着宗法贵族政体的崩溃，尚贤传统与日精进，战国时代的君主礼贤尤其昭昭在人耳目。最著名的要推魏文侯，他对卜子夏、田子方、段干木等名儒都给以师友的待遇，凡过往必礼敬之；翟璜、李克、西门豹等能臣虽然居官受禄，对文侯而言仍不失其贤士身份，决非后世犬马之臣可比。鲁缪公也曾以孔子之孙孔伋（子思）为师，而且子思坚持以为师自居，不欲缪公仅以为友、为臣视之，被后世儒家传为佳话。齐国稷下学宫更曾收养一大批硕学名家，皆命为列大夫，开第于康庄之衢，高门大屋以尊宠之，以显示齐国能罗致天下贤士。这一风气的形成，是由于战国纷争，人才为急，旧有的世卿世禄制度已不合潮流，新兴的官僚制度逐渐被采用，于是各国大量引进客卿，委国政于贤者。先秦诸子群言尊圣尚贤，皆由上述传统和现实所激发。

一部《吕氏春秋》，尚贤文字几乎连篇累牍，鲜明地反映出战国君主礼贤的时代特征。如前引《圜道》等篇所说，吕氏学派赞扬尧、舜"以贤者为后"、不传子孙之举，甚至主张"废其非君"，但这却不能看成是他们讴歌"禅让"的依据。即使按循环论的发展观，尧、舜之世也不同于战国；吕氏学派反对"法先王"的倾向本来极为明显，一定不会以为"禅让"之举可以推行于战国时期。战国中叶，燕王哙曾与臣下子之演出过一场"禅让"的闹剧，这本是连子之想也不敢想的事情，自然草草收场，被各国传为笑柄。有了这一公开的事例，若说吕氏学派讴歌"禅让"，就更不合情理。当时一些学者的"禅让"之说，也不过是一种借古喻今，大约不会有谁认为它真的能够被实行。至于说吕不韦有取代嬴政而为秦王的野心，那就真可说是事出有因而查无实据了。现在需要的是清理一下《吕氏春秋》的尚贤言论，看看其中有哪些值得注意的东西。大致说来，《吕氏春秋》的尚贤思想有以下几个方面比较突出：

第一，"尊贤上（尚）功"与"亲亲上（尚）恩"是两条对立的文化路线。《长见》篇有一段颇为紧要的文字，论述周初周公封鲁、太公封齐的治国方针，一曰"亲亲上恩"，一曰"尊贤上功"，其原文我们在本书第二节《吕不韦主编〈吕氏春秋〉》部分已经引过了，并已略作说明。这里要补充说明的是，所谓两种方针、两条路线，实质上反映了战国时代官僚制代替宗法制的大趋势。中国在进入文明社会之初，国家的形成就与西方不同。西方因氏族制度的解体而转向按职业分工和财产关系聚居，进而形成纯地域性的城邦国家；中国则由部落体制的"古国"转向地缘——血缘性质的政治实体，在国家形成以后，聚族而居的习惯仍然长期保存着，血缘纽带在大大小小的共同体中从未断绝。因此在用人制度上，尊贤与尊亲始终是相互调和的，此消彼长，对立而互补。战国以后，特别是在秦汉以后的专制政治时代，"任人唯贤"虽然在理论上占上风，而"任人唯亲"仍是斩不断、理还乱的社会现实。从文明进步、治国方针的高度总结两条路线的对立，《吕氏春秋》大约是第一次。

第二,举贤、用贤为治国立功之本。《吕氏春秋》论此甚多,如下列文字:

> 名不徒立,功不自成,国不虚存,必有贤者。(《谨听》)
>
> 功名之立,由事之本也,得贤之化也。非贤,其孰知乎事化?
>
> 贤主之求有道之士,无不以也;有道之士求贤主,无不行也:相得然后乐。不谋而亲,不约而信,相为殚智竭力,犯危行苦,志欢乐之,此功名之所以大成也。(《本味》)
>
> 国虽小,其食足以食天下之贤者,其车足以乘天下之贤者,其财足以礼天下之贤者。与天下之贤者为徒(党),此文王之所以王也。……古之大立功名与安国免身者,其道无他,其必此之由也。(《报更》)
>
> 凡国之亡也,有道者必先去,古今一也。地从于城,城从于民,民从于贤。故贤主得贤者而民得,民得而城得,城得而地得。夫地得,岂必足行其地、人说(悦)其民哉?得其要而已矣。(《先识览》)
>
> 贤者之致功名也,比乎良医……立功名亦然,要在得贤。魏文侯师卜子夏,友田子方,礼段干木,国治身逸。(《察贤》)
>
> 当今之时,世暗甚矣。人主有能明其德者,天下之士其归之也,若蝉之走明火也。凡国不徒安,名不徒显,必得贤士。(《期贤》)
>
> 身定国安天下治,必贤人。古之有天下也者,七十一圣。观于《春秋》,自鲁隐公以至哀公十有二世,其所以得之、所以失之,其术一也:得贤人,国无不安,名无不荣;失贤人,国无不危,名无不辱。先王之索贤人,无不以也。

(《求人》)。

贤者善人以人,中人以事,不肖者以财。……功无大乎进贤。(《赞能》)

以上引文都清楚地说明了,《吕氏春秋》认为君主要治理国家、建立功名,必须有贤人辅佐,这在战国时代诸侯纷争的形势下显得尤其重要。

第三,人主礼贤,不可骄士。

世之人主,多以富贵骄得道之人,其不相知,岂不悲哉!(《贵生》)

贤者之道牟(大)而难知,妙而难见。故见贤者而不尊,则不惕于心;不惕于心,则知之不深。不深知贤者之所言,不祥莫大焉。主贤世治,则贤者在上;主不肖世乱,则贤者在下。(《谨听》)

虽有贤者,而无礼以接之,贤奚由尽忠?犹御之不善,骥不自千里也。(《本味》)

有道之士固骄人主,人主之不肖者亦骄有道之士,日以相骄,奚时相得?……贤主则不然,士虽骄之,而己愈礼之,士安得不归之!……非至公,其孰能礼贤?(《下贤》)

天下虽有有道之士,国犹少。千里而有一士,比肩也;累世而有一圣人,继踵也。……故欲求有道之士,则于江海之上、山谷之中、僻远幽闲之所。……若夫有道之士,必礼必知,然后其智能可尽也。(《观世》)

以上引文所强调的是,君主要起用有道德才能的人为国家服务,首先必须了解他们,以平等的态度对待他们,且不可因为自己的权势富贵而轻视他们、排斥他们。

第四,举贤以德为先。

五　尚贤传统与"无为"政治

> 凡举人之本,太上以志,其次以事,其次以功。三者弗能,国必残亡,群孽大至,身必死殃。(《遇合》)

《左传》有"太上立德,其次立功,其次立言"之语,后为儒家格言。《吕氏春秋》重视事功,而仍以"志"(德)为贤者首要标准,契合儒家观念。不过《举难》篇也强调用人要用其所长:"先王知物之不可全也,故择务而贵取其一。"篇末又载有齐桓公发现和任用宁戚的故事:

> 宁戚欲干齐桓公,穷困无以自进,于是为商旅,将任车以至齐。……宁戚见,说桓公以治境内;明日复见,说桓公以为天下。桓公大说(悦),将任之,群臣争之曰:"客,卫人也。卫之去齐不远,君不若使人问之,而固贤者也,用之未晚也。"桓公曰:"不然。问之,患其有小恶。以人之小恶,亡人之大美,此人主之所以失天下之士也已。凡听必有以矣,今听而不复问,合其所以也。且人固难全,权而用其长者,当举也。"桓公得之矣。

金无足赤,人无完人。用人之前先作一番调查也是必要的,但若因此而以人的缺失掩盖了人的大优点,这正是举用人才的大忌。自古当权者真正能够任人唯贤的,都必须有不拘于流俗的大度量。

第五,贤人政治,贵在至公。《吕氏春秋》开篇《孟春纪》下便有《贵公》、《去私》二篇,着重谈用人要出以公心。

> 昔先圣王之治天下也,必先公。公则天下平矣,平得于公。尝试观于上志(上古历史记录),有得天下者众矣,其得之以公,其失之必以偏。凡人主之立也,生于公。……天下非一人之天下也,天下之天下也。阴阳之和,不长一类;甘露时雨,不私一物;万民之主,不阿一人。……桓公

行公,去私恶,用管子,而为五伯(五霸)长;行私,阿所爱,用竖刁,而虫生于户(死后六十日不葬而蛆虫出于户外)。人之少也愚,其长也智,故智而用私,不若愚而用公。日醉而饰服,私利而立公,贪戾而求王,舜弗能为。(《贵公》)

天无私覆也,地无私载也,日月无私烛也,四时无私行也,行其德而万物得遂长焉。……尧有子十人,不与其子而授舜;舜有子九人,不与其子而授禹,至公也。晋平公问于祁黄羊曰:"南阳无令,其谁可而为之?"祁黄羊对曰:"解狐可。"平公曰:"解狐非子之仇邪?"对曰:"君问可,非问臣之仇也。"平公曰:"善。"遂用之,国人称善焉。居有间,平公又问祁黄羊曰:"国无尉,其谁可而为之?"对曰:"午可。"平公曰:"午非子之子邪?"曰:"君问可,非问臣之子也。"平公曰:"善。"又遂用之,国人称善焉。孔子闻之曰:"善哉!祁黄羊之论也。外举不避仇,内举不避子,祁黄羊可谓公矣。"……庖人调和而弗敢食,故可以为庖;若使庖人调和而食之,则不可以为庖矣。王伯(王霸)之君亦然:诛暴而不私,以封天下之贤者,故可以为王伯;若使王伯之君诛暴而私之,则亦不可以为王伯矣。

这些论说,不仅揭示了尚贤传统赖以形成的社会条件和内在机制,而且诸如"天下非一人之天下"、乃"天下(人)之天下"等语,后来都成为志士仁人抨击暴政和极端专制的强音符。

公私之辨,涵盖很广,不止于用人一端。《吕氏春秋·务本》篇指出:

三王之佐,皆能以公及其私矣。俗主之佐,其欲名实也,与三王之佐同,而其名无不辱者,其实无不危者,无公故也。皆患其身不贵于国也,而不患其主之不贵于天下也;皆患其家之不富也,而不患其国之不大也。此所以欲荣而愈辱,欲安而愈危。

篇中对战国时代种种背公营私的现象作了批判,具有很强的针对性,而标题叫"务本",正反映出中华伦理道德历来以克己奉公、"公义胜私欲"作为根本要求乃至最后标准的传统。宋人朱熹曾说:"凡事便有两端:是底(的)即天理之公,非底(的)即人欲之私。"(《朱子语类》卷13)元代僧人中峰在解释"公案"一词时,对"公"的概念也下过一个恰当的定义:"公者,乃圣贤一其辙,天下同途之至理也。"(《山房夜话》卷上)中国文化中的"大同"境界,便以一个"公"字为基石,"公"即是天理,即是圣贤身体力行的道德标准,即是人人超越自我、服从整体的一种社会调节机制和普遍要求。无须否认,传统伦理道德的公私观具有某种整体至上主义的倾向,其具体内涵不可避免地会同旧的社会制度、社会规范纠缠在一起,不过它并不完全排斥私利。上引《吕氏春秋·务本》篇之文,正是由《诗经》"雨我公田,遂及我私"的诗句,导出了"三王之佐皆能以公及其私"的结论。其《为欲》篇则不仅承认私欲的合理存在,而且认为"使民无欲,上虽贤,犹不能用","故人之私欲多者,其可得用亦多;人之欲少者,其[可]得用亦少;无欲者,不可得用矣"。作者强调王者治世,须审"令人得欲之道":"善为上者,能令人得欲无穷,故人人可得用亦无穷也";"古之圣王,审顺其天而行欲,则民无不令矣,功无不立矣。"又强调善治国者,能"令其民争行义",这便把"义"也看做是一种欲望的追求了。有关理欲之辨的内容,我们在下节谈《吕氏春秋》的性理之说时还要述及。

贵公去私之说,对于过去、现在和将来都是适用的。诚如冯友兰所指出的那样:"在新的历史条件下,公私之分、义利之

辨仍然是判断人的行为的最高标准,不管用什么名词把它说出来。"(《中国文化特质》)

在《吕氏春秋》以前,先秦诸子之书倡导尚贤最力的大概是《墨子》。其《尚贤》篇明确提出"国家不得富而得贫,不得众而得寡,不得治而得乱",原因就在于"王公大人为政于国家者,不能以尚贤致能为政"。墨家还提出不别亲疏贵贱,以贤能功劳为标准选拔任用官吏,并把"尚贤"与"尚同"联系起来,主张选举贤能之人为"天子",以"总天下之义"、"尚同于天",反映了小生产者要求统一安定的愿望。不过《吕氏春秋》的贤治思想大致本承儒家,看不出引用墨家学说的痕迹。

2.《吕氏春秋》论"无为"政治

如果说尚贤着重于用人的一面,那么相对于君主的位置而言,《吕氏春秋》则大力宣传"无为"政治,并且全用道家学说。这是本书政治思想的又一大特色。

"无为"概念的典型表述最早见于《老子》。其书开宗明义地告诉人们,"道"是不可称道、不可命名的,如果可以称道、可以命名便不是"道";可是作书者自己分明又在用通行的语言文字描述它、诠释它,这又该怎么解释呢?是不是说明"道"尽管"玄而又玄",到底还是可以称道、可以名状的呢?作者并且告诉人们把握"道"的一种方法:"致虚极,宁静笃","解其纷,和其光,同其尘",去追求一种"玄同"的境界;要达到这种境界,就要"绝圣弃智","绝学无忧",把一切都是"罪恶"的知识全部抛弃;等到"损之又损",真正"涤除玄览"、把内心打扫得干干净净而一无所知的时候,那就可以知道这个"道"是"无为而无不为"的了。可是这样,人们又在一无所知之际增添了一种关于"无为"的新知识,"涤除玄览"和"无为"本身又不知该安放在何处了。哲学上的"无为"是不容易解释的,这里且不去管它;应用到政治上,则"无为"便成为一种手段、策略、方针、权术或政策、纲领、路线,并且自秦汉以来,长期与儒家、法家的政治学说鼎足而三,时或为大一统政权的统治者所遵用。

《吕氏春秋》所展示的"无为"政治思想不一而足,是与贤治思想相辅相成的。在此约略提示几个侧面:

其一,因任而治。

> 善说者若巧士,因人之力以自为力。因其来而与来,因其往而与往。不设形象,与生与长,而言之与响;与盛与衰,以之所归。力虽多,材虽劲,以制其命。顺风而呼,声不加疾也;际高而望,目不加明也:所因便也。……因则贫贱可以胜富贵矣,小弱可以制强大矣。(《顺说》)

> 三代所宝莫如因,因则无敌。禹通三江五湖,决伊阙,沟回陆,注之东海,因水之力也。舜一徙成邑,再徙成都,三徙成国,而尧授之禅位,因人之心也。汤、武以千乘制夏、商,因民之欲也。……故因则功,专则拙,因者无敌。(《贵因》)

> 作者忧,因者平,惟彼君道,得命之情。故任天下而不强,此之谓全人。(《君守》)

> 古之王者,其所为少,其所因多。因者君术也,为者臣道也。……故曰:"君道无知无为,而贤于有知有为,则得之矣。"(《任数》)

> 有道之主,因而不为,责而不诏,去想去意,静虚以待。不伐之言,不夺之事,督名审实,官使自司。以不知为

道,以"奈何"(发问之辞)为实。(《知度》)

田骈以道术说齐王……曰:"臣之言,无政而可以得政。……变化应求而皆有章,因性任物而莫不(宜)当,彭祖以寿,三代以昌,五帝以昭,神农以鸿。"(《执一》)

凡兵,贵其因也。因也者,因敌之险以为己固,因敌之谋以为己事。(《决胜》)

"因"是道家的一个重要概念,大约出于齐学,《管子·心术》篇即主要讲"静因"之道。其《心术》上篇说:"无为之道,因是。因也者,无益无损也。以其形,因为之名,此因之术也。"又说:"因也者,舍己而以物为法者也。感而后应,非所设也;缘理而动,非所取也。"就是要因物之实,"以物为法",如实地反映客观事物。据现在所知,稷下黄老之学的田骈、慎到一派,也多从政治上讲"因循"之策。田骈的著作失传了,由上引《吕氏春秋·执一》篇所载仍可以约略考见他的"因任"思想。今辑本《慎子》则有《因循》篇说:"天道因则大,化则细。因也者,因人之情也。人莫不自为也,化而使之为我,则莫可得而用矣。是故先王见不受禄者不臣,禄不厚者不与入难。人不得其所以自为也,则上不取用焉。故用人之自为,不用人之为我,则莫不可得而用矣。此谓之因。"大意谓因人之情,循人之欲,使天下之人皆得"自为",则莫不可为王者所用;若是化(变)民之俗,抑民之欲,使天下之人皆趋于王者之"为我",则王者莫可得而用。显然,《吕氏春秋·为欲》篇有关人有欲则可用、无欲则不可用的议论(见前引),也是承接慎到的这一主张而来的。《吕氏春秋·顺说》篇还载有一个"因人之力以自为力"的故事:管子被鲁人俘获,鲁人把他捆绑起来,用槛车送到齐国去;管子怕途中被害,见拉车的役人边走边唱,就自己也唱起来而叫拉车人跟着唱,拉车人因此不知疲倦,路赶得很快。作者指出:"管子可谓能因矣,役人得其所欲,己亦得其所欲。"齐文化本是不拘于传统的,载籍所谓姜太公治齐"因其俗,简其礼"的国策,我们相信即出于慎到学派的造说;而所谓周公治鲁"变其俗,革其礼"的国策,也应出于同一来源,是与齐国的"因简"政策相对而言的。谈治国而讲"因循",从字面上看似乎是保守的,其实不然:慎到、田骈、吕不韦等人都是主张"因时变法"的,所谓"因循"只不过是"因任而治"的代名词,恰恰反映出齐文化所固有的变道的、革新的、创造的、尚简易的、功利主义的风格,与鲁文化的常道的、守成的、法古的、礼不厌烦的、反功利的风格正相反。

其二,处虚守静。

> 得道者必静,静者无知。知乃无知,可以言君道也。……天之大静,既静而又宁,可以为天下正。……天无形而万物以成,至精无象而万物以化,大圣无事而千官尽能。……故善为君者无识,其次无事。(《君守》)

> 去听无以闻则聪,去视无以见则明,去智无以知则公。去三者不任则治,三者任则乱。(《任数》)

> 治乱安危存亡,其道固无二也。故至智弃智,至仁忘仁,至德不德。无言无思,静以待时,时至而应,心暇者胜。凡应之理,清静公素,而正始卒焉,此治纪。(同上)

> 凡为君也者,处平静,任德化,以听其要。(《勿躬》)

> 夫君也者,处虚素服而无智,故能使众智也;智反无能,故能使众能也;能执无为,故能使众为也。无智、无能、无为,此君之所执也。(《分职》)

这一节目,是和"因任"之道相联结的,所以《管子·心术》叫

"静因",那就是要修养主体灵虚、宁静、专一。"道"是虚静的,人心也应该虚静,一切"静观"以待。此虽不免消极被动,却可以少出差错,所以能"执无为"而"使众为"。

其三,任数分职。

> 古之善为君者,劳于论人而佚于官事,得其经也。不能为君者,伤形费神,愁心劳耳目,国愈危,身愈弱,不知要故也。(《当染》)

> 凡官者以治为任,以乱为罪。……人主以好暴示能,以好唱自奋……是君代有司为有司也。(《任数》)

> 用则衰,动则暗,作则倦。衰、暗、倦三者,非君道也。……故善为君者,矜服性命之情,而百官已治矣,黔首已亲矣,名号已章矣。(《勿躬》)

> 明君者,非遍见万物也,明于人主之所执也。有术之主者,非一自行之也,知百官之要也。知百官之要,故事省而国治也。(《知度》)

> 天子不处全,不处极,不处盈。全则必缺,极则必反,盈则必亏。(《博志》)

> 人主之所惑者……以其智强智,以其能强能,以其为强为,此处人臣之职也。处人臣之职,而欲无壅塞,虽舜不能为。(《分职》)

人主端拱"无为",由百官去"劳形伤神",照《管子·心术》篇所说,还是如同人心和"九窍"的关系:"心之在体,君之位也;九窍之有职,官之分也。""我心治,官乃治;我心安,官乃安。"这样,任数分职也便成了虚静的一翼。《吕氏春秋》几乎不用"心"的概念,然《圜道》篇也有"九窍"("五官"七窍加前阴、后阴)的比况。

以上引文的意义都是互相涵摄的,原载散见各篇,作者写作时也未有分擘的准界。至于表达相同或近似思想的其他文字,更往往随处可见。实际上,"无为"政治的内涵相当复杂,决非"去听"、"去视"、"去智"、"无事"、"无为"、"无能"等字眼的表面意义所能表达。历史地来看,这一种政治需要有很强的系统控驭能力,君主有威权、慎势位、大度量、不自用、多存抚、少生事、戒满盈、守虚静,臣下存诚心、善奉事、有协同、无争持、不阿主、不党附、兢兢业业、恪尽职守,两方面结合起来才有可能做得好。战国时代,霸道流行,"无为"政治并不能行得通,在法治(实际是刑治)传统强盛的秦国更无实行的可能(但法家讲"术"有时也强调"无为")。吕氏门下嫁接黄老之学的"无为",反映的还是中国文化传统的一种王政愿望,或者说是贤人政治的一种理想特征。这也许与吕不韦本人的执政地位和他对预期即将出现的大一统政治的设计有关系,或者就与他对秦王政的期盼有关系。其后秦王朝的政治是"大有为"的,然亦由严酷的刑政导致很快败落。汉初惩秦之弊,与民休息,当思想界混乱之际,有一段时间统治者曾主要奉行黄老之学,实行"无为"政治,以至"文景之治"被后世称为这一模式的典范。其实无论汉代还是后世王朝政治,本质上都是"霸王道杂之"的,纯用黄老之学的政治模式在实践上并不能实现;但作为一种政治思想,其中的许多因素仍被统治者所采取。这关系到帝王的权术和修身问题,有关内容我们在下节还要谈到。

六　性理之说与帝王修身

中国文化史上的突出现象之一是思想界对性命之说、义理之学的关注。这其实不是儒家的专利：道家法自然，儒家重伦常，佛家求解脱，乃至其他种种思想流派有关人的理论，几乎无不与性命之说相关联，同时又各有自己的一套义理之学。在先秦诸子书中，这方面的言论已层出不穷，其中《吕氏春秋》要算是保存较多的一种。

《吕氏春秋·孟春纪》部分的《本生》、《重己》篇，《仲春纪》部分的《贵生》、《情欲》、《当染》、《功名》篇，《季春纪》部分的《尽数》、《先己》、《论人》篇以及《孟夏纪》部分关于尊师、劝学的几篇，《开春论》部分的《审为》、《爱类》篇，《贵直论》部分的《过理》篇，《不苟论》部分的《贵当》篇，《似顺论》部分的《有度》篇等，基本上都是讲性理或较多涉及性理的；其他篇章中类似的文字也所在多有。就其主导倾向而言，按照传统的看法，仍是综合和折衷着儒、道的；但作者往往不是一般地讲性情和理数,而是主要着眼于帝王的修身养性和全生之道,所以有关论述颇多与道家"无为"思想相联系,政治气味甚为浓厚。如《本生》篇开首即说:

> 始生之者天也,养成之者人也。能养天之所生而勿撄之,谓之天子。天子之动也,以全天为故者也,此官之所自立也。立官者,以全生也;今世之惑主,多官而反以害生,则失所为立之矣。譬之若修兵者,以备寇也;今修兵而反以自攻,则亦失所为修之矣。

入手即拉出"天子"作对象,其政论的性质是显然的。作者的思维逻辑是:人生出于"天"(自然),而养成在人自己;人能存养天性而不违背自然规律,所以有"天子"的称呼。天子的行为首先要求保全天性,这也就是设官分职的缘由;因为天子一人之身不可能百事万机都亲自处理,所以设官分职就是为了保全天子的天性。当今乱世之暗主,设官愈多,反而劳形伤神而有害于自家性命,这就丧失了设官的本意。比如修兵,本来是为了防御外敌,现在却自相攻杀,也就失去了修兵的本意。这一立论的背景,还是上节所述的"无为"政治。

作者甚至认为,相对于天子的性命而言,所谓"天下"、"国家"都是次要的:"道之真,以持身,其绪余以为国家,其土苴(瓦砾草芥)以治天下。由此观之,帝王之功,圣人之余事也,非所以完身养生之道也。"(《贵生》)意谓治天下、立国家而为"帝王",都不过是"圣人"养生之余的事,本来就与养生之道相冲突。《先己》篇因而强调指出:

> 欲取天下,天下不可取;可取,身将先取。凡事之本,必先治身。啬其大宝,用其新,弃其陈。腠理遂通,精气日新,邪气尽去,及其天年,此之谓真人。昔者先圣王成其身

而天下成,治其身而天下治。故善响者不于响,于声;善影者不于影,于形;为天下者不于天下,于身。……故反其道而身善矣,行义则人善矣,乐备君道而百官已治矣、万民已利矣。三者之成也在于无为,无为之道曰胜天。

天下不是随便可以夺取的,要夺取天下,先要过"治身"这一关。作者的意思是,以自身为"大宝",欲治天下,必先治身,治身而至于"无为",也就达到了"胜天"的境界。这好比善于制造音响的人,不是专注于音响本身,而是要重视产生音响的声源;又好比善于制造影子的人,不是专注于影子本身,而是要重视形成影子的物质实体。所以帝王治天下不能只是关注天下,而首先要重视自身的性命和道德修养,因为这才是治理天下的根本。《勿躬》篇说"善为君者,矜服性命之情,而百官已治矣,黔首已亲矣,名号已彰矣";《知度》篇说"天下之要存乎除奸,除奸之要存乎治官,治官之要存乎治道,治道之要存乎知性命",都是同样的意思。《贵当》篇更有一段话,用排比递进的句式,把"治性"的重要性推向极致:"治物者不于物,于人;治人者不于事,于君;治君者不于君,于天子;治天子者不于天子,于欲;治欲者不于欲,于性。"这段话是说:治理事物的关键不在于事物,而在于人;治理人事的关键不在于事务,而在诸侯国君;治理诸侯国君的关键不在于诸侯国君,而在于天子;治理天子的关键不在于天子,而在于欲望;治理欲望的关键不在于欲望,而在于性情。归根到底,作者认为治理万事万物,帝王的修身养性是第一位的。

性命之说直接关系到人与物的关系问题,《吕氏春秋》因此引进了"轻重"的概念用以论说性情。《本生》篇说:

水之性清,土者抇(浊)之,故不得清。人之性寿,物者扣(乱)之,故不得寿。物也者,所以养性也,非所以性养也。今世之人惑者,多以性养物,则不知轻重也。不知轻重,则重者为轻,轻者为重矣。若此,则每动无不败。以此为君悖,以此为臣乱,以此为子狂。三者国有一焉,无幸必亡。

水的本性是要清澈,如果加土使它变得浑浊,它就不能清澈;人的本性是希望长寿,如果性情被事物搞乱了,人就不能长寿。所以人应该"以物养性",而不应该"以性养物";如果"以性养物",那就颠倒了轻重关系,一行一动都会失败。所谓"以性养物",即沉湎于声、色、味之类,实指富贵之人生活放纵奢侈,非以养性而反以害性。作者强调:"贵富而不知道,适足以为患。"如出车入辇乃"招蹶(倒毙)之机",肥酒厚肉乃"烂肠之食",靡靡之音乃"伐性之斧",有之而不知节制,"不如贫贱"。"是故圣人之于声、色、滋味也,利于性则取之,害于性则舍之,此全性之道也。""圣人之制万物也,以全其天也。"《重己》篇又喻之以人己关系:传说中的倕是著名的能工巧匠,但是人不爱巧倕的手指而爱自己的手指,就因为自己的手指有他人的手指所不能取代的功用;昆山之玉、江汉之珠,人或者也不爱,而只爱自己的苍璧小玑,也是同样的道理。所以,"今吾生之为我有,而利我亦大矣。论其贵贱,爵为天子不足以比焉;论其轻重,富有天下不可以易之;论其安危,一曙失之,终身不复得。此三者,有道者之所慎也"。不过现实中也有"慎之而反害之者",动机和效果往往不一致,故须"达乎性命之情"。

我国古代学者论性理,批判利欲害性的一面是一种普遍的倾向,《吕氏春秋》也不例外。《本生》篇指出:"世之贵富者,其于声色滋味也多惑者,日夜求。幸而得之,则遁(流逸不能自

禁)焉,性恶(乌)得不伤?"《审为》篇论人的行为的轻重标准,揭露当时社会现象尤为深刻:

> 身者所为也,天下者所以为也。审所以为,而轻重得矣。今有人于此,断首以易冠,杀身以易衣,世必惑之。是何也?冠所以饰首也,衣所以饰身也,杀所饰,要所以饰,则不知所为矣。世之走利,有似于此。危身伤生、刈颈断头以徇利,则亦不知所为也。

行为的主体是自身,自身以外的事物不过是行为的条件。为一己之利欲而不惜丢掉性命,实在是轻重颠倒、本末倒置的。不过《吕氏春秋》并不因此而笼统地否定人的感性欲望。如《大乐》篇说:

> 始生人者天也,人无事焉。天使人有欲,人弗得不求;天使人有恶(憎恶之情),人弗得不辟(避)。欲与恶,所受于天也,人不得与焉,不可变,不可易。

这是说嗜恶之情原出于人的本能,人生不可能无欲。《重己》篇也认为人"无贤不肖,莫不欲长生久视",这是无可厚非的。但事情还有另一面,就是凡"生之长"必须顺应自然,如果因欲望而使之不顺,那就有害无益。所以"昔先圣王之为苑囿园池也,足以观望劳形(游观休闲)而已矣;其为宫室台榭也,足以辟(避)燥湿而已矣;其为舆马衣裘也,足以逸身暖骸而已矣;其为饮食酏醴也,足以适味充虚而已矣;其为声色音乐也,足以安性自娱而已矣。五者,圣王之所以养性也;非好俭而恶费也,节乎性也。"《贵生》篇引子华子之言,把人生分为"全生"、"亏生"、"死"、"迫生"四种,也认为它们都不过是"六欲"的不同表现形态:"全生"是"六欲皆得其宜","亏生"是"六欲分得其宜","死"乃六欲俱灭而"复其来生","迫生"则是"六欲莫得其宜"。《情欲》篇说得更明白：

> 天生人而使有贪有欲。欲有情，情有节，圣人修节以止欲，故不过行其情也。故耳之欲五声，目之欲五色，口之欲五味，情也。此三者，贵贱、愚智、贤不肖欲之若一，虽神农、黄帝，其与桀、纣同。圣人之所以异者，得其情也。

人的情欲本来没有什么不同，"圣人"与常人的不同之处就在于他能够节制自己的情欲，使情欲保持在存养天性的范围之内，而不作过分的追求。《为欲》篇所论也出于同一认识，而更强调民有欲故可用，无欲则不能用矣。同时指出，顺天行欲要"正"，"欲不正，以治身则夭，以治国则亡"；尤其要反对纵欲而"湛于俗"，"久湛而不去，则若性"，为害最大。《有度》篇还借季子之言，把"通乎性命之情"当做贤主以"无私"治天下的首要条件：

> 诸能治天下者，固必通乎性命之情者，当无私矣。夏不衣裘，非爱裘也，暖有余也；冬不用籰（扇），非爱籰也，清有余也。圣人之不为私也，非爱费也，节乎己也。节己，虽贪污之心犹若止，又况乎圣人！

《下贤》篇也谈到，为君者"礼士莫高乎节欲，欲节则令行"。这些议论都是合乎情理的，"节性"、"节情"、"节欲"、"节己"之说实际代表了中国传统文化价值观的一种通行观念。《情欲》篇还特别提出："万物之形虽异，其情一体也。故古之治身与天下者，必法天地也。"

先秦诸子的人性说曾有善、恶之争。孟子主张"性善"，荀子主张"性恶"，告子则更注重"食色，性也"的人生本能，认为"人性之无分于善不善也，犹水之无分于东西也"（《孟子·告子上》）。《吕氏春秋》不载这类争论，大致以为人性"受于天"，

"非择取而为之"(《诚廉》),有一定自然之"数"或规律。《贵当》篇说:

> 性者,万物之本也。不可长,不可短,因其固然而然之,此天地之数也。窥赤肉而乌鹊聚,狸处堂而众鼠散,衰绖陈而民知丧,竽瑟陈而民知乐,汤、武修其行而天下从,桀、纣慢其行而天下畔,岂待其言哉?

《尽数》篇是专门论述这一理念的,指出:"天生阴阳,寒暑燥湿,四时之化,万物之变,莫不为利,莫不为害。圣人察阴阳之宜、辨万物之利以便生,故精神安乎形,而年寿得长焉。长也者,非短而续之也,毕其数也。"自然界的变化和万事万物的变化对人都有利,也都有害,人要长寿就得辨利去害。长寿并不是把短寿加长,而是"毕其数"的结果。"毕其数"即尽其规律,而"毕数之务,在乎去害":"大甘、大酸、大苦、大辛、大咸,五者充形,则生害矣;大喜、大怒、大忧、大恐、大哀,五者接神,则生害矣;大寒、大热、大燥、大湿、大风、大霖、大雾,七者动精,则生害矣。故凡养生莫若知本,知本则疾无由至矣。"这是要求在人生的方方面面,都要尽可能地顺从自然规律,不要使有害的东西伤害身体和精神。作者还认为"精气之集"是一个流动的过程:"流水不腐,户枢不蝼(蠹),动也。形气亦然:形不动则精不流,精不流则气郁。"精气郁积会引起一系列疾病,待到"巫医毒药逐除治之",那就是治末而不是治本了。这些看上去都是常识,而"尽数"之难,人所共知。这个"数"也不是一成不变的,《吕氏春秋》也承认客观环境对人性发展的影响。其《当染》篇发挥墨子"染于苍则苍,染于黄则黄"之言,认为"国亦有染",自古立大功名而王天下者皆"染"于贤人,国残身死的君主则皆"染"于乱臣。又如孔、墨之后学,显荣于天下者不可胜数,都是由于"所染者得当"的缘故。

由论性情进而论义理,《吕氏春秋·适音》篇说道：

> 人之情,欲寿而恶夭,欲安而恶危,欲荣而恶辱,欲逸而恶劳。……四欲之得也,在于胜理。胜理以治身则生全,以生全则寿长矣。

天地万物、生命性情都有一定的理数,遵从这些理数则事治,违背这些理数则事败。《怀宠》篇也强调："义理之道彰,则暴虐奸诈侵夺之术息也。暴虐奸诈之与义理反也,其势不俱胜,不两立。"性之与理,一而二、二而一。论性不论理,容易流于"无道者之恣行";论理不论性,则又容易流于"逆天之道"。二者之间的桥梁,要在一个"义"字,就是行事要合宜,合宜即有理,有理即能心安而存性情。近似的论说,如《当染》篇云："凡为君,非为君而因荣也,非为君而因安也,以为行理也。""行理"也就是"行道",所以"由其道,功名之不可得逃","名固不可以分,必由其理"(《功名》)。认为行事只要有道理,功名就一定能够建立。《贵当》篇也反复强调："贤不肖之所欲与人同,尧、桀、幽、厉皆然,所以为之异。故贤主察之,以为不可,弗为；以为可,故为之。为之必由其道,物莫之能害,此功之所以相万也。"《过理》篇则举出一系列历史事实,抨击"亡国之主一贯,天时虽异,其事虽殊,所以亡国者,乐不适也"。"乐不适"是指欲望不知满足,如殷纣王、晋灵公之穷奢极欲、暴餮天物、灭绝人性,都是"过理"的行为,与性理之说是根本不沾边的。正反两面合起来说,就是"王者有嗜乎理义也,亡者亦有嗜乎暴慢也"(《诬徒》)。

《吕氏春秋》虽无"性善"、"性恶"之辩,然亦提倡发展人的善性。如《先己》篇说："反其道而身善矣,行义则人善之矣。"

《制乐》篇说:"见祥而为不善,则福不至。……见妖而为善,则福不至。"《勿躬》篇说:"人之意苟善,虽不知(智),可以为长。"《听言》篇说:"当今之世,有能分善不善者,其王不难矣。"书中还时而褒彰被思孟学派推扩得极广极高的乐善之"诚"。如《具备》篇说:

> 诚有诚,乃合于精;精有精,乃通于天。……木石之性,皆可动也,又况于有血气者乎?故凡说与治之务,莫若诚。……说与治不诚,其动人心不神。

无论立说、治身或治世,只有精诚专一,才能合于性情之理、通于"天道",否则就不能感动人心,使大化流行。这个"诚"在现实生活中又是非常具体的,如"养由基射兕,中石,矢乃饮羽,诚乎兕也;伯乐学相马,所见无非马者,诚乎马也;宋之庖丁好解牛,所见无非死牛者,三年而不见生牛,用刀十九年,刀若新磨研,顺其理、诚乎牛也"(《精通》)。养由基本来想射野牛,结果射到石头上,而箭杆钻入石头,竟然连箭尾也不见了;伯乐学习相马,他所看到的一切竟然都像马;庖丁解牛,用了十九年的刀,刀刃锋利得还像新磨研一样。这些都是讲精诚专一的,只要精诚专一,世界上没有做不成的事。

依照《中庸》的解释,"诚"不仅是"天道"、"人道",而且是"圣人之性";一般人则需要择善而行,通过"博学、审问、慎思、明辨、笃行"的过程,才能达到"诚"的境界。这就把"诚"和"学"紧密联系起来了。中国文化有着悠久的尊师重教、劝学励行的传统,《论语》以《学而》为第一章,《荀子》以《劝学》为首篇,孟子倡"学"为"收放心",都把"学"提到关系人的存在的心性本体乃至宇宙本体的高度。《吕氏春秋》的《劝学》、《尊师》、《诬徒》、《用众》诸篇,因此也大张尊师重教之道:

六 性理之说与帝王修身

先王之教,莫荣于孝,莫显于忠。忠孝,人君、人亲之所甚欲也;显荣,人子、人臣之所甚愿也。然而人君、人亲不得其所欲,人子、人臣不得其所愿,此生于不知理义,不知理义生于不学。……是故古之圣王,未有不尊师者也。(《劝学》)

神农师悉诸,黄帝师大挠,帝颛顼师伯夷父,帝喾师伯招,帝尧师子州支父,帝舜师许由。禹师大成贽,汤师小臣,文王、武王师吕望、周公旦;齐桓公师管夷吾,晋文公师咎犯、随会,秦穆公师百里奚、公孙枝,楚庄王师孙叔敖、沈尹巫,吴王阖闾师伍子胥、文之仪,越王勾践师范蠡、大夫种。此十圣人、六贤者,未有不尊师者也。今尊不至于帝,智不至于圣,而欲无尊师,奚由至哉?此五帝之所以绝,三代之所以灭。……故凡学,非能益也,达天性也。能全天之所生而勿败之,是谓善学。(《尊师》)

义之大者莫大于利人,利人莫大于教;知之盛者莫大于成身,成身莫大于学。(同上)

达师之教也,使弟子安焉、乐焉、休焉、游焉、肃焉、严焉。此六者得于学,则邪辟之道塞矣,理义之术胜矣。(《诬徒》)

善学者若齐王之食鸡也,必食其跖(鸡足踵)数千而后足。……物固莫不有长,莫不有短,人亦然。故善学者假人之长,以补其短。故假人者,遂有天下。(《用众》)

《尊师》篇所论,与《十二纪·序意》相合,透露出吕不韦的师傅口吻,也许确是针对秦王政而发的。所以篇中又说:"君子之学也,说义必称师以论道,听从必尽力以光明。听从不尽力,命之曰背;说义不称师,命之曰叛。"学为"达天性",作为君主,只有学至"身成",才能"弗强而平","有大势可以为天下正"。《谨听》篇又特别指出人主"不过乎所知,而过于其所以知":本乎"性命之情","不知则问,不能则学",功名可以建立,国家可以昌盛;如果"不知而自以为知",就是"百祸之宗"。

《吕氏春秋》讲"全生",多用道家言;讲"修身",则逐渐步入儒家修齐治平的轨道。其《论人》篇说:

> 主道约,君守近,太上反诸己,其次求诸人。其索之弥远者,其推之弥疏;其求之弥强者,其失之弥远。

其论"反诸己",主于人主之"无为";论"求诸人",则出以"八观六验"的论人之法。虽然如此,所论在基本精神上还是上承孔子的"君子求诸己,小人求诸人"(《论语·卫灵公》),以"修身"为本位的。《执一》篇又分明写到:

> 为国之本,在于为身。身为而家为,家为而国为,国为而天下为(按:以上"为"字都是"治"的意思)。故曰:以身为家,以家为国,以国为天下。此四者,异位同本。故圣人之事,广之则极宇宙、穷日月,约之则无出乎身者也。

这与儒家《大学》篇的"自天子以至庶人,壹皆以修身为本","知所以修身,则知所以治天下国家矣",其实已无二致,都道出了中国文化对于人性尊严的强调与期待。"圣人"要做的事可以推广到整个空间和时间,但是简单地说,也可以认为任何事都没有出于自身之外的,人应该成为万事万物的主宰。《必己》篇论"外物不可必",结语说:"君子之自行也,敬人而不必见敬,爱人而不必见爱。敬爱人者己也,见敬爱者人也,君子必在己者,不必在人者也。必在己,无不遇矣。"这完全是儒家"求诸己"的本义,用通俗的话来讲,就是道德修养要严于律己,宽以待人。

六 性理之说与帝王修身

《吕氏春秋》论古代王政,有不少篇章的内容关乎帝王修身。除前述已陆续撷出的以外,再有如:

去尤:意同"去宥",就是去掉偏蔽。强调有偏蔽,思想就会出现偏差,举止也会失当。如怀疑邻居偷了自家的斧子而妄生是非,或者如市人在市场上公开拿别人出卖的黄金而见物不见人。人主听言处事也一定要去掉偏蔽,才能得善言、用贤人、全天性。

慎大:指出"贤主愈大愈惧,愈强愈恐",就是势力越强大越存在着一种恐惧感。这样才能"于安思危,于达思穷,于得思丧"。

悔过:论述人主智有不至,不免过举,贵在过则不惮改。

重言:即"审应"、"慎言"。"人主出声应容,不可不审。凡主有识,言不欲先,人唱我和,人先我随,以其出为之入,以其言为之名,取其实以责其名,则说者不敢妄言,而人主之所执其要矣。"这是说人主不要轻易开口,对人臣的请求不要轻易答应,如果人臣请示政事,并提出了具体的意见,人主觉得可行,就叫人臣按自己的意见去办,然后用落实和事功情况去检验臣下先前的言论。这虽然是道家的主张,实际也是儒家的信条。

骄恣:《骄恣》篇批判"亡国之主必自骄,必自智,必轻动"。《吕氏春秋》全书中指斥独裁者刚愎自用、"奋而好独"的言论很多,大约多半有针对秦国政治的寓意。

贵直:批评"人主之患,欲闻枉而恶直言。"《壅塞》篇与《贵直》篇的意旨相同。

自知:倡言"存亡安危勿求于外,务在自知",认为"败莫大于不自知";又说"人主欲自知,则必直士",就是要敢于任用直言不讳的士人。

诸如此类（还有更多），宽泛一点说，都是或远或近地和帝王修身联系着的。《吕氏春秋·本味》篇称"天子不可强为，必先知道"，而"知道"的起点便是修身。中国古代的政治制度有着自己的特殊性，专制主义的萌芽产生很早，及至秦汉以后，大一统皇权的控制日趋严密，中国文化确曾为此付出沉重的代价。但是专制主义也不是毫无限制的，帝王也不过是人伦秩序的中心点。价值之源内在于人性和人心，要求帝王走"内圣外王"的路线，注重修身，以为价值系统的辐射源，这便为政治状况的改善提供了一种始终存在的可能性。所谓"开明专制"或不免溢美，总之是应有较多的理性，合乎天理人情方可称为"开明"。况且中国文化把"人"当做目的而非手段，帝王个体价值的凸显又反方向地引出一种"人皆可以为尧舜"的平等意识。圣贤时觉不好做，常人自认为也是"人"，"求诸人"而"反诸己"的道德实践人人可以为之，适可作为民族文化精神和人生处世的一种凭借。读《吕氏春秋》，看它的性理论说，姑且撇开道、儒等学派成见不去对号，也该能发现中国文化所共有的一些性理文化因子。

七 礼乐文化与儒的功用

1.《吕氏春秋》与礼乐文化

谈中国古代政治,离不开中国文化的一个中心传统——礼乐传统。这一传统的滥觞,比之古文献记载的话头实际还要早得多,考古学所见从史前陶制礼器到文明时代精致而贵重的青铜礼器,即逼真地显示出上古时代因祭祀活动的日趋繁化而导致礼乐文化孳生和成熟的过程,其源头可以一直追溯到距今五六千年以前。夏、商、周三代礼制是有损有益、一脉相承的,这在两千五百多年前的孔子那里已有定论。春秋战国时代"邦无定交,士无定主",虽说王纲解纽,"礼坏乐崩",实际在上层贵族以及列国之间,崇礼之风未尝一日稍歇。原始儒家借助官学衰微、私学兴起的机遇,把礼乐传统推进到一个新的理论高度,孔子并且为它找到了一个根本的内在依据——人心感应的"仁",进而由"仁"释礼,使礼乐的涵义焕然一新,非复旧观。此后孟子着力开掘一个"仁"字,荀子则依然偏重于"隆礼"的主张。墨子原来也是"学儒者之业,受孔子之术"的,后来因为反对僵化的繁文缛节而转向攻击礼乐,要通过"兼爱"恢复更为古老的天道思想("天志")。道家把文化看成是自然的堕落,要建立一个比儒家仁义世界层次更高的"方外"世界,因而对礼乐的否定更彻底。但是无论道家也好、墨家也好,最终并不能摆脱礼乐传统的笼罩。倒是法家在实践上,确有能量造成对礼乐传统的沉重打击,秦始皇的"焚书坑儒"是其极端的形式。

《吕氏春秋》对诸子的融综是没有成见的,一揽子收纳却有拣择。譬如儒家的东西,在它的篮子里有许多许多,可是对"礼"却谈得不多,一个专篇也没有。书中的"礼"字,大都是"礼贤"、"礼士"的"礼";偶有"先王之制礼乐也,非以欢耳目、极口腹之欲也,将以教民平好恶、行礼义也"(《适音》),以及"礼者,履此者也"(《孝行览》)、"不失君臣之礼"(《义赏》)、"寡礼安得无疵"(《悔过》)等言论,也都没有展开。此外则不乏反对"烦礼"之文,如《义赏》篇就引有咎犯的话:"繁礼之君不足于文。"《适威》篇也说:"礼烦则不庄。"秦国王室的祖先,源出于上古东夷族的伯益部落,原是对礼乐文化并不陌生的。大致在商汤灭夏时,他们随军西迁,定居在渭水流域,遂在深厚的东方文化根基之上融合西戎文化,逐渐增添几分粗犷和慓悍,历经千余年的发展,终于成为一个俯视中原的强劲部族和诸侯国。在这一过程中,他们本有的礼乐传统似乎渐次失落了,见于文献记载的秦国国史的记录以及秦国礼乐文化的制度化,时代都较晚。《诗经·秦风·车辚》篇,传统上认为是赞美秦君始有车马礼乐的盛况的,时在秦襄公之世,已到东周初年了。这看法虽然不见得可靠,却也略可指证秦国地区文化曾相对落后。下至战国时代,秦国的耕战传统已经粗大强劲,统治者不太讲究繁琐的礼仪也在情理之中。所以直到秦昭王时,仍认为"儒无益于人之国",由荀子游秦碰壁的事实,大概可以推测当时秦国即使有儒学人物,也还没有几个;倒是自秦孝公以来,法家精神在秦国大畅,惠文王时又有一些著名的墨学领袖入秦,有的还成为秦王的亲信。《吕氏春秋》不大谈"礼",当与秦国的文化传统有关系。

不过也不能因此就说《吕氏春秋》不重视或轻视礼乐。重要的根据之一就是《吕氏春秋》虽闲置"礼"字,却大谈"乐",其《仲夏纪》《季夏纪》两卷,除本纪外的8个专篇,全是论乐的。这固然首先说明吕氏门下有几个或一批懂音乐的学者,同时也说明吕不韦的价值观念已转向礼乐。况且在"十二月纪"中,也有不少关于王政礼制的记载。其实礼乐对统治者来说本不可少,甚至可以说是须臾不可离的。只是在秦国这样的重视法治的国度里,泛论礼制似乎不太适宜,而且中原礼制与秦国礼制有许多不同点;至于音乐则多半是形式化的东西,专业的理论和历史可以尽管讲,何况一般人又弄不大懂。统治者为享乐,搜求乐舞往往不遗余力,秦始皇灭六国后,皆写仿其宫室,以钟鼓、美人充入之,佾乐也还是他日常起居的重要组成部分。

2. 论乐八篇

《吕氏春秋》的论乐八篇,既有政治意义,又有文化史的意义,文化史的意义大于政治意义。现在把八篇的内容逐次撮述如下。

(1)《**大乐**》 讲音乐的起源。认为音乐"生于度量,本于太一",意即音乐是根据一定的法度标准制作的,而这些法度标准从根本上说出于自然规律。天地阴阳化生万物,万物在自然界中皆有一定的形体、位置和存在状态,因而产生出各种声音。声音本身具有自然的性质,有一定的形式构成,各相适宜,趋于谐和。音乐就是循从这种谐和状态和规律而出现的,所以说"声出于和,和出于适,和、适,先王定乐由此而生"。其实音声出于自然,感于人心,原始初民在劳动过程中,由于消除疲劳、愉悦精神及审美等需要,模仿自然界的各种声音,加以有机的组织,使之成为曲调,可用于表达和演奏,也就创制出了最初的音乐。至于"先王定乐",还是在反映人伦社会秩序的原始礼制有了相当发展之后才有的事情。以礼、乐联系起来看,礼是等级秩序的外在形式,乐是礼的配合形式,乐达到和谐的意境,可以感动人心,使人性情愉悦,从而也就更容易接受礼的熏陶。试比较《礼记·乐记》所说:"音之起,由人心生也。人心之动,物使之然也。感于物而动,故形于声;声相应,故生变。变成,方谓之音;比音而乐(lè)之,及干戚羽旄,谓之乐。"这话与《吕氏春秋》有对音乐的同样理解。因为音乐是自然和人心互感的产物,所以音乐有感化的作用。换言之,"凡乐,天地之和、阴阳之调也",所以太平盛乐"必由平出,平出于公,公出于道",可以"乐君臣,和远近,说(悦)黔首,合宗亲"。这样,也就"惟得道之人,其可与言乐乎!亡国戮民,非无乐也,其乐不乐(lè)"。统治者的大乐是和政治不可分的,将要灭亡的国家自然不会有使人快乐的官方音乐。

(2)《侈乐》 反对淫侈音乐。乱世之乐"以巨为美,以众为观","骇心气,动耳目","故乐愈侈而民愈郁、国愈乱、主愈卑,则失乐之情"。

(3)《适音》 讲音乐的谐和。认为"乐之务在于和心,和心在于行适";"乐有适,心亦有适","适心之务在于胜理";"音亦有适",不可太大、太小、太清、太浊。以适心听适音则"和",所以"治世之音安以乐","乱世之音怨以怒","亡国之音悲以哀"。强调"凡音乐通乎政",可以"移风平俗","教民平好恶,行理义"。

(4)《古乐》 此篇是我国现存最早的音乐简史,具有重要的文化史价值。所载大要如下:

昔古朱襄氏(或说为炎帝别号)之治天下也,多风而阳气畜积……故士达作为五弦瑟以来阴气,以定群生。

昔葛天氏之乐,三人操牛尾,投足以歌八阕:一曰《载民》,二曰《玄鸟》,三曰……

昔陶唐氏之始,阴多滞伏而湛积……故作为舞以宣导之。

昔黄帝令伶伦作为律……取竹于嶰谿之谷,以生空窍厚钧(均)者,断两节间,其长三寸九分,而吹之以为黄钟之宫。……制十二筒,以之阮隃(山名)之下,听凤皇之鸣,以别十二律。……黄帝又命伶伦与荣将铸十二钟,以和五音,以施英韶……命(名)之曰《咸池》。

帝颛顼生自若水,实处空桑,乃登为帝。惟天之合,正风乃行,其音若熙熙凄凄锵锵。帝颛顼好其音,乃令飞龙作效八风之音,命之曰《承云》,以祭上帝。乃令鱓先为乐倡,鱓乃偃寝,以其尾鼓其腹,其音英英。

帝喾命咸黑作为声,歌《九招》、《六列》、《六英》。有倕作为鼙鼓、钟磬、吹苓、管埙、篪鞀、椎钟,帝喾乃令人抃……因令凤鸟天翟舞之。帝喾大喜,乃以康帝德。

帝尧立,乃命质为乐。质乃效山林谿谷之音以歌。……乃拊石击石,以象上帝玉磬之音,以致舞百兽。瞽叟乃拌(分)五弦之瑟,作以为十五弦之瑟,命之曰《大章》,以祭上帝。

舜立……乃令质修《九招》、《六列》、《六英》,以明帝德。

禹立,勤劳天下……命皋陶作为夏籥九成,以昭其功。

殷汤即位……乃命伊尹作为《大护》(护一作濩),歌《晨露》,修《九招》、《六列》,以见其善。

周文王处岐……周公旦乃作诗曰:"文王在上,于昭于天,周虽旧邦,其命维新。"以绳文王之德。武王即位……乃命周公为作《大武》。……

这一篇记录11代乐舞的资料,看上去神话满纸,凌乱不可信,实际探赜索隐,在在可考。中华乐舞的远源,如今从考古遗物中已可寻出一些蛛丝马迹,如在河南舞阳已发现距今将近8000年的用猛禽肢骨及翅骨制成的骨笛。在仰韶文化及大汶口文化等遗址中,见到不少陶球、陶埙(早期的埙因多呈管状故称"管埙");浙江河姆渡遗址出土成批的骨哨;大汶口文化遗址中还出土了笛柄杯及距今5000多年以前的陶鼓标本。原始乐舞起于祭祀、盟会等世俗的实际需要,到虞舜时代集其大成,总名《韶》乐(又称《大韶》、《箫韶》、《韶箾》、《昭虞》、《九韶》、《九招》、《九代》、《大招》等)。完整的《韶》乐共分九段,是

谓"九成"。《吕氏春秋》对帝舜乐舞记载过简,《尚书·益稷》尚有场面盛大的生动记载:

> 夔曰:"戛击鸣球,搏拊琴瑟以咏。"祖考来格,虞宾在位,群后德让。下管鼗鼓,合止柷敔,笙镛以间,鸟兽跄跄。《箫韶》九成,凤皇来仪。
>
> 夔曰:"于予击石拊石。"百兽率舞,庶尹允谐。……

这是对部落联盟大会歌舞场面的描述,应该有着相当可靠的口碑依据。它的总指挥官是协助舜发展传统乐舞并创制大乐的乐正夔。不难想见:当大舜率领部落酋长们就位后,夔指挥庞大的乐队,演奏起古朴粗放而又经过精心编排、富于变化的乐曲,于是群神降临,祖宗欣至,众多鸟、兽图腾族的演员们装饰羽皮,手执舞具,伴随时而悠扬、时而激越的旋律与时而庄重肃穆、时而高亢嘹亮的歌咏,跄跄起步,渐入佳境,汇成一片各具风姿的图腾舞的海洋,遂与百鸟翔集、走兽结队的大自然融为一体。当大乐奏至九遍,盛会达到高潮,最高保护神凤图腾的模具被请出,此即"凤皇来仪"。这是部族的狂欢节,也是战争间隙的联盟大和睦,充溢着早期华夏民族大融合的文化氛围。奏乐所用的主体乐器是箫、鼗鼓、钟、磬(石)、笙、管、镛(大钟)、琴瑟等。乐之始作乃击柷(形如漆桶)以合乐,乐之将终则刮敔(形如伏虎)以止乐。"戛击鸣球",即手抛多个连续升落的空心陶球(如今考古所见)使碰撞发声——此种陶球于腹中装有2~4枚陶粒,是造成歌舞气氛不可缺少的音乐配器和调节器。

舜乐主承传说古史的少昊——颛顼——帝喾各代乐舞而来,古文献中的有关记载还有很多。联系多种资料来看,舜乐是在上古东夷风乐的基础上,吸收多民族音乐成分而发展起来的,《吕氏春秋·古乐》篇也清楚地反映出这一点。其中虽托名于黄帝、尧、禹等非东夷部族首领所创制者,也都出于凤鸣之音(东夷民族的最高图腾是凤),或由东夷部族首领质(鸷)、皋陶、夔(又名夔龙、晏龙、飞龙)、瞽叟等主之。"风"为乐名取法于凤鸣,起源极古,甲骨文中的四方风名尚皆写作"凤";《世本》所谓"伏羲(即太昊氏)乐曰《扶来》",实即《凤来》,正与"少昊挚(鸷)之立也,凤鸟适至"的传说相应。《诗经》的"十五国风"仍用东方乐名,"二南"之"南"则是西部地区乐名,二者异名而同实(上古南、风二字同音)。舜的乐正夔实际是东夷夔部族及夔国首领的代称,这一部族原出于颛顼——帝喾部(古字喾、夔亦同音)。传说"夔一足",是独角兽,而由甲骨文的"夔"字质证之,其字所摹写的也不过是头戴羽毛或兽角、手执牛尾巴跳独脚舞的舞蹈教官的形象。这大概也就是葛天氏"操牛尾,投足以歌八阕"的传说本源(我们很怀疑这个葛天氏即是夏商之际东夷有葛氏的祖先)。古时巫、舞是一字,巫以歌舞事神,所以歌舞为巫觋之俗。舜也是大巫兼舞蹈行家,"舜"字本亦为善跳两足相背之双脚舞的舞蹈教官之象形。《韶》乐是后世王官乐舞的总源头,夏、商、周三代的主体舞乐《大夏》、《大濩》、《大武》皆承《韶》乐而来,直到春秋时期,鲁国、齐国仍完整地保存着《韶》乐、《韶》舞。吴公子季札在鲁见《韶》舞,叹为"观止";孔子在齐闻《韶》乐,"三月不知肉味",又盛赞《韶》尽美矣,又尽善也"。《韶》舞的编排形式多种多样,而基本模式是九九或六六为行列的方阵,《论语》所称的"八佾"舞则为八八六十四人的舞队。《楚辞·招魂》所描述的"二八齐容,起郑舞些",当是二行或二列各八人的舞容;汉代《郊祀歌》又称"千童罗舞成八溢(八佾)",则又不限于八八六十四人的固定舞阵。

七 礼乐文化与儒的功用

直到近世,孔府祭孔的大型舞蹈仍保留着《韶》舞的基本模式。不过自秦汉以来,古代乐舞失传极多,《吕氏春秋·古乐》篇的系统记载虽不够详细,在今天看来也已是极为宝贵的资料。

(5)**《音律》** 属于乐律学的专篇。古时用十二律,以与十二月相对,即十二个半音。其名称在现今出土的西周编钟上已可见到,而完整的文献记载最早见于《国语·周语下》。本书《音律》篇记有全部十二律的名称及其相生关系、音高顺序、对应月份,情况如下表:

乐律名称	黄钟	大吕	太簇	夹钟	姑洗	仲吕	蕤宾	林钟	夷则	南吕	无射	应钟
音高顺序（从低到高）	1	2	3	4	5	6	7	8	9	10	11	12
相生顺序	1	8	3	10	5	12	7	2	9	4	11	6
对应月份	十一月	十二月	正月	二月	三月	四月	五月	六月	七月	八月	九月	十月

表中相生关系都是按循环方式隔八为序的,也形成一个"圜道"式圆圈;对应月份则用周历,从岁首的十一月起。十二律又分阴阳两类:按音高顺序,凡属奇数的是阳律(又称六律),凡属偶数的是阴律(又称六吕);按相生顺序,则依次是阳生阴、阴生阳。

关于十二律的形成,《吕氏春秋》有两种说法:《古乐》篇谓黄帝命伶伦取竹节,听凤凰之鸣制十二筒,以生十二律;《乐律》篇谓"天地之气,合而生风,日至则月钟其风,以生十二律"。这两种说法,实际是说了同一事的两个侧面:竹管与气吹。二者结合也是生律的方法之一,含有科学的因素。

十二律相生所采用的是"三分损益法"。此法在现存文献中最早见于《管子·地员》篇：用一根弦作振动体，均分成三段，去其三分之一，取其三分之二，称三分损一，这样，该弦振动后所发的音会比原来全长所发的音升高纯五度；反之，增其三分之一，取其三分之四，称三分益一，则该弦振动后所发的音会比原来全长所发的音降低纯五度。《地员》篇所载计算宫、商、角、徵、羽五音高度的公式是："先主一而三之，四开以合九九"（即 $1 \times 3^4 = 9 \times 9 = 81$）；然后逐次增、损相生，操作程序为：宫（$1 \times 3^4 = 81$）→ 徵（$81 \times \frac{4}{3} = 108$）→ 商（$108 \times \frac{2}{3} = 72$）→ 羽（$72 \times \frac{4}{3} = 96$）→ 角（$96 \times \frac{2}{3} = 64$）。这一算法只适用于五音，不适用于十二律，因为 64 已不能再继续被 3 整除。《吕氏春秋·古乐》篇谓伶伦以三寸九分长的竹管吹而为黄钟之宫，这一长度按"三分损益法"计算下去，也不能除尽。《音律》篇不载初始长度。本篇以过半的篇幅，记有各律月份的岁时禁忌及相宜事务，可与"十二月纪"互参。

（6）《**音初**》 记"东音"、"南音"、"西音"（即"秦音"）、"北音"的初始创作，保存了一些传统的上古地区音乐史料。篇末强调："凡音者，产乎人心者也。感于心则荡乎音，音成于外而化乎内。是故闻其声而知其风，察其风而知其志，观其志而知其德。"

（7）《**制乐**》 记商汤、周文王、宋景公去祸消灾的故事，以申明"欲观至乐，必于至治，治厚者乐厚，治薄者乐薄。"

（8）《**明理**》 与上篇相应，此篇记有一系列天象自然、物理人事的变异现象，以证明乱世无"至乐"，"其乐不乐"。

这八篇文字，以《大乐》、《古乐》两篇最重要，《侈乐》、《适音》、《音律》、《音初》几篇也较有意味，惟最后两篇内容单薄且文字拖沓。合起来看,它们作为系统的上古音乐史料是很难得的,而且联系政治谈音乐,也与全书的意旨不相悖。其中有少量文字与《礼记·乐记》接近,可能参考过《乐记》,或是二者具有相同的资料来源。在音乐理论方面,既可与《乐记》互参,也有超出《乐记》之处。郭沫若认为《乐记》是公孙尼子的作品(有后人的窜乱),而《汉书·艺文志》有《公孙尼子》28篇,王充《论衡·本性》篇又说公孙尼子"亦论性情"。是否写《吕氏春秋》论乐诸篇有公孙尼子的后学呢?无法考究。想来有一点是可以肯定的,就是诸篇文字均应出于儒家学者之手——公孙尼子也是孔子弟子的学生。

3.《吕氏春秋》对儒学的汲纳

《吕氏春秋》对儒学的综合吸收,前面已经提到不少。儒家的重要概念,在《吕氏春秋》中差不多是全都可以找到的,只是作者有自己的取舍标准,因而各种概念的使用频率和解释程度不一样。这里再略述几个较为突出的侧面。

(1) 贵德

吕氏书中涉及"德"字较多,可以明显地看出作者是赞成"德治"的。如《先己》篇说:

> 心得而听得,听得而事得,事得而功名得。五帝先道而后德,故德莫盛焉;三王先教而后杀,故事莫功焉。

古人讲"德者,得也",以"得"训"德",此处所言亦略有其义。不过此处论"五帝",使用道家观念,以"道"为至高无上,"德"从属于"道";但赞扬"五帝"之治"德莫盛"(德之盛无过于"五帝"），也包含了一定程度的德治观念。其论"三王"，则纯用儒家观念，明言"先教而后杀"，故"事莫功"（功之大无过于"三王"），是典型的德治表述。《孝行览》又引曾子之言曰：

> 先王之所以治天下者五：贵德、贵贵、贵老、敬长、慈幼。此五者，先王之所以定天下也。

其下解释"所谓贵德，为其近于圣也"。今《礼记·祭义》篇具载其文，"贵德"作"贵有德"，"近于圣"作"近于道"。这大约是传抄异文，无须深究，但纯就"贵有德"而言，作"近于圣"大概更切合儒家本旨。《吕氏春秋·精通》篇更指出："德也者，万民之宰也。……圣人行德乎己，而四荒咸饬乎仁。"

书中有关德治思想的表述是多种多样的。如《适威》篇说："古之君民者，仁义以治之，爱利以安之，忠信以导之，务除其灾，思致其福。"这也便是一种德治思想。《功名》篇也说："善为君者，蛮夷反舌殊俗异习皆服之，德厚也。"更清楚地表明作者崇尚德治思想的是《上德》篇。其文云：

> 为天下及国，莫如以德，莫如行义。以德以义，不赏而民劝，不罚而邪止，此神农、黄帝之政也。……故古之王者，德迴乎天地，澹（赡）乎四海。……三苗不服，禹请攻之，舜曰："以德可也。"行德三年，而三苗服。孔子闻之曰："通乎德之情，则孟门、太行不为险矣。"

此篇以"行德""行义"与"严罚厚赏"对举，以古先王之政与"衰世之政"对举，其强调德治的思想是显然的，所以标题也作"上（尚）德"。可惜所举例证仍偏重于意义较狭的"义"，对"上德"本题反而论说不足。

中国文化重视德治的传统，并不是自周代以来才有的。这一传统事实上是和哲人政治、贤者作风共生的。《尚书·商书》

中频见"德"字,并有专讲"纯一之德"的篇章,这些虽未可尽信是商代文献的孑遗,但大略可证即使在神权占统治地位的时代,统治者也并非不讲德治。《吕氏春秋》屡谓"以德得民心以立大功名者,上世多有之"(《顺民》),"汤之德及禽兽矣,四十国归之"(《异用》),"圣王之德,融乎若日之始出,极烛六合"(《勿躬》),都不是无根之言。德治思想含有一种权利和义务观念,特别是到殷周交替之际,社会大动荡显示出民众的力量,周初统治者因而提出了"敬德保民"之策,使"德政"思想趋向鲜明。而在理论上,却是直到孔子提出"为政以德"之后,德治理论才日渐成熟并臻于系统化,孟子的"仁政"理论尤为孔子德治思想的大发展。《吕氏春秋》的德治观念本于流行的儒家学说,对"仁政"谈得不多。

(2) 崇义

此为《吕氏春秋》政治思想的一大特色,书中所见"义"字不胜枚举。在儒家学说中,"义"的本义,如《礼记·大传》所说:"自仁率祖,等而上之至于祖,名曰轻;自义率祖,顺而下之至于祢(父庙),名曰重。一轻一重,其义然也。"以"义"和"仁"(恩)并举,原指服丧和祭祀时最重父母的恩情,此为"仁"之大端;自父母之祭上祭列祖列宗,便渐由"亲亲"转向"尊尊",此乃"义"的表现。换言之,"仁亲"关系最近,"义尊"则关系渐远。此亦由古代宗法制度所决定,因为在宗法谱系上,对列祖列宗的追溯时代越久,则同一祖宗的后嗣之间关系越疏远。近者称恩、称仁,远者称尊、称义,虽为同一事而有别。引而申之,则凡对他人、对社会有益的行为,都可称为"义",所以古人解释说:"义者,宜也。"一旦"义"被赋予特殊的内在价值,并成为重要的道德观念之后,它就随之脱离族属关系或特定人群关系的限制,而上升为一种当然之则,具有了"理"的普遍必然品格和某种至上的性质。因此孔子说:"君子以义为上。"(《论语·阳货》)朱熹说:"义者,天理之所宜。"(《论语集注·里仁》)这就使它同时成为价值评判的主要准则之一:如果行为本身合乎义,那么即使它不能达到实际功效,也同样具有善的性质,应当给予肯定;反之,如果行为不合乎义,即使达到了某种实际功效,仍不具有善的性质,也不值得赞同。在儒家的道德实践中,"义"往往被理解为一种无条件的道德命令,行义成了行为本身的目的,而不单是以义作为行为的准则。这点对中国人的价值观念影响深广。

《吕氏春秋》对义的理解,在基本涵义上是与儒家相合的,如下列言论:

善不善本于义,不于爱。(《听言》)

义也者,万事之纪也,君臣上下亲疏之所由起也,治乱安危过胜之所在也。(《论威》)

君子之门也,动必缘义,行必诚义,俗虽谓之穷,通也。行不诚义,动不缘义,俗虽谓之通,穷也。(《高义》)

君子计虑行义,小人计行其利。(《慎行论》)

教也者,义之大者也。(《尊师》)

为故主杀新主,臣以为不义。(《忠廉》)

这些言论,都涉及到义利关系问题。在儒家那里,当然也并不是完全反对功利的,所谓"见利思义",也还包含着对正当功利的肯定,只是认为不可实行"惟利是图"的功利主义。《吕氏春秋·无义》篇所论,亦大致本于儒家的义利之辨:

先王之于论也,极之矣。故义者,百事之始也,万利之

七 礼乐文化与儒的功用

> 本也。中智之所不及也,不及则不知,不知(则)趋利,趋利
> 固不可必也。

此处所谓"万利之本",不能理解为博取"万利"的工具。作者的意思还是强调凡百事为必须首先考虑到义,义是行为的前提和基础。篇中所举商鞅为秦将攻魏,以欺诈手段杀魏公子卬等例,大意谓失信无义,急功近利,最终导致身败名裂,因此说弃义趋利,功利亦未必可以达到。对商鞅其人,仅以"不义"二字作评价是大失公道的,这里不是详论的地方,可以但观其意而不取其事。

《吕氏春秋·高义》篇的"穷通"之辨,举有两个例子:一是孔子在齐国,无功不受禄,促驾而行,"取舍不苟";一是墨子辞越国之封,表明只要越王"听吾言,用吾道",自己宁可"度身而衣,量腹而食,比于宾萌(宾客),未敢求仕"。这两个例子都难考实,不过墨家对"义"的理解,与儒家并不完全一样。儒家强调义的内在价值,往往把义和利对立得很鲜明;墨家则相对来说,较侧重于义的外在价值,不否认义的功利基础。所以《墨子》书中既有"万事莫贵于义"(《贵义》)等言论,又有"义者,利也"(《经上》)的定义。《吕氏春秋》在一些地方,事实上也接受了墨家的义利观,不完全等同于儒家的。如说"义者利身"(《先己》)、"义之为利博矣"(《上德》)等等,就把"利"也内含在"义"的概念中了。《尊师》篇也有一个醒目的说法:"义之大者,莫大于利人。"若把所说的"利身"和"利人"合起来看,与墨子所称的"利人者,人必从而利之"(《墨子·兼爱中》)实相接近。

法家的义利观有时也与墨家相近,如《商君书·开塞》篇说:"吾所谓义者,利之本也;而世所谓义者,暴之道也。"不过法家"不贵义而贵法",完全否定以忠孝等为"义"(参见《商君

书·赏刑》），把义引向实用主义，又与墨家不同。

值得注意的是，《吕氏春秋》的某些论说还反映出"义尊于势"的观念。如《士节》载晏子之仆称齐国士人北郭骚："此齐国之贤者也。其义不臣乎天子，不友于诸侯，于利不苟取，于害不苟免。"《不侵》篇载公孙弘称齐孟尝君门下之士："义不臣乎天子，不友于诸侯，得意则不惭为人君，不得意则不屑为人臣，如此者三人。"这是在春秋战国时代逐渐形成的"道尊于势"的观念的泛化，与前举孔、墨辞封禄之例同义。

《吕氏春秋》特重士节问题，这点与本书所强调的君主礼贤下士实是同一问题的两个侧面。如《诚廉》篇说："石可破也，而不可夺坚；丹可磨也，而不可夺赤。"所举伯夷、叔齐故事是人所熟知的，二人历来被儒家视为保持风节的典范。《士容论》又称："士不偏不党，柔而坚，虚而实，其状朖然不儇（不巧伪），若失其一（犹恐失其道）。傲小物而志属于大，似无勇而未可恐，狠执固横敢而不可辱害，临患涉难而处义不越，南面称寡而不以侈大，今日君民而欲服海外，节物甚高而细利弗赖，耳目遗俗而可以定世，富贵弗就而贫贱弗朅（去），德行尊理而羞用巧卫，宽裕不訾（不说人坏话）而中心甚厉，难动以物而必不妄折——此国士之容也。"这差不多已把当时有代表性的正直知识分子的社会特征揭示无遗，与《礼记·儒效》一文属于同一风格，也是对"道尊于势"、"义尊于势"的观念的生动写照。

但有必要指出，《吕氏春秋》在士节问题上的评价标准，又往往特偏重于"侠义"（侠客作风），而不甚注重儒家所通论的"仁义"。这又反映出战国权臣（包括吕不韦本人）私门养客的积习，与儒家所歌颂的肩负社会、民族、国家使命而不惜为道义献身的精神是应当两分来看的。极端的例子，如上面提到的齐国士人北郭骚,曾因贫困乞粮于晏子以养母,后晏子见疑于齐君而出奔,北郭骚自度无以报晏子之恩,乃自杀,使人奉其头以谏齐君。《上德》篇载墨家巨子孟胜为报答楚国阳城君的恩遇,又惧曾受人之国,及人有难而不能死,将使墨家失信于天下,遂不顾弟子的劝阻而自杀,弟子辗转从死者183人。这一类故事书中颇多,大都带有"侠"味,有些则事主本人就是游侠,如《序意》所称的青荓、豫让(豫让事详见《恃君览》及《不侵》篇)。从思想渊源上说,本书注重"侠义"当亦因受到墨家"贵义"学说的影响(参见下节)。早期墨家以自苦忠义为信条,相传"墨子服役者百八十人,皆可使赴火蹈刃,死不旋踵"(《淮南子·泰族训》),带有相当浓厚的宗教团体色彩。

(3) 尚忠

《吕氏春秋》是主张忠的,有关言论如:

先王之教,莫荣于孝,莫显于忠。(《劝学》)

信贤而任之,君之明也;让贤而下之,臣之忠也。(《慎人》)。

事君枉法,不可谓忠臣。(《高义》)

行激节,厉忠臣……则君道固矣。(《恃君览》)。

贤者之事也,虽贵不苟为,虽听不自阿,必中理然后动,必当义然后举。此忠臣之行也。(《不苟论》)

古时"忠"字原指诚实、质朴,传说所谓"夏道尚忠"是其义。《吕氏春秋·精通》篇所谓"神出于忠而应乎心",尚保存古义。后世之"人主莫不欲其臣之忠"(《必己》),则一个"忠"字往往成为君臣关系的专用语,有时也用于上下级关系或主仆关系。《吕氏春秋》有《至忠》篇,专论"至忠逆于耳,倒于心,非贤主孰能听之",又谓"忠于治世易,忠于浊世难",然所举二例不甚典型。值得注意的是吕氏既强调忠臣之行应当"中理"、"当义",又谓"忠于浊世难",则作者亦并不赞成完全的愚忠。这与墨家"上之所是亦必是之,上之所非亦必非之"的"尚同"态度是不一样的。

《吕氏春秋》谈"忠",往往与"义"不分。如《至忠》篇举宋人文挚为齐王治病而被杀之例,既侪人于"至忠"之列,又以"义"称之。《离谓》篇举有一个反面的故事说,齐国有人臣事主子,主子遇难死去而他没有死。有一天他在路上碰到一位朋友,朋友问他:"你怎么没有死?是不想死吗?"他回答说:"事人是为了利,死了不利,所以不死。"朋友又说:"你还有脸见人吗?"他又说:"你是以为死了反而有脸见人吗?"此例实际是谈"忠"的,而作者的看法是:"是者数传(屡次侍奉主子)而不死于其君长,大不义也。"也把"忠"和"义"当成一回事了。《忠廉》篇则以"忠"、"廉"并举:吴王阖庐欲刺杀流亡在外的公子庆忌而不能,刺客要离使吴王派人杀死自己的妻子,假装被迫害而投奔庆忌,以便伺机行刺;后来事情未成,被庆忌放回吴国,吴王欲重赏之,要离自以为不仁不义(指行前先杀妻子),又未能成就王的使命,遂伏剑而死。作者指出:"要离可谓不为赏动矣。故临大利而不易其义,可谓廉矣。廉政不可以富贵忘其辱。"这样的"死士"之臣,拿后世的观念来衡量,实很难称之为"忠臣"的,说明先秦时期的"忠臣"观念尚不成熟。《达郁》篇谓国家有病,当"贵(尊崇)豪士与忠臣",以"豪士"与"忠臣"并举,也反映出战国重死节之士的风气。当然,儒者中的"直士"也往往有些豪气,如孔门后学的漆雕氏之儒,据说就是"直行而怒于诸侯"(《韩非子·显学》)的,介乎文儒与武侠之间。

七　礼乐文化与儒的功用

《忠廉》篇以要离一类人物为廉士并不确切,然亦是针对战国时代人欲横流、务以财富相高的风气而发论的。《务本》篇指出:"今功伐甚薄而所望厚,诬也;无功伐而求荣富,诈也。诈诬之道,君子不由。"这"诈诬之道"四字,揭露的正是当时社会现实。《离俗览》特别指出:"布衣人臣之行,洁白清廉中绳,愈穷愈荣,虽死,天下愈高之。"又慨叹当时廉士"不足",提出人主应"以爱利为本,以万民为义","欲得廉士者,不可不务求"。此类论说,在后世仍有着相当普遍的社会意义。

(4) 贵信

战国时代,诸侯列国一面是不遗余力地以诈力相竞,一面又纷纷标榜重然诺、守信用,所谓"讲信修睦"的余风并未绝绪。顾炎武说:"春秋时犹尊礼重信,而七国(战国)则绝不言礼与信矣。"(《日知录·周末风俗》)这看法自有坚强的事实根据,但在"尊礼"与"重信"之间,有时又未可一概而论。其时大国要争霸,小国要生存,虽然"讲信修睦"大都是表面文章,最终起决定作用的还是实力政策,然而外欲取合诸侯,内欲取信于民,并不都是虚假的。仅就《吕氏春秋》而言,其中虽不大讲"尊礼",于"重信"还是大讲特讲的,以至称"三代之道无二,以信为管(总关键)"。集中的论述见十《贵信》篇,今节录其要论如下,其余无须更多费辞——

> 凡人主必信。信而又信,谁人不亲?故《周书》曰:"允哉允哉!以言非信,则百事不满(成)也。"故信之为功大矣,信立则虚言可以赏矣(意谓人主言而有信,虽官爵出于口而无穷,亦皆可得其劝赏之实功)。虚言可以赏,则六合之内皆为己府矣,信之所及尽制之矣。制之而不用,人

之有也（将为别人所有）；制之而用之,己之有也。己有之,则天地之物毕为用矣。人主有见此论者,其王不久矣;人臣有知此论者,可以为王者佐矣。

天行不信,不能成岁（大自然的运行不守规律,就不能形成四季分明的岁时变化）;地行不信,草木不大。春之德风,风不信,其华（花）不盛,华不盛则果实不生;夏之德暑,暑不信,其土不肥,土不肥则长遂不精（成长不良）;秋之德雨,雨不信,其谷不坚,谷不坚则五种不成;冬之德寒,寒不信,其地不刚,地不刚则冻闭不开（冻得不结实而化冻时地气亦不通）。天地之大,四时之化,而犹不能以不信成物,又况乎人事！君臣不信,则百姓诽谤,社稷不宁;处官不信,则少不畏长,贵贱相轻;赏罚不信,则民易犯法,不可使令;交友不信,则离散郁怨,不能相亲;百工不信,则器械苦伪,丹漆染色不贞（不正）。夫可与为始,可与为终,可与尊通,可与卑穷者,其唯信乎！信而又信,重袭（重叠）于身,乃通于天。以此治人,则膏雨甘露降矣,寒暑四时当矣。

(5) 重孝

《吕氏春秋》对孝的强调,甚至比儒家自己的崇尚还要严重,这点多少有些出人意外。因为秦人一向以好勇斗狠著称,其地"野人"（乡下百姓）甚至"以小利之故,弟兄相狱,亲戚相忍（互相残杀）"（《高义》）,原本并不怎么把孝道放在心上。也许《吕氏春秋》正欲反其意而用之,才大谈孝道。其《察微》篇引有"《孝经》曰",在现存先秦典籍中是最早见引《孝经》的,可知《孝经》的传播不算很晚,吕氏门下也颇重视这种小册子;《孝行览》也引有《孝经》第二章之文,只是用一个"故"字开头而没有写出书名。《有始览》部分已脱去的《廉孝》篇不复可查,其《孝行览》一篇则仍足以反映吕氏学派对孝的看法。其文云:

> 凡为天下、治国家,必务本而后末。所谓本者,非耕耘种植之谓,务其人也(治人为本);务其人,非贫而富之、寡而众之,务其本也。务本莫贵于孝。人主孝则名章荣,下服听,天下誉;人臣孝则事君忠,处官廉,临难死;士民孝则耕芸疾,守战固,不罢(败)北。
>
> 夫孝,三皇五帝之本务,而万事之纪也。夫执一术而百善至、百邪去、天下从者,其惟孝也。……

接下所记,除一段《孝经》引文外,另有三段"曾子曰"及乐正子春的故事,当皆出于今本《礼记·祭义》篇所据的原始材料。其中前两段"曾子曰"及第三段"曾子曰"之后的文字,大致与今《祭义》篇所载相同;惟第三段"曾子曰"不见于《祭义》,而只有个别语句杂出,是否另有出处或《祭义》有脱漏,仍待详查。

中国传统伦理文化的"根"在一个"孝"字。"孝"是人伦关系的起点,"忠"是"孝"的扩大,以"忠孝"并提早已是中国人的熟语,所以近世学者或主张中国文化就是一种"孝文化"。《孝行览》所引曾子及乐正子春之言,也把儒家的一大堆伦理道德观念都归到了"孝"的户头下。如说:

> 居处不庄,非孝也;事君不忠,非孝也;莅官不敬,非孝也;朋友不笃,非孝也;战阵无勇,非孝也。
>
> 民之本教曰孝,其行孝曰养。……父母既没,敬行其身,无遗父母恶名,可谓能终矣。仁者,仁此者也;礼者,履此者也;义者,宜此者也;信者,信此者也;强者,强此者也。乐自顺此生也,刑自逆此作也。

总之,"三纲五常"都要追本于孝,等级礼乐是伴随孝的扩大而顺向产生的,刑法制度则适应报本返始的需要而逆向产生。《吕氏春秋》因此也把孝悌作为"论人"的根本标准之一:"苟事亲未孝,交友未笃,是所未得,恶(wū)能善之矣!"(《务本》)

现在很难说《吕氏春秋》这样重视孝行是否别存用意。大概秦始皇少年时对他的母亲并不那么尊重,吕不韦欲借谈孝来劝导他也并非不可能。过去有一种误解,似乎孝只是儒家的东西,它的正面价值和负面效应都是由儒学带来的。其实中国人只要有父母在世,无人能摆脱孝的纠缠,甚至在父母去世后,还往往会因为没有能够在父母生时克尽孝道而抱疚终生。所以不但儒家,就连道家、佛家等也都讲孝道。魏晋时期的一些玄学之士,整日里放浪形骸,污秽名教,全不拘于六经礼律,看上去该不会一本正经地养亲尽孝吧?可他们当中偏偏多有以孝著称的人。如阮籍就"性至孝",以致母亲去世后服丧,"毁瘠骨立,殆至灭性"(《晋书·阮籍传》)。更早一点,孔融曾向汉末弊端百出的流俗之"孝"发难,直言不讳地声称:"父之于子,当有何亲?论其本意,实为情欲发耳。子之于母,亦复奚为?譬如寄物瓶中,出则离矣。"(《三国志·崔琰传》裴注)可是人们又知道,这位本是孔子后裔的文学家同样是一位大孝子。由此反看《吕氏春秋》的论孝,且不论吕氏是否真的要以孝治国,只看他认为治国就是治人,治人就必须讲孝,已足以显示中国文化的这一独特传统和人之常情。

《吕氏春秋》论孝,也涉及到忠、孝两难的问题。有一个老话题:父亲偷了人家的羊,儿子若是正直的人,该不该到官府去告发父亲呢?据本书《当务》篇所记:

> 楚有直躬者(躬行正直之道的人),其父窃羊,而谒之

上(告发到官府)。上执而将诛之,直躬者请代之。将诛矣,告吏曰:"父窃羊而谒之,不亦信乎?父诛而代之,不亦孝乎?信且孝而诛之,国将有不诛者乎?"荆王闻之,乃不诛也。孔子闻之,曰:"异哉!直躬之为信也,一父而载(再)取名焉。"故直躬之信,不若无信。

这事例确有些特殊:由父亲的一样行为,竟使儿子得到两种名声,这在常人之情看来就扯不清了。孔子对此事的态度,如果仅止于觉得奇特,那还情有可原,可是偏偏《论语·子路》又明文记载着他的话说:"吾党之直躬者异于是:父为子隐,子为父隐,直在其中矣。"看来孔子不赞成儿子告父亲,但又从中引出"父为子隐,子为父隐"的道德原则,则不免失之偏颇。也许这故事只是当时名辩中的一个举例,未必实有其事,孔子的话也只是随机应答而已。然而《吕氏春秋》是认真的,作者明确地表示着反对楚国这位"直躬者"的做法。

《孝经》另载有一段"子曰",是从"义"的原则高度来说的,与《论语》及《吕氏春秋》所记均大异:

> 父有争子,则身不陷于不义。故当不义,则子不可以不争于父,臣不可以不争于君。故当不义则争之;从父之令,焉得孝乎?

明知父亲、君王"不义"而不争,便不能说是孝和忠;敢于做诤臣、诤子,才是真正的忠和孝。——仅从理论原则上说,这才是儒家的根本态度。《吕氏春秋》中其实也有这类言论,如《应同》篇说:"子不遮乎亲,臣不遮乎君,君同则来,异则去。故君虽尊,以白为黑,臣不能听;父虽亲,以黑为白,子不能从。"不过原则和事实之间总存在一定距离,这类问题的实际处理在任何时候都可能是两难的。

《吕氏春秋·高义》还载有一例：楚昭王时，石渚（《史记·循吏传》作石奢）为相国，"公直无私"。有一次他出行，道逢有人杀人，乃追之，不料杀人者却是自己的父亲。石渚放走老父，还车返朝，对楚王说："以父行法，不忍；阿有罪，废国法，不可。失法伏罪，人臣之义也。"于是乎请死。楚王赦之，不从，遂自刎。篇末写道："石渚之为人臣也，可谓忠且孝矣。"石渚超过"直躬者"的地方是不求自活，坚持以死尽忠尽孝，故历来为人们所赞扬。以传统的价值观念来衡量，这样的两全办法可能是最合于"理"的；但从现代法治精神的意义上看，两全的后面还是以愚忠愚孝作背景，所谓"两全"其实是"两不全"的：枉公法而释父罪，何言乎忠？释父罪而死己身，何言乎孝？这就难免有以情代法之嫌。

（6）利仁

"仁"字在《吕氏春秋》中出现十几次，其中散见者多以"仁爱"、"仁义"、"仁人"连称，很少有具体的解释。惟《异用》篇说："仁人之得饴，以养疾侍老也。"《长利》篇又称赞因保护弟子而冻死的戎夷"达乎分仁爱之心识"。此二例约略表达了"仁者爱人"的意思。《当务》篇又借盗跖之口提到："分均，仁也。"反映出下层民众以均分社会财富为仁的朴素理解和要求。这一观点很值得注意，因为它实际上也与作者倡导以仁爱求为民利的观点有关联。——这样说的证据就在《爱类》篇。此篇是专论仁的，而以"爱类"为标题，从字面上看似乎与孔子所说的"仁者爱人"相接近。可是全篇的内容叙述却与原始儒家所阐释的仁的中心涵义大相径庭：它不是顺着孔、孟"内圣"的路线展开，去探讨仁的内在修养价值，而是着重从"外王"的角度，揭示仁的外在功利主义特征。这与吕氏门下对义的理解有某些方面的近似之处。

《爱类》篇开篇即说：

> 仁于他物,不仁于人,不得为仁;不仁于他物,独仁于人,犹若为仁。仁也者,仁乎其类者也。故仁人之于民也,可以便(利)之,无不行也。神农之教曰:士有当年而不耕者,则天下或受其饥矣;女有当年而不绩者,则天下或受其寒矣。故身亲耕,妻亲绩,所以见致民利也。贤人之不远海内之路,而时往来乎王公之朝,非以要利也,以民为务故也。人主有能以民为务者,则天下归之矣。王也者,非必坚甲利兵、选卒练士也,非必隳人之城郭、杀人之士民也。上世之王者众矣,而事皆不同,其当世之急、忧民之利、除民之害同。

一望即知,吕氏所讲的这个"仁"就是"爱",因为"仁乎其类"——按篇题所示——显然就是"爱类"。作者入手即指出:爱物而不爱人,不能算是仁;不爱物而独爱人,还可以算是仁。毫无疑问,在作者心目中,仁的内涵结构应包括"爱人"和"爱物"两个大的层面,不过基本定义还是儒家鼻祖孔子的经典表述——"仁者爱人"。然而接下笔锋一转,便把"仁"字扯到了"仁人"(圣贤、古先王)行政的利民主题上:万物莫不有"类",而"人"是万物之灵的一类即"人类";既然仁者要"爱人",那么"人"的绝大多数是民众,所以"爱人"的基点、中心、首务、急务自然就是爱民。人民是讲求实际的,"民无常处,见利之聚,无之(则)去","故当今之世有仁人在焉,不可而不此务"(《功名》)。也就是说,统治者要得到更多的土地和人民,必须能够给人民带来实际利益。所以《爱类》篇下文又进一步申述:"圣王通士,不出于利民者无有。"历久相传的大禹治水故事是其显例,其余种种传说的或历史上的圣王业绩也概莫能外。

这样鲜明地凸显仁爱思想的功利基础和利益价值特征,不免使人想到墨家学派的"兼相爱,交相利"。春秋战国之交,天下大乱,兵连祸结,杀人盈城复盈野,生民涂炭。墨子以为,当时"天下祸篡怨恨,其所以起者,皆以不相爱生也",故尔与其"非攻"的主张相表里,提出了"兼相爱,交相利"的价值学说。在墨子看来,"仁人"欲兴利除害并非难事,但使我爱人人、人人爱我,我利人人、人人利我,那就祸乱自消,天下太平了。所以他自称"兼相爱,交相利"是"圣王之法,天下之治道"(《墨子·兼爱中》)。墨家此说,无疑仅仅反映了小生产者以及劳苦大众的一种美好的愿望而已,与其说是朴素,不如说是天真(这里暂且不谈其中所包含的平等意识和理论价值)。可是《吕氏春秋》却明明白白地接受了这一学说,并且频繁地使用着"爱利"一词。如下列说法:

圣人南面而立,以爱利民为心。(《精通》)

古之君民者,仁义以治之,爱利以安之,忠信以导之。(《适威》)

若夫舜、汤,则苞裹覆容,缘不得已而动,因时而为,以爱利为本,以万民为义。(《离俗览》)

威不可无有,而不足专恃。……必有所托,然后可行。恶乎托? 托于爱利;爱利之心谕,威乃可行。威太甚,则爱利之心息;爱利之心息,而徒疾行威,身必咎矣。(《用民》)

惠盎曰:"夫无其志也(指不欲仅以勇力事于击刺),未有爱利之心也。臣有道如此,使天下丈夫女子莫不驩(欢)然,皆欲爱利之。此其贤于勇有力也……孔、墨是也。

(《顺说》)

> 爱利之为道大矣。夫流于海者，行之旬月，见似人者而喜矣。及其期年也，见其所尝见物于中国者而喜矣。夫去人滋久，而思人滋深欤！乱世之民，其去圣王亦久矣，其愿见之，日夜无间。故贤王秀士之欲忧黔首者，不可不务也。(《听言》)

这"爱利"二字，绝然是"兼相爱，交相利"的缩写。《墨子·经说下》有云："仁，爱也；义，利也。爱利，此也；所爱所利，彼也。爱利不相为内外，所爱利亦不相为内外。"所谓"内外"，是针对着告子的"仁内义外"（同时也就是针对着孟子的"仁内义内"）而提出的批驳，这里权且不去说它；只看所用的辞例，便可知"爱利"一词至少在后期墨家那里早已是口头禅了。《墨子·大取》篇亦有"利爱"一词，只是把字序颠倒了一下。

《吕氏春秋》屡以"爱利"一词形于言谈，只此一点，便足可见吕氏门下受墨学影响之深。其《听言》篇盛称"爱利"为道之大（见上举末条），而以流放海岛之人作比喻：当他行之旬月，初到荒凉的海岛时，见到岛上有"似人非人"的原始居民在活动，一定会很高兴；一年之后，见到有中原之物流入海岛，一定会更高兴。离开故土的人群愈久，思念就愈深。乱世之民久处水深火热之中，渴望清平世道日夜不休，当世"贤王秀士"有欲忧思黎民而成就功业者，不能不以爱利国家、天下之民为急务。——这说法的背后，当然还是通过"爱利"以息民、增财、富国、强兵，以强化在大国争霸形势下的本国实力地位。

墨学曾在秦国流行，上面引见诸篇可能有的就出于墨家后学手笔。《爱类》篇更类似于墨家之言，不但个别语句与《墨子·兼爱中》相仿，而且有"非攻"倾向，所举例证即主要是墨子阻止楚国攻宋事:楚用能工巧匠公输般(鲁班)造云梯欲攻宋,墨子十日十夜兼程赶至楚都郢城,设为守宋之备,与公输般演练攻守;公输般"九攻之",终不能入墨子假设的"宋"城,楚国遂罢攻宋之兵。仅凭游说和机智就能免除一场战祸,自然就是"爱类"了。篇末还有名家惠施的故事,但全篇的思想仍基本上是以儒学改造墨家之说的。仅就"仁者爱人"的定义性理解而言,墨家其实与儒家也并无大异。《墨子·经上》说:"仁,体爱也。"即"仁"要体现"爱",亦即"爱人"之意。《墨子》书中"爱人"之词甚多。《吕氏春秋·顺说》篇所引惠盎之言,也将"爱利之心"并归于孔、墨。荀子事实上也接受了"爱利"的观点。《荀子·君道》篇谈到:"有社稷者而不能爱民、不能利民,而求民之亲己,不可得也。"其《强国》篇论人主之"三威",更明确使用了"爱利"一词。

  礼乐则修,分义则明,举错则时,爱利则形,如是,百姓贵之如帝,高之如天,亲之如父母,畏之如神明。故赏不用而民劝,罚不用而威行,夫是之谓道德之威。礼乐则不修,分义则不明,举措则不时,爱利则不形,然而其禁暴也察,其诛不服也审……夫是之谓暴察之威。无爱人之心,无利人之事,而日为乱人之道……夫是之谓狂妄之威。

此言人主之"威"而以"爱利"作为主要评价标准之一,恰与《吕氏春秋·适威》篇之谈"爱利"如出一辙;反过来说,是否《吕氏春秋》的"爱利"观念也曾受到荀学的影响呢?从本书受到齐学大面积浸润的情况来看,在这一点上,《吕氏春秋》转承荀学的可能性也是存在的,至少二者吸收墨学"爱利"观的渠道应该是一致的。

4. "十际"之说及其他

以上由《吕氏春秋》中的礼乐文化谈及本书汲纳儒学的几个侧面,其中有几处兼及与墨学的关系问题(后面第九节对此还要详谈)。这些概括当然还是不全的,原书中所涉及到的其他儒学概念,如以忠、信、勇并举,以辩、信、勇、法并举,以圣、勇、义、智、仁并举等,还有不少。总的来看,吕氏学派对中国文化历久形成的一整套人伦纲常不但不排斥,而且是充分加以肯定的。有些综括性的断语,更可反映本书作者的这一态度。如《壹行》篇说:"凡人伦,以十际为安者也。释十际,则与麋鹿虎狼无以异。"所说"十际",指君臣、父子、兄弟、朋友、夫妻五种传统伦理的基本关系。就传统社会而言,抛弃了这五种关系,确是无异于要退化到动物世界去。《壹行》篇的主旨是论述帝王政治必行"可知"者,最讨嫌的是"不可知",意即朝政措施、帝王行为、臣下议论都应光明正大,断不可搞秘密手段、特务统治。作者强调王者强国靠的是威和利,如果威利与诸国匹敌而能优抚苦民、行"可知"之事,那就有可能王天下。反之,倘若私行秘政,神出鬼没,令人事事"不可知",那么即使一时威利无敌,也终必灭亡。因为"不可知"则"十际皆败,乱莫大焉","王者行之废,强大行之危,弱小行之灭",堡垒很容易毁于内部。此种议论,很令人疑心是针对秦王政年少登位后的太后、嫪毐集团的。《处方》篇也说到:"凡为治,必先定分君臣父子夫妇。君臣父子夫妇六者当位,则下不踰节而上不苟为矣,少不悍辟而长不简慢矣。……同异之分,贵贱之别,长少之义,此先王之所慎,而治乱之纪也。……故凡乱也者,必始乎近而后及远，必始乎本而后及末。"可以看出，《吕氏春秋》涉及传统伦理的部分，儒学气味是很浓厚的，这与秦国的文化传统不太一致。不过传统伦理纲常并不专属儒家，吕氏门下在编书时也没有按学派系统对号取材的意思，因此书中的论述多糅合各家的观点，有些即使看上去纯属儒学的篇章，内容也并不纯。我们把本节内容归在儒学之下，也只是按传统学术观点，为叙述方便而采取的做法，并不表明《吕氏春秋》的作者曾把这类内容都看成是儒学的东西。具体看待有关材料，还应着眼于战国时代中原文化和秦国文化发展的大背景，而不宜过分拘泥于学派划分。

八 民本思想与法的折衷

1.《吕氏春秋》的民本思想

　　民本思想的提法,在我国,通常是指古代政治生活中对于民众社会基础地位和民心、民意的一种肯定性的意识、观念或主张(这与西方所称的"人本主义"完全不同)。我国古代政治事实上是以尊君为本位的,但在一些开明统治者、进步人士的言论中和部分官方文件、学者著作中,也时时表达出一种以民众为本位的意见。例如伪古文《尚书·五子之歌》就有"民惟邦本,本固邦宁"的话,数千年来一直被看成是古典民本思想的经典表述。后世有关言论逐代增广扩充,可供检索的资料极多,但直到近代以前,"民本"概念的基本涵义尚不超出先秦经典所言。

　　民本思想赖以产生的社会意识根源其实是很简单的。现在让我们先看一下《吕氏春秋·制乐》篇所记载的春秋末年宋景公的一个故事。

故事涉及到古代天象。古人观测天象,曾把天上的星宿和地上的区域对应起来,一一搭配,叫做分野。例如二十八宿的心宿,春秋时就被说成是宋国的分野。作这种划分的用场之一是注意对应天区的星象变化,是灾是福,地上的分野区都要引起重视。如果星象变化显示上天要降惩罚,那么分野区就可能发生灾祸,必须采取补救措施,古时君主还有以此为借口而杀掉宰相和大臣的。宋景公时,有一年一天夜晚,荧惑星(就是现在所称的火星)正好在心宿的位置上,宋景公害怕起来,立即召见管天象的太史子韦问道:"荧惑在心,这是为什么呢?"子韦说:"荧惑星是显示上天惩罚的,心宿是宋国的分野,大祸要由君上您来承当。虽然是这样,但可采取措施把祸转移到宰相身上。"景公说:"宰相是百司之长,我和他共同治理国家,把祸移到他身上,叫他去死,这对国家是大不吉利。"子韦又说:"可把祸移到民众身上。"景公说:"民众都死去了,我还受谁的拥戴作君主呢?"子韦又说:"可把祸移到收成年景上。"景公说:"年景变坏,民众闹饥荒,同样是死。作君主的,为求自活而杀其人民,将来还有谁以我为君主?看来是我的命要到头了,你不必再说。"子韦听了景公的回答,回身走下台阶,北向面对景公再拜说:"臣敢向君上您表示祝贺。高高在上的天也是会理解在下之人的善意的,君上您现在有三句至德之言,上天也一定会奖赏您三次。今天夜间,荧惑星就要迁徙三舍(二十八宿系统上的三个段落),您的寿命可以延长二十一年。"景公不解,问道:"你何以知道?"子韦回答:"有三句善言一定会有三次奖赏,荧惑星也一定会迁徙三舍。每舍有七颗星宿,荧惑星正常运行迁一舍相当于七年,三七二十一,臣所以说君上您可以延长寿命二十一年。臣请在阶下伺候,荧惑星若是不迁徙,那就由臣去死。"景公应诺。这一夜,荧惑星果然连迁三舍。

这故事可能是真假参半、事出有因的,而天象变化不会那么快。这里要说的是宋景公后两句话的中心含义:为人主必须有民——这应该就是民本思想赖以发生的最最基本的前提和条件。

不过就是宋景公的这一简单意识,在中国文明社会之初也还是不能有的。传说"禹会诸侯,执帛者万国";考古材料也证明,夏初万邦林立,小国寡民,跟原始社会末年部落酋邦星罗棋布的图景还差不多。那时中心王国("中国"、"王朝")依靠实力地位,和周围大大小小的王国或酋邦打交道,统治者还谈不上会对可能将连成一气的民众阶层的力量有什么认识。随着王国的吞并减少、民族融合的加强和文化共同体的一步步扩大,民众和统治阶级之间的对立层面不再像先前那样狭小,文字记载中便开始出现反映民意导向的言论。如《尚书·汤誓》记载夏桀时的民谣:"时日曷(何)丧!予及汝皆(偕)亡!"——"你这暴烈的太阳啊,何时才能丧落!我们要和你一起灭亡!"反映出民众反抗夏桀的暴政,要与奴隶主王朝玉石俱焚的情绪、决心和气概。商周之际的社会动荡和王朝交替,进一步显示出有组织的民众和士兵(武装的民众)的强大力量,使"敬德保民"的观念在统治阶级中渐次流行,虽然统治者对人民的镇压和榨取依然如故,而在理论上却也不能不强调要实行安定民生的"德治",这点我们在上节讲《吕氏春秋》的"贵德"观念时已经约略道及。

春秋战国时代是中国历史上又一轮五百余年的天下大乱

时期。此时诸侯争城夺地,战事连绵,实质上还是争夺人民。照《吕氏春秋》所说,诸侯争霸靠的是威和利(见上节末):威则令行禁止,内政外交都畅通;利则劝农力耕,生财富国,增强实力。民不但是生财的主体,也是最基本、最主要的兵源,而兵又是树立国威的支柱。这样,在各大诸侯国内,民众的社会基础地位就越加凸显起来,有民则有国,失民则丧国,人口的多寡直接关系到区域国家的存亡。最典型的如越国曾一度被吴国打败,成为吴国的附庸,人口损失很多,几至亡国;后来越王勾践十年生聚(增加人口),十年教训(教化人民),卧薪尝胆,终于转弱为强,灭掉了吴国。在这样的形势下,民本思想亦渐次成熟起来,前引宋景公的话就代表了当时的一种普遍观念。先秦诸子中,无论哪个学派,都是重视民意和民用的,就连主张"愚民"的老子,也有按"无为"政策"爱民治国"之言,反对"以百姓为刍狗(祭祀完毕即弃去的草扎狗牲)"。孟子提出过一个著名的论断:"民为贵,社稷次之,君为轻。"(《孟子·尽心下》)此语是民本思想成熟和发展的一个重要标志。

《吕氏春秋》中有关民本的言论,也是在上述背景下出现的。和《左传》等书一样,《吕氏春秋》对当时社会异常频繁的人口流动问题也极为重视,并把能否使人民归附看做帝王建功立业的根本所在,书中《功名》篇即主要论此。其文指出:

> 大寒既至,民暖是利;大热在上,民清是走。……欲为天子,民之所走,不可不察。

"走"即流亡,如果要统一天下,是不能不把民众流亡问题仔细研究一番的。值得注意的是,作者把民众流亡看成是正常现象,认为当时社会"至寒"、"至热",如果在上者实行暴乱之政,民众还不流亡,那就是"取则行钧(均)",看得天下乌鸦一般黑了，其结果是"王者废矣，暴君幸矣，民绝望矣"。这看法带有鲜明的时代特征，实际就是大国争霸笼络流民的口实。不过作者强调的是"圣王不务归之者，而务其所以归"，意即欲建立大功业者不是整天想着怎样才能使人归附，而是要弄明白人所以会归附的原因和道理，就是所以"致之之道"——反过来则还要弄明白所以"去之之道"。对这一问题的答案，作者的基本意向是贤主应修德以安民、徕民。"水泉深则鱼鳖归之，树木盛则飞鸟归之，庶草茂则禽兽归之，人主贤则豪杰归之。"强令归附是不行的，只有"德厚"者，人民才能归之如流水。暴君乱主反其道而行之，"以去之之道致之"，故"罚虽重，刑虽严"，仍然毫无用处，不能阻止人民逃亡。《慎势》篇还有"天下之民穷矣苦矣"，"凡王也者，穷苦之救也"的话，表达了对穷苦民众的一定同情心。治国平天下，人民是最可宝贵的。《用众》篇在由为学的博取谈及政治问题时也指出：

> 夫取于众，此三皇五帝之所以大立功名也。凡君之所以立，出乎众也（言自众中举出）。立己定而舍其众，是得其末而失其本也。得其末而失其本，不闻安居。……夫以众者，此君人之大宝也。

这又肯定"用众"是本，君位是末，与孟子"民为贵"、"君为轻"的论断相近。《务本》篇又说："安危荣辱之本在于主，主之本在于宗庙，宗庙之本在于民。"这等于是把孟子的论断展开来说的，只是论说的次序由轻到重如递增式，而不是孟子的由贵到轻如递减式。"宗庙"的政治含义与"社稷"同，古人"左祖右社"，"祖"是祖庙（即宗庙），"社"是社祠（即社稷），用作政治术语都代表国家。

民本思想不仅属于理论范畴，更是一个实践性很强的指导思想。这方面首先要求统治者决策和行政要倾听民众的呼声，顺从民心民意的大趋向。《吕氏春秋·顺民》篇论此说：

> 先王先顺民心，故功名成。夫以德得民心以立大功名者，上世多有之矣；失民心而立功名者，未之曾有也。得民必有道，万乘之国、百户之邑，民无有不说（悦），取民之所说而民取矣。民之所说岂众哉？此取民之要也。

末句说人民的要求很多，顺民心就是取其"要"，即反映大多数人的意向。篇中举了四个例子：一是说商汤时大旱，五年不收成，汤乃自缚祈祷于神祠，欲"以身为牺牲"，于是民甚悦，大雨至——这是为了安抚民心；二是说周文王为西伯时，殷纣王赐封给他千里之地，他辞不受，而是冒死请求殷纣王革去残害人民的炮烙之刑——这是为了争取民心；三是详述越王勾践复仇灭吴事："苦身劳力，焦唇干肺，内亲群臣，下养百姓"，"身亲耕而食，妻亲织而衣"，时时巡行，"从车载食，以视孤寡老弱之溃病"——这是为了团聚民心；四是越国灭吴称霸时，齐庄王田和请攻越，说越王勾践年高老朽，越国这只"猛虎"已死了，齐相鸮子反驳说："这只猛虎即使死了，民犹以为生。"因而不同意攻越——这是为了不违背民心。所举事实是否妥当，可以不论，单就"顺民心"而言，诸种情况在历史上都是很多的。作者的结论是："故凡举事，必先审民心，然后可举。"此乃不易之论。《慎大览》记夏桀"不恤其众，众志不堪，上下相疾，民心积怨"，汤"忧天下之不宁"，乃与伊尹谋划，往复观衅，终于灭夏。此例若用于《顺民》篇，当更有代表性。

《行论》篇开头有一段文字，也是很值得注意的：

> 人主之行与布衣异。势不便，时不利，事仇以求存，执民之命。执民之命，重任也，不得以快志为故（事）。

这方面的故事,古人最乐道的莫过于周西伯(文王)之事殷纣王。但其中有许多传说出于周人的编造,把殷纣王说得太坏,把周文王说得太好,并不符合历史实际。《行论》篇也有这种倾向,并且记有周文王表白心迹的话说:"父虽无道,子敢不事父乎?君虽不惠,臣敢不事君乎?孰王而可畔也!"把周文王打扮成忠臣的模样,让他自称既为人臣,谁做王也决不反叛。对于这类材料,阅读时是需要加以考辨的,这里不详说了。我们感兴趣的是上引"执民之命,重任也"的命题。自古都把帝王说得高大无比,就连他们做布衣时的事也神乎其神。《行论》篇则只说人主的行为与布衣不同,能够在形势不利时谨慎从事,自觉担负起民众的使命和社会责任,不感情用事,完全不及于"天命"问题。古典民本思想本来就是在"重人事,轻鬼神"的思潮鼓荡下成熟起来的,在这一层意义上说,"执民之命"的命题毋宁是对民本思想的一个发展。

关于用民问题。《吕氏春秋》有《用民》、《适威》、《为欲》等篇,也提出了自己的一套意见。其主导观念见于《用民》篇:

> 凡用民,太上以义,其次以赏罚。其义则不足死,赏罚则不足去就,若是而能用其民者,古今无有。民无常用也,无常不用也,唯得其道为可。

照此说,用民首先要"义",其次要有赏罚。如果"义"不能使人民为国家效死力,赏罚又不能使人民去恶从善,那就不能真正得民之用,这样的事古今无有。用民没有恒久不变的常规,但历来常规也无不可用,只有得用民之"道",才能得民之用。这里所说的"义"字,含义甚为复杂,从全篇的论旨看,有爱护、保护、公平对待、不失信于民、满足人民的正当欲望和要求、为人民谋利益等含义,而落脚点在"爱利"二字。作者强调:"民之用也有故,得其故,民无所不用。用民有纪有纲:壹引其纪,万目皆起;壹引其纲,万目皆张。"那么这个"纪纲"是什么呢?就是"欲也,恶(wù)也",即人的感性欲望(包括反方向的排斥性情感欲望)。所以使民,用民,不徒御之以威,威必须托于"爱利之心"。如这样一个寓言:有个宋人要赶路,其马不肯走,他一气之下把马撂倒,四蹄朝天地投之于溪水中;又取马上路,马还是不肯走,他又故技重施,复把马投于水中;这样接连三次,马被折腾得够呛,看来他的路是赶不成了。作者说:"不得造父(传说周穆王御者)之道,而徒得其威,无益于御。人主之不肖者有似于此,不得其道而徒多其威,威愈多,民愈不用。"由此又引出了"爱利"之论。"爱"即"仁",要对人民有"仁爱"之心,实行"仁政";"利"即给人民以实惠,使人民的基本生活资料有起码的保障。其论"爱利"之文,我们在上节述《吕氏春秋》的"利仁"观念时已引过了,在此不再重复,可以一并参考上节"崇义"项下的有关说明。

在"爱利民"的前提下,吕氏也强调用民要有赏罚。人既有欲、有恶,那么欲者何、恶者何?"欲荣利,恶辱害"也。故"辱害所以为罚,充也;荣利所以为赏,实也。皆有充实,则民无不用矣。"反言之,就是"民之不用,赏罚不充也"。所说"充实",是指当赏则赏、当罚则罚,赏当其功、罚当其罪;当赏不赏、当罚不罚谓之"不充",赏而不当其功、罚而不当其罪谓之"不实"。当吴、越交争时,吴王"阖庐试其民于五湖,剑皆加于肩,地流血几不可止",而人皆不肯前进;越王勾践"试其民于寝宫,民争入水火",以致死者千余人,不得不赶快鸣金收众。二者天壤之别,就是因为赏罚有"充实"、有"不充"。文中还谈到,世无"不可用"之民,惟有"不得所以用"之主。圣君贤主"非徒能用其民也,又能用非己之民。能用非己之民,国虽小,卒虽少,功名犹可立。"

《适威》和《为欲》篇是对"爱利"观点的展开论述和深入说明。如《用民》篇所强调的,"威不可无而不足专恃",故《适威》篇专论人主使其民要有节度。善用民者,民趋之"若决积水于千仞之溪",不可阻挡;敲剥民众者,如周厉王,民视之、逃之、攻之如寇仇。"今世之人主多欲众之(多欲占有民众),而不知善,此其多仇也。不善则不有(众),有(众)必缘其心,爱之谓也。"这便明确提出了"爱民"的观念。作者还指斥"乱国之使其民,不论人之性,不反(返)人之情","重为任而罚不胜","以罪召罪",此正"上下之相仇"所由起。"爱民"是需要精诚的,圣人"以爱利民为心,号令未出而天下皆延颈举踵矣,则精通乎民也"(《精通》),其对统治者提出了更高的要求。《为欲》篇通论用民必须因民之欲而利导之:"夫无欲者,其视为天子也与为舆隶同,其视有天下也与无立锥之地同,其视为彭祖也与为殇子同。天子至贵也,天下至富也,彭祖至寿也,诚无欲,则是三者不足以劝;舆隶至贱也,无立锥之地至贫也,殇子至夭也,诚无欲,则是三者不足以禁。"这话与道家观念水火不容,可能是针对着庄子的,因为庄子不但主张"同乎无欲,是谓素朴"(《庄子·马蹄》),而且说过"天下莫大于秋毫之末,而泰山为小;莫寿乎殇子,而彭祖为夭"(《齐物论》)之类的话。欲和利乃一事之两面,作者公开倡导顺民之天性而行民之欲(即"为欲"),故由"适威"之"爱"折入"为欲"之"利",从而展开了墨家的"爱利"观。不过其中仍然流荡着道家、儒家的理念。"执一(道)者,至贵也,至贵无敌。圣王托于无敌,故民命(名)敌焉。"此乃道家言,但被作者活用了:如果说圣王执"道"叫"执一",那么顺民之性、行民之欲也是圣王的"执一",所以"道"是"至贵无敌"的,只有"民"可以和它相匹敌。——如果这一理解不误,则又把"民"提到了与"道"并驾的认识高度。接下说"凡治国,令民争行义",又述晋文公伐原故事,引文公云:"信,国之宝也。得原失宝,吾不为也。"复回归到儒家的信义、"诚信"观念——所有这些,远远近近、拉拉杂杂,都是和民本思想联系着的。

新近李振宏先生论民本,强调孔子的"仁者爱人"是民本思想的"基石"——

> 孔子的"仁",是一个人对他人的内在感情,"仁者爱人",一个人去爱他人的时候,首先是将他人作为和自己一样的独立的人格去看待,这样才可能有发自内心的真实感情。"仁者爱人"的人,是一种没有差等、没有阶级界限的博爱,"泛爱众"当然包括了广大的人民。那么,孔子讲的爱人,泛爱众,就是一种爱人民的真实感情,超越了西周春秋以来为了君的统治去重民的狭隘性。所以,民本思想有了"仁者爱人"的基础之后,就变成了一种对人民的爱,是从爱人民的角度去重视人民。它抛弃了"敬天保民"立足于君的立脚点,而把立足点转移到民的方面。爱民,重民,是"仁者爱人"在国家政治生活中的基本要求,民为立国之本,一切都应该以人民的利益为转移。所以,孔子德政主张中的宽惠于民,"使民以时"、"齐之以礼"、"富之"、"教之"等,都是从民本的思想出发去设计的。可以说,孔子的"仁学"体系,为我国古代的民本思想奠定了基石。(《圣人箴言录——〈论语〉与中国文化》第143~144页)

我们同意这一种观点,并且尤其赞同由独立人格的相互对待问题切入,以审视"仁者爱人"、"泛爱众"命题的普遍社会意义的方法。据我们所理解,"仁"本是对亲情和睦关系的一种描述,特别是父母对子女的慈恩保护最可称为"仁"。这种关系的展开、推广和扩大,便要求对一切人乃至一切物,都保持一种亲近感、同情心、平等意识、尊重意识,设身处地地为对方着想的可能性,毫无功利色彩和利己之心的人格对待、行为对待和事实对待等等。现实生活中过分的自私、冷漠、失落同情心乃至刻毒、残酷、无休止的争斗等等,从根本上说都是有碍人的天性发展的,与"仁"的本义皆格格不入,而这也正是"泛爱"、"博爱"思想得以产生的社会条件之一。阶级间的对话,自然充满着戕害人的天性的东西;但是自从民本思想产生之日起,"仁"的意识便注入其中。这一意识在社会等级制下通常是下行的,所以统治者的重民观念往往非常狭隘;孔子"仁学"体系的继承、综合和刷新,在一定程度上深化了传统民本思想的心理基础,故而具有更高的理论价值,不管它的实践看上去仍然是多么脆弱。

"博爱"的情理有时很难讲。比如在阶级社会,劳动人民要求统治者不把自己当牛马,那意识的背后便是先把自己当成了牛马。客观地说,中国传统的民本思想,多半是相对于所谓开明政治而言的。在这一层意义上,我们认为《吕氏春秋》综合儒、墨而仍用墨家"爱利"一词所表达的民本思想,大大扩充了"仁者爱人"的内涵。墨家的提倡和身体力行,一跃而成为一国统治者的主导思想之一,在中国思想史上怕是仅此一次;而吕氏集团之所以能够接受"爱利"之说,根本的内在机理仍在其基于王政理想所崇尚的原始儒家"仁者爱人"的超越观念。吕氏集团将这一观念扩充为欲——顺——爱——利——宽的公式,即从民之欲——顺民之情——爱民所善——利民之利——宽以待民,上升到伦理哲学系统即是性——信——仁——义——德。这一链条上的每一个环节,在《吕氏春秋》中都有专篇和专题,细读全书,可以很容易地发现这一思想脉络。对于"仁爱"、"爱利"等观念的超越定性,一定会有很多人不同意。收缩一下来看,只要社会上层能够把"仁者爱人"扩及到"宽以待民",亦即留心于"仁政"、"德治"的一面,便已包含了可以肯定的成分。给民本思想注入现代民主意识是不可取的,但说中国古代的一般政治状况和社会状况无民主而有开明,也并非完全是无稽之谈。开明政治的根本衡量标准是看决策者在"用民"问题上的态度,倘若在"用民"的同时能够承认并体现出较多的"爱民"意识,那么有关"民本"的宣传和推崇便不都是虚假的——《吕氏春秋》确在这方面表现了较多的理性。

2.《吕氏春秋》与法家学说

现在接上转谈《吕氏春秋》与法家学说的关系。

《吕氏春秋》的用民观实际就是一种治道观。言治道必及于赏罚,无赏罚无从言治道,任何社会的治理都不是只有仁义道德而无强制刑罚的。如前所说,《吕氏春秋》认为赏罚不用不可,用须"充实";换言之,也就是认为赏罚是治道的必要条件而非充分条件。这也反映出吕氏学派对于法家学说的基本立场。

先秦法家源流,大抵可分为齐法家与三晋(以及秦)法家两派。齐法家以管仲为先驱,后来稷下习学管子思想,慎到是由道入法的转关人物,至于荀子提倡"隆礼"和"重法",乃是对法家思想有系统的总结和阐释。三晋法家以郑国子产为先驱,后来李悝、商鞅、申不害先后在魏、秦、韩诸国推行法治,至韩非而集各派法家之大成,形成完备的法家理论。吴起曾佐魏文侯治西河,加强兵制建设,后来又在楚国变法,是兼集兵、法于一身的人物。他在楚国变法的时间虽然很短,但所采取的措施与后来商鞅在秦的变法一致,大概也可以列入三晋法家之列。齐法家对三晋法家的影响很明显,子产的法治可能是效法管仲的,韩非则是荀子的学生。法家学说的主导方面(以商鞅、韩非为代表)是强调极端对立的辩证法,认为"矛盾不可和而解",治国主张严刑峻法,文化政策主张"以法为教"、"以吏为师",政治和文化都实行专制主义。秦王朝采用了韩非的理论,汉以后多以"霸王道杂之",儒、法并用或"阳儒阴法",道家统治术亦时隐时显。

《吕氏春秋》对于法家学说是有采取的。秦自商鞅以来重视法治的传统,吕氏门下当然都很清楚,而且他们同样主张"因时变法",对商鞅的事功也给以肯定。如《长见》篇谈到"公孙鞅西游秦,秦孝公听之,秦果用强";《用民》篇提及"管、商亦因齐、秦之民也,得所以用之也";《不侵》篇提及"能治可为管、商之师"。以"管商"并称,也是当时的一种普遍说法。《无义》篇批评商鞅不信、不义,是致到惠王时以此见疑而身败。这涉及到人物评价的另一面,当两分来看。《商君书》成编于何时,不得而知,估计在吕氏编书时,早有一些同类的材料流传。《吕氏春秋·乐成》篇宣扬"民可与乐成而不可与虑始",就明显地脱胎于《商君书·更法》篇的材料(《战国策·赵策》叙赵武灵王胡服骑射,有与《更法》篇几乎全同的文字);《察今》篇倡导"因时变法"的整个论旨,也与《更法》篇无异。此外,像"数"、"势"等概念,也都是法家所喜欢用的。讲兵、农的部分,因本于秦国的耕战传统,自然也有与法家之论相合之处。不过总的看来,《吕氏春秋》对于赏罚及法治有自己的一套看法,有些看法与儒家相近,而与法家讲极端刑治的精神相去甚远。

和儒家一样,《吕氏春秋》讲德治,并非是说不用刑罚。如《荡兵》篇说:"国无刑罚,百姓之悟(忤)相侵也立见。……刑罚不可偃于国。"《义赏》篇说:"赏罚之柄,此上之所以使也。"《离谓》篇又特别赞扬子产的法治:

> 子产治郑,邓析务难之。与民之有狱者约,大狱一衣,小狱襦袴,民之献衣襦袴而学讼者不可胜数。以非为是,以是为非,是非无度,而可与不可日变。所欲胜因胜,所欲罪因罪,郑国大乱,民口讙哗。子产患之,于是杀邓析而戮之,民心乃服,是非乃定,法律乃行。今世之人多欲治其国,而莫之诛邓析之类,此所以欲治而愈乱也。

孔子曾称子产是"惠人","其行己也恭,其事上也敬,其养民也惠,其使民也义"(《论语·宪问、公冶长》),但没有提到过他杀邓析的事。邓析是一位由官府转向民间的私学先生,在早期私学史上,他实际算得上是孔子的前辈。这位私学前辈的胆子很大,在那时就从事私人"律师"的活动了,真是了不起的事。据说他与子产的冲突起于郑国多相悬书以辩难的风气。子产下令禁止此风,邓析不听,偏偏把书送到了子产的手上。"子产令无致书,邓析倚之(顺着子产的话辩驳),令无穷,则邓析应之亦无穷",弄到辩论停不下来的地步。子产执国政,不允许私议公法,结果把邓析给杀了。《吕氏春秋》称赞子产杀邓析之举,可以说是出于阶级立场的局限,也可以说与秦国禁止私学有关系,而中心意思还是强调治国不可以无刑法。孔子也说过"道(导)之以政,齐之以刑"的话(见《论语·为政》),表明儒家也并非是主张不用刑。

《吕氏春秋》论赏罚,反复申明要"充实",要"当务",要建立在忠义诚信的基础之上。"充实"之说,已见前述"用民"部分,不复赘。其论"当务",则云"所贵法者,为其当务也",并把"法而不当务"与"辩而不当论"、"信而不当理"、"勇而不当义"并列为"大乱天下"的四端,喻之为"惑而乘骥"、"狂而操吴干将"(《当务》)。所举例证是:商末微子启和纣本为一母所生,惟启生时其母尚为妾,纣生时其母已为妻;及立太子,太史据法而争,以为当以妻所生为嫡嗣,遂立纣。这传说可能不符合史实,以之论法不"当务"也不大典型,然作者欲以证"法若此,不若无法"的意思是清楚的。《义赏》篇着重论德教与赏罚的关系:

> 其所以加者义,则忠信亲爱之道彰。久彰而愈长,民之安之若性,此谓之教成。教成,则虽有厚赏严威弗能禁(指民风一旦慕化德教,则虽复有厚赏严威之苛政亦不能改变其趋向)。故善教者,不以赏罚而教成。……用赏罚不当亦然。奸伪贼乱贪戾之道兴,久兴而不息,民之仇之若性。……故赏罚之所加,不可不慎。

《当赏》篇侧重于人主对臣下之赏罚,以为"人臣以赏罚爵禄之所加知主,主之赏罚爵禄之所加者宜,则亲疏远近贤不肖皆尽其力而以为用"。又说:"凡赏非以爱之也,罚非以恶之也,用观归也。所归善,虽恶之,赏;所归不善,虽爱之,罚。此先王之所以治乱安危也。"是谓赏罚只是手段,目的是为了使人向善而防不善。书中还反复强调赏罚要守信用,《慎小》篇即举吴起仕魏治西河例,以证"赏罚信乎民,何事而不成"。

《吕氏春秋》指斥严刑苛法的言论甚多,无须一一列举。只要看《适感》篇所说:"令苛则不听,禁多则不行。桀、纣之禁不可胜数,故民(因)[困]而身为戮,极也。"便知作者反对极端的法治。《上德》篇指出:"今世之言治,多以严罚厚赏,此上世之若客也。"这句话针对法家的意向最显豁。"若客"之语,旧注"义未详",大概一直没有搞明白。现在拿1973年在长沙马王堆汉墓中出土的帛书《十大经·姓争》篇相对照,似乎可以认为此语原出于战国末流传的"黄帝之书"。《姓争》篇中有这样的话:

> 天德皇皇,非刑不行。缪缪(穆穆)天刑,非德必顷(倾)。刑德相养,逆顺天成。……天道环(还)于人,反为之客。争(静)作得时,天地与之,争(静)不衰。时静不静,国家不定。可作不作,天稽环周,人反为之[客]。

这话有不易理解之处,但大意谓德、刑相辅相成,互为消长:如果是尚德而得"天道",那就是"天道"为客而人为主;反过来,如果是任刑而失"天道",那就是"天道"为主而人为客。人为客,任刑而不尚德,"静作"失时,必有天殃。所以篇末又说:"若夫人事则无常,过极失当。变故易常,德则无有,昔(措)刑不当,居则无法。动作爽名,是以僇受其刑。"此当即"若客"之意。《十大经》或谓出于《黄帝四经》,或谓出于《黄帝君臣》(均见《汉书·艺文志》),总之应是黄老学派的著作。《吕氏春秋》借用其语,也还可说明它是以道家的"静因之道"批判法家的极端法治的。

大致说来,《吕氏春秋》的"法"观念相当平和,绝无类似

《韩非子》中的那种连篇累牍的极端言论。当吕氏门下编书时,《韩非子》一书尚未问世,假设当时像韩非这样的学者要参与吕氏修书,想来很可能会被摈斥不用。《吕氏春秋》的资料来源,仅据直观印象,取自法家的相对较少,不仅比取自儒、道、墨诸家的要少得多,而且连取自兵家、名家甚至阴阳家、农家的也不如。据此也可以说,《吕氏春秋》在总体上对法家学说不感兴趣。不过这只能相对于法家重法的一面来说,特别是商鞅一派的重法理论,对于其他一些派别的法家不完全适用。前期法家并不是铁板一块的,仅就三晋法家而言,照《韩非子·定法》篇所说,"申不害言术,而公孙鞅(商鞅)为法",就很有些不同。韩非"喜刑名法术之学,而其归本于黄老"(《史记·老庄申韩列传》),严格说来是个"法术家",其思想中有不少申不害的东西,而申不害的学术又多可推本于稷下黄老之学,特别是道法家慎到的学术(但慎到的"因循"理论和"法教"观念尚大不同于申不害的"术")。《吕氏春秋》反对极端法治,而对法家喜谈的"数"和"势"仍有一定篇幅的说明,其中有些材料可能取自《申子》。比较突出的是《慎势》篇,其文有云:

失之乎数,求之乎信,疑;失之乎势,求之乎国,危。吞舟之鱼,陆处则不胜蝼蚁。权钧(均)则不能相使,势等则不能相并,治乱齐则不能相正。故小大、轻重、少多、治乱,不可不察。此祸福之门也。

故以大畜小吉,以小畜大灭;以重使轻从,以轻使重凶。自此观之,夫欲定一世,安黔首之命,功名著乎槃盂,铭篆著乎壶鑑,其势不厌尊,其实不厌多。

因其势也者令行,位尊者其教受,威立者其奸止,此畜人之道也。……权轻重,审大小,多建封,所以便其势也。王也者势也,王也者势无敌也,势有敌则王者废矣。《韩非子·难三》记有申不害的话说:"失之数而求之信,则疑矣。"吕氏《慎势》篇的发端语正与此相同。文中的"势不厌尊"等语,也是典型的法家观念。惟是此篇谈"势",却又大力赞扬"封建"制,颇令人费解。"封建"之举,质诸商周之际历史,自可称是"便势全威"之道;若移诸战国之末,则纯属迂腐之见。想来吕不韦本人以大商贾走到秦国执政的地位,又是一位开明政治的拥护者和倡导者,他决不会赞成"封建"制。法家其实也不赞成"封建",秦始皇统一中国后,接受李斯的建议不分封皇室子弟,尤为明证。是否申不害赞成"封建"呢?无从考知。这些都很令人怀疑,《慎势》篇原出于吕氏门下的道法家后学之手,在经过一番粉饰之后,逃过了主编者的眼目,并不一定能够代表吕不韦本人的意见。

吕不韦当然也并非不讲"势",他要协助秦王完成统一大业,不讲"势"是不可能的,并且也要讲"数"(《管子》中讲"数"最多)。但他所讲的应该与法家有所不同。《商君书·禁使》篇主要讲"势"和"数",其中说道:

> 凡知道者,势、数也。故先王不恃其强而恃其势,不恃其信而恃其术。今夫飞蓬遇飘风而行千里,乘风之势也;探渊者知千仞之源,县(悬)绳之数也。故托其势者,虽远必至;守其数者,虽深必得。

这样的观点,在吕不韦也大致可以接受,但不会全接受。尤其《禁使》篇下文批评"人主执虚后以应"的"君人南面之术",与《吕氏春秋》的观点恰恰相反。《吕氏春秋·任数》篇即是专讲"君术"、"道术"的,主张人主治官"修其数,循其理",以"清静公素"、"无知无为"为"应"。此篇可能也参考《申子》写成。篇中举有一个故事,是说韩昭侯有一次看到祠庙的祭猪太小,就叫人换掉它,结果是主管官阳奉阴违,又把原来的猪供上来了。昭侯说:"这不是刚才那只猪吗?"主管官无辞以对。左右问昭侯何以知道,他说:"由它的耳朵知道。"这位昭侯好耍小智慧、小手段,看来特别记住了猪耳朵的特征。申不害(昭侯的相国)闻听此事,遂大讲了一通人主应"去听"、"去视"、"去智"的道理,主旨是"三者不任则治,三者任则乱"。顺此推论下去,便必然得出人主必须服从"静因之道"的大纲领。韩昭侯本来是不好侍候的,申不害却做了他将近20年的国相,也许申氏确是一位善于逢迎的人。不过《吕氏春秋》引用《申子》,并不是因人取事;甚至也可以说,吕氏的引用完全出于道家的立场,与申氏是不是法家没有什么干系。再说,申氏的学术可以推本于稷下黄老之学,他所推行的一套对于吕氏门下的齐学之士原是不陌生的,《吕氏春秋》对它的吸收和嫁接也并不奇怪。更为重要的是,吕氏讲"君人南面之术",特重帝王的修身之道,并不赞成以令人琢磨不透的"无为"之术御下,更不赞成以此术"害人",乃至走向恶性的独裁主义。这是与申、商、韩等人的法家观念不能同等看待的。

慎到的著作(《史记》本传谓有"十二论",《汉书·艺文志》著录42篇),可能也是《吕氏春秋》重点参考的书目之一。虽然《吕氏春秋》引及慎到的言论仅有一处(见《慎势》篇),但从清人钱熙祚所辑《慎子》及《慎子逸文》来看,慎到的好些观点和主张,诸如"立天子以为天下,非立天下以为天子"(《威德》),"天道因则大,化则细"(《因循》),"人主苟任臣而勿自躬,则臣皆事事"(《民杂》),"大君任法而弗躬"(《君人》),"为人君者不多听,据法依数以观得失"(《君臣》),"有法度者,不可巧以诈伪"、"守法而不变则衰,有法而行私谓之不法"、"祸福生乎道法而不出乎爱恶,荣辱之责在乎己而不在乎人"、"明于死生之分,达于利害之变"、"君积于仁,吏积于爱,民积于顺"(《逸文》)等等,皆可从《吕氏春秋》中找到极相似的论说(特别是《审分览》部分的各篇)。具体的对照考证过于繁琐,我们在各章节的有关叙述可以参看。

3. "尊君"问题

这里顺便谈一下与民本思想对立的"尊君"问题。近时学者多讲"尊君"与"重民"相反而相成,共同构成中国传统政治文化的一体两翼。而法家在二者关系上,往往把"尊君"引向绝对化,认为君主有无上威权,臣民只能供畜养驱使,惟命是从。但通检《吕氏春秋》,除了《慎势》篇的"势不厌尊"一语外,其余几乎找不到着力倡导"尊君"的言论,倒是与此相反的只言片语时时冒出。如《用民》篇说"古昔多由布衣定一世";《应同》篇谓"君虽尊,以白为黑,臣不能听";《恃君览》乃至主张到"废其非君而立其行君道者"的地步,这是法家思想中决不曾有的。至于"道尊于势"、"义尊于势"的相关论说,更是所在多有。此外,书中大量的儆戒、批判性语言,亦与尊君的观念决不相容。如《骄恣》篇说:"人主之患,患在知能害人,而不知害人之不当而反自及也。"这样的话足可令尊君论者咋舌。吕氏讲"威",也反复强调"威不可无有而不足专恃",必须托之于"爱利之心",这点我们在前面已屡次道及。《用民》篇在讲"爱利"之后结语说:"君,利势也,次官也。处次官,执利势,不可不察于此(爱利)。夫不禁而禁者,其唯深见此论也。"此论实际是主张因

"势"而"利"导,仍较平实,与全书倡导王政的思想倾向亦相合。

  法家的绝对尊君论所流露出来的,既是社会政治趋向大一统中央专制集权的风声,也是战国时代"霸道"流行的时尚。《管子》、《商君书》、《韩非子》等书中多谈"霸道",而《吕氏春秋》几乎不谈"霸道"。其《应同》篇说"帝者同气(同于元气、精气),王者同义(同于仁义),霸者同力(同于武力)",以"霸道"居下。当然,尊君论并非法家的特产(因此法、术、势等概念也决非法家所专有),儒家也是主张尊君的,墨家的"尚同"甚至也有点绝对尊君的味道。从根本上说,君主集权政体是中国传统农业社会需要并养育起来的,尊君与民本相伴生,都是特殊的历史范畴。先秦诸子对二者的解释虽有时形同水火,却也并非没有相通之处。《吕氏春秋》是一部集体编成的大书,本身思想有矛盾之处亦不可避免,今人之研究要在把握其大纲脉络,细节之处无妨相对忽略。

九 墨与名的吸收和批判

1.《吕氏春秋》对墨家学说的吸收

关于《吕氏春秋》与墨家的关系,以往似乎讨论不够。墨家学派在春秋战国之交,曾是与儒家并称的"显学",战国时人谈学术流派,无不首先并称"儒墨"。《吕氏春秋》也是如此,书中单是以孔墨并举的文字便有11处。为便于说明问题,这里先不厌其烦地把这11处文字择要摘录如下:

《当染》篇 "(孔、墨)无爵位以显人,无赏禄以利人,举天下之显荣者,必称此二士也。皆死久矣,从属弥众,弟子弥丰,充满天下。王公大人从而显之,有爱子弟者随而学焉,无时乏绝。……孔、墨之后学,显荣于天下者众矣,不可胜数。"

《尊师》篇 "子张,鲁之鄙家也,颜涿聚,梁父之大盗也,学于孔子;段干木,晋国之大驵也,学于子夏;高何、县子石,齐国之暴者也,指于乡曲,学于子墨子;索卢参,东方之巨狡也,学于禽滑黎。此六人者,刑戮死辱之人也。今非徒免于刑戮死辱也,由此为天下名士显人,以终其寿,王公大人从而礼之,此得之于学也。"

《不侵》篇 "孔、墨,布衣之士也,万乘之主、千乘之君不能与之争士也。"

《谕大》篇 "孔丘、墨翟欲行大道于世而不成,既足以成显名矣。"

《慎大览》篇 "孔子之劲,举国门之关,而不肯以力闻。墨又为守攻,公输般服,而不肯以兵加。"

《顺说》篇 "孔丘、墨翟无地为君,无官为长,天下丈夫、女子莫不延颈举踵而愿安利之。"(惠盎语)

《贵因》篇 "墨子见荆王,锦衣吹笙,因也。孔子道弥子瑕,见厘夫人,因也。"

《高义》篇 "孔子见齐景公,景公致廪丘以为养,孔子辞不受。……子墨子游公上过于越,公上过语墨子之义,越王说(悦)之。……"

《博志》篇 "孔、墨、宁越,皆布衣之士也,虑于天下,以为无若先王之术者,故日夜学之。……"

《有度》篇 "孔、墨之弟子徒属充满天下,皆以仁义之术教导于天下,然而无所行。教者术犹不能行,又况乎所教!是何也?仁义之术外也。夫以外胜内(指指背负或担负的东西太重),匹夫徒步不能行,又况乎人主!唯通乎性命之情,而仁义之术自行矣。先王不能尽知,执一而万物治。使人不能执一者,物感(惑?)之也。故曰:……"

《务大》篇 "孔、墨欲行大道于世而不成,既足以成显荣矣。夫大义之不成，既有成已，故务事大。"

除了这些并举的词例外，《吕氏春秋》中单称孔、墨的地方还有不少。吕氏学派对这两位大师给以同等的尊敬，仅据以上举例，已可说是不言自明。其中只有第10例出以批评之辞，然《有度》篇显然出自庄子后学之手，例中"故曰"下所引即《庄子·庚桑楚》篇中的一节（个别词语稍有变动）。大约原作者固执所学，门户未改，主编者只看道家的表面文章，并未仔细审查，遂致连批评孔、墨之文也存留了下来，竟与他篇所出者不侔。

郭沫若曾论《吕氏春秋》的编次说："它对于各家虽然兼收并蓄，但却有一定的标准。主要是对于儒家道家采取尽量摄取的态度，而对于墨家法家则出以批判。这是最值得注意的本书的一个原则，也可以说是吕不韦这位古人作为政治家或文化批评家的生命。而且我们还要知道，他是在秦国做丞相，在秦国著书的人，在秦国要批判墨家法家，与在秦国要推尊儒家道家，在这行为本身已经就具有重大的意义。因为秦国自商鞅以来便采取了法家的精神，而自惠王以来又渗入了墨家的主张。墨家钜子的腹䵍是惠王的'先生'，唐姑果是惠王的亲信，还有田鸠、谢子这些墨者都曾先后在惠王时代入秦，故秦自惠王时已有墨，而在昭王时却还没有儒。"（《十批判书》第400页）

这一看法是有相当依据的。《吕氏春秋》对于法家学说之不感兴趣，我们在上节已经说过了；对于墨家，也确有批评。但要仔细检索起来，书中对墨家学说的拣择吸收却又并不算少。例如：

（1）《当染》篇基本上是《墨子·所染》篇的照搬，只是对个别词句略加润色，又改作了原文的末段。改作的一段，于"所染不当也"之下，加了"存亡故不独是也，帝王亦然"一句，没有举例；接下于"士亦有染"的内容，弃原文所举例，改成了尊崇孔、墨的举例。

（2）《节丧》、《安死》是提倡节葬的，文字与现存《墨子·节葬》篇不同，然思想实无异。相比照来看，二篇的论述比《墨子》之文更为集中，并体现出春秋与战国丧葬之风的不同，又概括了《墨子·节用》的一些内容，行文更为简练；但《墨子·节葬》原分上、中、下三篇，今只存下篇，已无法作详细比较。其下《异宝》、《异用》二篇，应当也是墨家后学的文字。

（3）《吕氏春秋》在治国用民问题上的"爱利"观点（见前述第七节），我们相信定然脱胎于墨家的"兼相爱，交相利"，只不过已经融会了儒家的"德治"观念。

（4）《吕氏春秋》表彰墨家的"义"。《去私》篇记腹䵍之子犯了杀人罪，腹䵍不听秦惠王的赦免，自行墨家"杀人者死，伤人者刑"的法条，竟处死了其子——作者称赞腹䵍"忍所私以行大义，子可谓公矣"。《介立》篇记东方之士爱旌目行于道中，饥饿将死，因有"狐父之盗"怜之，给他喂食物而得活；不料他醒来后，知为"盗"所救，竟说"吾义不食子之食也"，"两手据地而吐之，不出，喀喀然，遂伏地而死"——这应当也是墨家故事。《高义》篇突出称道"墨子之义"，并径用尊称"子墨子"，其文必出于墨子后学无疑。联系吕氏的"爱利"、"义利"之论统观之，《吕氏春秋》所讲的"义"散溢着浓厚的墨家情调，决非只是儒家注重内修的"义"。其《无义》篇称"义"为"百事之始"、"万利之本"，亦可与《墨子·贵义》篇"万事莫贵于义"的论断相参照。可能本书有关"士节"内容的篇章，多与墨学有联系。

（5）《吕氏春秋》取自《墨子》或墨家后学记录的材料，除上列各项的内容外,散见的尚不止一二。有关腹䵍、爱旌目、田鸠、田赞、唐姑果、谢子、中山王的"墨者师"及孟胜、田襄子、戎夷等人的记录,显然出自墨家。有的材料虽经改头换面,仍可清楚地看出是取用《墨子》之文。如《听言》篇在议论"善不善"之分时举例说:

> 今人曰"某氏多货,其室培湿,守狗死,其势可穴也"(那藏财货的房子在阴暗处,又无狗看守,可以穿墙盗其财货),则必非之矣;曰"某国饥,其城郭库,其守具寡,可袭而篡之",则不非之:乃不知类矣。

试比较《墨子·非攻上》之文:

> 今有一人,入人园圃,窃其桃李,众闻则非之……谓之不义。今至大为攻国,则弗知非,从而誉之。此可谓知义与不义之别乎?

二者语言、观点皆相似,所以清人毕沅注《听言》篇说:"与《墨子·非攻》篇意同。"《异用》篇也有个别语句,存留墨家"非攻"的痕迹。

根据上述,墨学大面积浸润《吕氏春秋》乃是实情,不宜否定。倘若仔细检索,肯定还会发现更多的问题。吕氏门下的墨家后学可能仍然为数非寡,若说《吕氏春秋》对墨家只批判不吸收,则又与吕氏学派尊敬墨子的基本事实大不相符。当然,在主要的学理上,《吕氏春秋》与墨家差距极大,墨家思想的"尚同"、"天志"、"明鬼"、"非攻"、"非乐"、"非儒"等大项,吕氏皆所不取;所取者主要是"兼爱"、"节葬"、"贵义"诸项,"亲士"、"修身"、"尚贤"等项可能也时有采撷。书中明确批评墨家的文字主要针对"非乐"、"非攻":

> 世之学者有非乐者矣,安由出哉?(《大乐》)

> 今世之以偃兵疾说者,终身用兵而不自知,悖。故说虽强,谈虽辨,文学虽博,犹不见听。(《荡兵》)
>
> 今世之学者多非乎攻伐。非攻伐而取救守,取救守则乡(向)之所谓长有道而息无道、赏有义而罚不义之术不行矣。……察此论也,攻伐之与救守一实也,而取舍人异,以辩说去之,终无所定。论固不知,悖也;知而欺心,诬也。诬悖之士,虽辨无用矣。……为天下之长患、致黔首之大害者,若说为深。……故乱天下、害黔首者,若论为大。(《振乱》)
>
> 先王之法曰:"为善者赏,为不善者罚。"古之道也,不可易。今不别其义与不义,而疾取救守,不义莫大焉,害天下之民者莫甚焉……故大乱天下者,在于不论其义而疾取救守。(《禁塞》)

看来吕氏学派还是一个混合"三教九流"的团体,其内部虽不至如诸子百家斗争最激烈的时候那样水火不容,却也仍然不同程度地残存着原有的门户见解,往往各派自称其说。《吕氏春秋》在定稿时,对于各家观点也并未做到完全的整齐划一,所以每有龃龉之处,而且保留着一些各学派互相批评的文字。如果说其中的儒者批评墨者之"非乐"还算平和的话,那么论兵的学者批评"非攻"就可说是相当激烈了,这一点留待下节谈《吕氏春秋》的"论兵八篇"时再说。这种对"非攻"的批评也是针对名家的(特别是惠施、公孙龙等人),下面就接续谈一下《吕氏春秋》对名家的批判。

2.《吕氏春秋》对名家的批判

名辩思潮起于社会变动时期对名实关系的讨论。一般地说,当社会相对来说比较稳定的时候,各种事物及相互关系的称谓大体上也比较固定;而一旦社会进入大变动的过程,各种事物及其相互关系也就随之发生变动,于是旧有的称谓不能适应新的内容,新起的称谓又大都不能得到一时的公认,从而在"名"和"实"之间,也就不期而然地产生层出不穷的纠葛和矛盾。所以还在春秋末年,孔子已经提出了"正名"的要求:"必也正名乎!……名不正则言不顺,言不顺则事不成,事不成则礼乐不兴,礼乐不兴则刑罚不中,刑罚不中则民无所错(措)手足。故君子名之必可言也,言之必可行也,君子于其言无所苟而已矣。"(《论语·子路》)孔子所说的"名",可以说是指文字、概念、言词,也可以说是指一切日常所用的称谓。连语言文字和各种称谓都搞不清楚,自然说话办事都会受到限制——犹如现代改革开放的形势下,老用旧词说话人们不爱听,掺杂新词说话人们又往往听不懂,这样就不免使新旧词的应用成为一时的社会公共问题。不过孔子的"正名"说,落脚点还是在维护儒家的大义名分上,后人常在这一层意义谈孔子的"正名",把"正名"当做指称社会关系的用语,大致也不能算错。

"名家"的称呼是汉代学者所给的,在先秦则所谓"名家"者流还每被称为"辩者"或"察士"。其实名辩思潮并非仅是关乎一"家"的事。"名实之相怨久矣"(《管子·宙合》),由孔子的"正名"说就可以知道那时已经有名实之辩。待到战国纷争浩荡展开之后,"礼坏乐崩"的局面更加不可收拾,所谓"奇辞起,名实乱"(《荀子·正名》)的状况也日益严重,于是几乎所有的学派都参与了有关名实关系的论争。这样的论争当然不会再仅仅局限于如何给事物命名,而是在一定程度上使"名辩"变成了以"言"为"名"的辩察的代名词,进一步的发展就使之成了各家学说交锋的一种形式和途径。其中有一部分学者——以惠施和公孙龙为代表——最以类似于"概念游戏"的博辩著称,他们后来就被称为"名家"。

名家的思想倾向很复杂,并不是"名家"一词的表面意义就能概括的。从现有资料看,名家的一些学者如公孙龙,原出于稷下黄老学派,而后来也受到墨家思想的影响,这是不能纯从名辩的角度考虑的。而名辩思潮实质上是一种分析性的知识论,即由辩察名实进而及于概念的规定和分类、判断和推理的逻辑研究,这也是不能仅以"概念游戏"四字笼统地加以否定的。如公孙龙"白马非马"的命题,就是把"白马"的概念从"马"的概念中游离出来,强调"白"的概念的规定性。倘若沿此路径发展下去,深入探讨客观世界的分析前提,由认识客体的不断分割,达到对部分与整体关系及其功能的深刻认识,这在知识论上便具有非同小可的意义。后期墨家转向这一领域,在知识的建构和知识本身的研究上都取得了独具特色的突出成就,并对时间、空间、运动及物理学、几何学等多方面的自然科学知识和古代逻辑知识有精到的哲学概括,其成果即保存在《墨子》书中的《经》上下、《经说》上下及《大取》、《小取》六篇中(通常总称《墨辩》)。这一种察辩,从一开始就注定为中国传统思维方式所不容,而当时名家也还没有能力把分析研究提到辩证科学思维的高度,所以名辩思潮仅在战国时昙花一现,到秦统一六国后就完全停止而至于销声匿迹了。

《吕氏春秋·先识览》的《正名》篇和《审应览》及其以下《离谓》、《淫辞》、《不屈》、《应言》等篇,大致都以名辩内容居多;其余还有一些篇章,名辩内容也往往随文而出。依照传统的思维方式和知识论,名实之辩必须准乎义理,合于经验,实用,不得"弱于德,强于物"(庄子语)或"蔽于辞而不知实"(荀子语)。《吕氏春秋》既遵守着这些原则,却又处处与政治挂上钩,几乎没有纯粹的知识论。因此它首先强调的便是政治上的"正名":

> 名正则治,名丧则乱。……故君子之说也,足以言贤者之实、不肖者之充("充"亦"实")而已矣,足以喻治之所悖、乱之所由起而已矣,足以知物之情、人之所获以生而已矣。凡乱者,刑(形)名不当也。人主虽不肖,犹若用贤,犹若听善,犹若为可者。其患在乎所谓贤从不肖也,所为善而从邪辟(也),所谓可(而)从悖逆也。是刑名异充而声实异谓也。夫贤不肖、善邪辟、可悖逆,国不乱、身不危奚待也?(《正名》)

尹文子有个比喻:齐王既欲以履行孝、忠、信、悌"四行"之士为臣,而又不欲以"见侮而不斗"者为臣,则是但以好斗者为士,而不以有"四行"者为士,"士"的概念因此就名实相乖了。他向齐王申述的是:"王之令曰:'杀人者死,伤人者刑。'民有畏王之令,深见侮而不敢斗者,是全王之令也。而王曰:'见侮而不敢斗,是辱也。'夫谓之辱者,非此之谓也,以为(谓)臣不以为臣者罪之也(意谓做臣子的不像个臣子而被加罪才是辱)。此无罪而无罚之也。"(同上)这一类的说法,皆上承孔子的"正名"说,以维护当时社会的等级名分为宗旨。譬如"求牛则名马,求马则名牛","不正其名,不分其职",则"乱莫大焉"。君臣之名分不正,即使"人主忧劳勤苦而官职烦乱悖逆",也必然导致"国亡而名伤"(《审分览》)。因此作者归结说:"人事其事,以充其名,名实相保,之(此)谓知道。"(《勿躬》)

《慎势》篇举有慎到的一个有名的论例:"今一兔走,百人逐之,非一兔足为百人分也,由未定。由未定,尧且屈(尽)力,而况众人乎?积兔满市,行者不顾,非不欲兔也,分已定矣。分已定,人虽鄙不争。故治天下及国,在乎定分而已矣。"儒家用此例,以证礼之不可缺;法家用此例,则以证法之亟欲明。《商君书·定分》篇引此例后便说,"法令不明,其名不定",以吏为师,教民以法令,"所以定名分也"。《吕氏春秋》大致采取了儒家的立场。

书中有关专篇的名辩言论,大都是以"言"为"名"而展开的,侧重于分析"辩"的性质、根源及其结果等。值得注意的有这样几点:

其一,主张"取实责名"。《审应览》说:

> 凡主有识,言不欲先。人唱我和,人先我随,以其出为之入(待对方说完后再接纳),以其言为之名。取其实以责其名,则说者不敢妄言,而人主之所执其要矣。

这是从道家君人之术言及名实关系,实指语意与事实间的吻合程度。如子思要离开鲁国,鲁君(缪公)说:"天下之国都有君主,我也是君主,您要到哪里去呢?"子思回答说:"我听说君子就像鸟,鸟受到惊扰就要飞走。"鲁君说:"天下的君主都有过错,离开一个有过错的君主,还会到另一个有过错的君主那里。这样说来,能用个人的行为标准衡量天下的君主吗?鸟要飞走,是为了离开受到惊扰的地方而到不受惊扰的地方去,但飞走之后,是不是真能到不受惊扰的地方还说不定。如果离开一个受惊扰的地方而又到了另一个同样受惊扰的地方,那么鸟何必要飞走呢?"作者认为,子思对鲁君的回答过头了,言不副实,而鲁君对子思的反驳即是"取实责名"。同篇还载有公孙龙对赵惠王论"偃兵"的话:"偃兵之意,兼爱天下之心也。兼爱天下，不可以虚名为也，必有其实。"赵惠王自称致力于偃兵十余年而不成，因此公孙龙取其"实"而责其"名"，指出他的所谓"偃兵"不过是为了图"虚名"。

其二，强调"言以谕意"。《离谓》篇说：

> 言者以谕意也。言意相离，凶也。乱国之俗，甚多流言，而不顾其实，务以相毁，务以相誉。毁誉成党，众口熏天，贤不肖不分。以此治国，贤主犹惑之也，又况乎不肖者乎！

此条与上条既类似又有别，重在指斥言意不一。作者认为："夫辞者，意之表也。鉴其表而弃其意，悖，故古人得其意则舍其言矣。听言者，以言观意也，听言而意不可知，其与桥（矫）言无择（无异）。"话虽如此说，作者其实却把名辩问题扯到政治问题上去了，篇中所举的例证主要即是子产杀邓析之事（参见前述第八节"法的折衷"部分）。此篇批评邓析的例证之一，是说郑国富人之家有在洧水中淹死者，被人捞出尸体，要富人拿出一大批钱赎回。富人舍不得出钱，就去问邓析，邓析说："你等着，没有人会买尸体。"得尸体的人见富人不着急，也去问邓析，邓析又说："你等着，这尸体除了他无人会买。"作者因此比附人主之"伤忠臣"：无功不容，有功不容，"死生存亡安危以此生"。实则此例也不免"言意相离"，邓析的答对与人主"伤忠臣"之事很难说是相似的。篇末另有一例较近于所说：齐人淳于髡以合纵之术说魏王，魏王辩之而不从；寻而魏王使其出使楚国（实有欲合纵之意），淳于髡复说魏王以连横之术，魏王乃止其行，不让他再出使。淳于髡是否有此事，无从查证，作者的意思是如此支离其说，言意不相符，所以"多能不若寡能"，"有辩不若无辩"。

其三,提倡"言不欺心"。《淫辞》篇说:

> 非辞无以相期,从辞则乱。乱辞之中又有辞焉,心之谓也。言不欺心,则近之矣。凡言者,以谕心也。言心相离,而上无以参之,则下多所言非所行也,所行非所言也。言行相诡,不祥莫大焉。

此条由言意关系进一步论及心术问题,重在指斥口是心非或别有用心的不正当言行。人与人之间没有言辞是无法交往的,但顺从了一些不正当的言辞往往就会出乱子。这种"乱辞"之中还有一种"辞",那就是"心"。言为心声,"不欺心"的言辞才是接近于这种心声的。大凡人之说话,在于能够使人明白他的"心"。如果"言"和"心"不一致,使在上者参不透,那么此风一长,在下者就会多有说的不是做的、做的不是说的之类的情况。"言"和"行"相违背,为害最大。例如宋康王曾对他的国相唐鞅说:"我杀人也杀了不少,可是群臣反而越来越不畏惧,这是什么原因呢?"唐鞅说:"王所加罪的都是不善之人,治不善之人的罪,善人当然不会畏惧。现在王要使群臣畏惧,不如无论善还是不善,时时加罪一些人,这样群臣就会畏惧起来。"这话是非常阴险的,是典型的"欺心"之论。而从逻辑上说,讲这种话的人等于是引火烧身:既然所有的人不论有无罪过都可处分,那么自己当然也不能例外。所以"居无几何,宋君杀唐鞅",唐鞅乃自食其果。

其四,指斥"淫辞诡辩"。上引篇以"淫辞"为题,所说"淫辞"主要是指违背人伦义理,大巧大伪,颠倒是非,会导致乱国、乱政、乱民的言论。《吕氏春秋》对这种言论是痛加指斥的:

> 使名丧者,淫说也。说淫则可不可而然不然,是不是而非不非。(《正名》)

> 至治之世，其民不好空言虚辞，不好淫学流说。贤不肖各反（返）其质，行其情，不雕其素。(《知度》)

这种指斥显然也是针对名家的。《淫辞》篇即举有公孙龙的一例：秦、赵曾在空洛（地名）约盟相互救助，但不久秦攻魏，赵欲救魏，秦遂指责赵背盟；赵平原君以此告公孙龙，公孙龙乃劝赵遣使入秦，指责秦不助赵救魏也是背盟。这是个出名的悖论，实际上是不能成立的，言之大国外交情有可原，言之普通事理则不通。《吕氏春秋》对名家的论辩一般都是这么看的，实际上是把他们的一些命题也视为"诡辩"、"淫辞"。《君守》篇说：

> 坚白之察，无厚之辩，外矣。

"坚白之察"是公孙龙的命题：一块石头有坚、白、石三种属性，触则得其坚，观则见其白，故尔可以说"坚石"、"白石"都不是"石"(《公孙龙子·坚白论》)。《淫辞》篇又举有"羊三耳"（原作"藏三耳"，此据清人校注）的一例：羊本有两耳，加上能"听"的一种特性，则为"三耳"。此与"离坚白"属于同一逻辑。"无厚之辩"是惠施的命题："无厚不可积也，其大千里。"（见《庄子·天下》篇)指抽象的几何学上的面积只有广度而没有厚度，只能言大小而不能论厚薄，故而不可求积。《吕氏春秋》认为这类命题都是务"外"的，不是由内向外而知"道"的途径，这样做就会使"事耳目、深思虑之务败矣"（《审分览》)，意即使"五官"的功能归于无用。因此书中极力反对苛察、苟辩，强调凡辩说务必要有"义理"根据：

> 凡君子之说也非苟辩也，士之议也非苟语也，必中理然后说，必当义然后议。(《怀宠》)

> 故辩而不当理则伪，知而不当理则诈，诈伪之民，先

王之所诛也。理也者,是非之宗也。(《离谓》)

察士以为得道,则未也。虽然,其应物也辞难穷矣。辞难穷,其为祸福犹未可知。察而以达理明义,则察为福矣;察而以饰非惑愚,则察为祸矣。(《不屈》)

《当务》篇还把"辩而不当论"视为"大乱天下"的四端之首。这些都是从传统经验思维、特别是从政治理性的角度立论的,并未从认识论、知识论上对名家作具体分析。所谓"察"指透底或过分的追究。这样做有时是好事,有时则是坏事,中国人的思维历来是倾向于"水至清则无鱼,人至察则无徒"的。

书中对名家并无成见,有关惠施、公孙龙的故事,大都只是谈他们的博辩。有一些事例也可以说明,作者并不完全否定他们的论辩中有合理的成分,即使对"偃兵"之说,也承认它有批判现实的一面(与"爱利"观有关系)。《君守》篇有个故事,是说鲁之鄙人(居住在边邑之人)送给宋元王(即宋王偃)两个连环结,宋元王乃令国人有巧思者都来解,但没有人能解得开。宋大夫兒说的弟子请往解之,结果解开了一个,另一个解不开,就肯定这个结不可能解开。去问鲁之鄙人,鄙人说:"是这样,这个结本来就不可能解开。我做这个结的时候就知道它不可解,你的巧思超过了我。"此即俗语所说"以不解解之"的来源。惠施有个命题:"连环可解也。"(见《庄子·天下》篇)这是他的十个著名的命题之一,可惜他的解说在古籍中已经失落了。有人认为惠施是想借此证明不可解的连环可以错开空间距离,说明空间有大小相对性。这看法恐怕过于直观,拘泥于"连环"本身,反而失于"至察"。从科学上看,有些题目本来就是无解的,能够证明它无解,也便得出了一种"解"。想来惠施的这一命题也应是这个意思,当你知道两个套在一起的环不可能使之脱离的时候,连环问题也就解决了。

兒说,是早期名家的代表之一。郭沫若认为他就是《战国策·齐策》中的貌辩,生平当齐威王、宣王时候,是最早提出"白马非马"命题的人;祖述这一命题的公孙龙,可能就是貌辩的弟子或再传弟子(《十批判书·名家思潮的批判》)。貌辩曾是齐靖郭君(孟尝君之父)的门客,深得信任,在齐威王死后,以其善辩、高义,化解靖郭君与齐宣王的矛盾,使靖郭君得以免祸。《吕氏春秋·知士》篇亦详记其事,文字与《战国策·齐策》所记大致无异,而其名则作"剂貌辨","剂"可能是"齐"字之误;而《齐策》中的个别误字,也可由《知士》篇校证。这说明二书的材料来源相同,当皆出于先秦名家的记录。

十　论兵八篇

《吕氏春秋》的《孟秋纪》、《仲秋纪》两部分，除两"纪"本文外，其余八篇都是论兵的。今人编集古代兵书，亦收录《吕氏春秋》的这两卷，然又将两"纪"本文录入，却将《孟秋纪》部分的《怀宠》篇黜去不录。这似乎不妥。此篇虽然开头便出以"名辩"之词，实际全篇内容还是论兵事的，而且原书明明将八篇编排在一起，在今更没有必要剔去一篇；倒是两"纪"本文，在编兵书时反而不一定非录不可，"纪"和诸论仅就内容而言并无必然联系。本书《慎大览》部分的《权勋》篇，大略也主于谈兵事，因论旨稍有变化，故本节仍以"八篇"标题，不计此篇在内。

中国兵学成熟之早举世无双，而其大本营原在东夷之地的齐国。齐国的开国君主姜太公是公认的兵家元祖，自唐以来历朝皆有武庙，所祀的武成王就是这位太公吕尚，与文庙所祀的大成至圣文宣王孔子并称文武"二圣"。齐文化本是崇武尚功的，传承太公思想的稷下管学也极重军事，现存《管子》书中的《兵法》、《地图》、《参患》、《制分》、《九变》及《七法》、《幼官》等篇，便都不厌其详地谈兵论兵。单就传世著作而言，齐人孙武的《孙子兵法》13篇不但开中国兵学的先河，而且千古独步，后人的兵学著作没有哪一部可以和它并驾。孙武的后人孙膑和他的弟子们也撰有著名的兵法书，秦汉时称为《齐孙子》，后来失传了，1972年山东临沂银雀山汉墓中出土了竹简残本，定名为《孙膑兵法》，解决了兵学文献史上的一个悬案。春秋末齐国还有一位名将、大臣司马穰苴（本姓田，因封大司马而以官为氏），能武能文，战国齐威王令齐大夫编集《司马兵法》时，把他的兵法附于其中，称为《司马穰苴兵法》，至今流传下来的《司马法》5篇可能就是他的这一部分。《司马兵法》又称《军礼司马法》，原有155篇，是大部头的兵书，战国末及秦汉之际杂出的一些兵书可能都曾受到它的影响，可惜现在已无法弄清楚了。因此今人称春秋战国时期的兵学，齐国可说是一枝独秀。我们在这里谈到这些是想说明，《吕氏春秋》的论兵八篇大概也多半出自稷下后学之手。拿这八篇文字和现存的先秦兵学资料相对照，其中的一些观点和说法跟《荀子·议兵》篇及《管子》书中的军事论述相契合者为多，再就是有的地方跟《孙子兵法》、《司马法》、《尉缭子》接近，而与其他一些书（包括《商君书》和《韩非子》在内）的有关记载却不甚相合。《尉缭子》的来源说不清楚，原本成书可能和《吕氏春秋》相先后，如果相信尉缭是魏惠王时人的说法，那么他原来可能也是齐学之士。

这八篇文字的内容覆盖面不够广，基本上是谈军事理论问题的，对具体的用兵之道讨论较少。虽然在理论思维上并无重大发明，但现实针对性很强，既体现出战国末年军事思想的变化动向，也在相当程度上反映了当时秦国在军事上的实力地位。可以看出，诸篇是作者自出心裁写成的，不拘泥于前人的套路。其中《孟秋纪》部分的几篇是带有一定论战性的文章，尤其显示出齐学的风格，对传统军事思想的阐述有所深化，是本书论兵的重点所在。其突出特点是主张以"义兵"诛暴救乱的战争观，反对"非攻"、"偃兵"、"救守"诸说。下面仅着重就这一主张作些说明，其余内容择要附述于后。

《吕氏春秋》军事思想核心是"义兵"学说，全书有关军事问题的论述都是围绕这一学说展开的。"义兵"概念并非《吕氏春秋》所特有，它大约至迟在春秋末年已经产生。《吴子·图国》篇曾提出兵之名有五："一曰义兵……禁暴救乱曰义。"《司马法·严位》篇也提出："凡战之道，等道义"；"凡民，……以义战。"《孙膑兵法·将义》篇强调："义者，兵之道也。"《尉缭子·武议》篇也谈到："兵者，所以诛暴乱、禁不义也。"《管子》论兵谈"义"更多，也指出"诛暴国必以兵"（《参患》），主张"治国有器，富国有事，强国有数，胜国有理，制天下有分"（《制分》）。《墨子·非攻》则又特别注重攻伐战争的"义与不义之别"。道家《十大经·本伐》篇也说"兵道"有三，其一即"为义"者："所胃（谓）（为）为义者，伐乱禁暴。起贤废不宵（肖），所胃（谓）义也。"可见自"春秋无义战"以来，学者无人不谈"义兵"，战争越是"不义"，谈"义兵"就越多。其中说得较详细的，大概要推荀子。《荀子·议兵》篇载："陈嚣问孙卿子（即荀子）曰：'先生议兵，常以仁义为本。仁者爱人，义者循理，然则又何以兵为？凡所为有兵者，为争夺也。'孙卿子曰：'非女（汝）所知也。彼仁者爱人，爱人故恶人之害之也；义者循理，循理故恶人之乱之也。彼兵者，所以禁暴除害也，非争夺也。故仁人之兵所存者神，所过者化，若时雨之降，莫不说（悦）喜。是以尧伐驩兜，舜伐有苗,禹伐共工,汤伐有夏,文王伐崇,武王伐纣,此四帝两王,皆以仁义之兵行于天下也。故近者亲其善,远方慕其德,兵不血刃,远迩来服,德盛于此,施及四极。'"接下又载李斯问其师:"秦四世有胜兵,强海内,威行诸侯,非以仁义为之也,以便从事而已。"荀子回答:"非女(汝)所知也。女所谓便者,不便之便也;吾所谓仁义者,大便之便也。彼仁义者,所以修政者也。政修则民亲其上,乐其君,而轻为之死。故曰:凡在于军,将率末事也。秦四世有胜,諰諰然(畏惧貌)常恐天下之一合而轧己也。此所谓末世之兵,未有本统也。"把秦国之兵指为"末世之兵,未有本统",是说它不以礼义教化为根本。

《吕氏春秋·荡兵》篇论"义兵",首先强调的就是正义之师不能没有、也不可能没有:

> 古圣王有义兵,而无有偃兵。兵之所自来者上矣,与始有民俱。凡兵也者,威也;威也者,力也。民之有威力,性也。性者,所受于天也,非人之所能为也,武者不能革,而工者不能移。

战争是不以人的意志为转移的,有战即有兵,有兵即有战,故"义兵"不可息。作者举出了四条理由:(1)历史进化的理由:"未有蚩尤之时,民固剥林木以战矣,胜者为长。长则犹不足治之,故立君;君又不足以治之,故立天子。……争斗之所自来者久矣,不可禁,不可止。故古之贤王有义兵,而无有偃兵。"试比较宋人罗泌所说:"自剥林木而来,何日而无战?大(太)昊之难,七十战而后济;黄帝之难,五十二战而后济;少昊之难,四十八战而后济;昆吾之战,五十战而后济。"(《路史·前纪》卷5)中国自新石器时代中期以来从未间断过的频繁、复杂、巨大的战争,正是兵学早熟的历史经验基础。(2)社会实际的理由:

"家无怒笞,则竖子婴儿之有过也立见;国无刑罚,则百姓之悟(忤)相侵也立见;天下无诛罚,则诸侯之相暴也立见。故……诛伐不可偃于天下,有巧有拙而已矣。""怒笞"之喻,在今天看来有些不当,但在阶级社会中,兵"未尝少选不用"是绝对正确的。古人把兵看成是一种刑罚,即所谓"小事用赏罚,大刑用甲兵"。(3)"义兵"功用的理由:"夫兵不可偃也,譬之若水火然,善用之则为福,不能用之则为祸;若用药者然,得良药则活人,得恶药则杀人。义兵之为天下良药也,亦大矣。"兵是"凶器",当然不是补养剂,但也可以作政治社会弊端的猛石良药。倘若善用之,以毒攻毒,功效亦大。(4)人情性理上的理由:"察兵之微:在心而未发,兵也;疾视,兵也;作色,兵也;傲言,兵也;援推(援引和推开),兵也;连反(连蹇或蹁跹),兵也;侈斗,兵也;三军攻战,兵也。此八者皆兵也,微巨之争也。"这便把争斗看成是人之"受于天"的"性",认为"兵"就是矛盾、冲突:冲突在心而未发,已是"兵"的萌芽;及至侧目而视,勃然变色,相互指责谩骂,"兵"开始形之于外;进而推搡拉拽、拳打脚踢,便是"兵"的低级形态了;又进而群起械斗、你死我活,"兵"于是向高级形态过渡;最后发展到有组织的武装力量大规模攻战,"兵"也就完成了它的产生过程。这可说是由微观的譬喻,展示了一部宏观的战争形成史,别具意味。先秦学者论战争的起源,还没有说到如此完整而细致的。当然,作者的朴素认识还不可能上升到"战争是政治的继续"这样的高度,对战争的起源问题也还不能从社会发展本身的规律上寻求确切的答案。

关于"义兵"攻战的目的,作者明确指出是为了"诛暴君而振(救)苦民","长有道而息无道","赏有义而罚不义","以利天下之民为心"。《振乱》篇说:"夫攻伐之事,未有不攻无道而罚不义也。攻无道而伐不义,则福莫大焉,黔首利莫厚焉。"为达到这一目标,就必须在用兵时首先想到存恤人民,否则就不能称之为"义兵"。《怀宠》篇因此指出:"故兵入于敌之境,则民知所庇矣,黔首知不死矣。""今有人于此,能生死一人(即活一人),则天下必争事之矣。义兵之生一人亦多矣,人孰不说(悦)!故义兵至,则邻国之民归之若流水,诛国之民望之若父母。行地滋远,得民滋众,兵不接刃,而民服若化。"作者还指出了实行这一指导方针的途径:兵"至于国邑之郊,不虐五谷,不掘坟墓,不伐树木,不烧积聚,不焚室屋,不取六畜,得民虏奉而题归之(登记遣还)",与民约信;攻城之前,先发出号令,声称是为了"救民","诛不当为君者","除民之仇而顺天之道","克其国而不及其民";灭国之后,敬长老,救无辜,分资财,散仓粟,尊重民俗,保存乡贤旧祠。这一类的说法,对于古代战争而言,虽不免理想化,但在军事史上仍有一定的理论价值。朱绍侯先生的近作《秦相吕不韦功过简论》一文,论述了吕不韦对于秦国的稳定、强大所作的四项贡献,其中之一便是在他当政期间,改弦更张,施行"王者之治",提倡"义兵",放弃了秦国自商鞅变法以来所推行的"计首授爵"政策,减少了战争中的大屠杀。据朱先生统计,从商鞅变法到秦昭襄王五十一年的112年(前354年至前256年)中,秦军在战争中先后大屠杀18次,共杀1617000人(小杀戮不计);昭襄王时达到顶峰,先后屠杀14次,共杀1263000人。而在吕不韦当政的13年间,除秦王政二年"麃公将卒攻卷斩首三万"外,再没见大屠杀的记录。朱先生还指出:"以后尉缭子继续执行吕不韦的'义兵'政策,减少了统一战争中的阻力,使秦得以势如破竹而统一山东六国。"依照这一见解,《吕氏春秋》的"义兵"主张不但具有理论价值,而且在秦国的统一战争中确曾被付诸实践,并对统一战争的顺利进行发挥了重要的作用。

基于上述认识,《吕氏春秋》严厉批评了墨家、名家的"非攻"、"偃兵"之说。这两家之说也见于《吕氏春秋》。如《顺说》篇载齐人田赞(原应属稷下墨家学者)回答楚王的话,以为自己穿的破烂衣服要优于楚王手下武士的铠甲:"甲之事,兵之事也,刈人之颈、刳人之腹、堕人之城郭、刑人之父子也。其名又甚不荣。意者为其实邪?苟虑害人,人亦必虑害之;苟虑危人,人亦必虑危之(此即《墨子·兼爱中》所说'爱人者,人必从而爱之;利人者,人必从而利之;恶人者,人必从而恶之;害人者,人必从而害之')。其实人则甚不安之。"作者对这一说法的意见是:"说虽未大行,田赞可谓能立方者矣(善于譬喻辩说)。若夫偃息之义,则未之识也。"就是承认他善辩,而不承认他的"偃兵"之说。《审应览》又载有公孙龙对赵惠王说"偃兵"的话:"偃兵之意,兼爱天下之心也。兼爱天下,不可以虚名为也,必有其实。"公孙龙虽是名家,说"偃兵"则完全用了墨家的主张。另一位名家的领袖人物惠施也是主张"偃兵"的。《吕氏春秋》认为,他们的主张都是不懂得"义兵"之说的有害之论,只看到战争有杀人、死人的一面,没有看到它还有救人、活人的一面。"夫有以噎死者,欲禁天下之食,悖;有以乘舟死者,欲禁天下之船,悖;有以用兵丧其国者,欲偃天下之兵,悖。"(《荡兵》)兵不可无条件偃息的理由已如前述,篇中同时批判"非攻"、"偃兵"之说的文辞也已见上节,在此均不再重引。

关于"救守",与"非攻"、"偃兵"有些不同。现存《墨子》卷14有《备城门》、《备高临》等七个专篇(原有十二篇,佚去五篇),但无"救守"之说。此说可能较晚起,是在"义兵"说与"非攻"说辩论既久之后才提出来的。《尉缭子·武议》篇有"救守"一词："万乘农战，千乘救守，百乘事养。农战不外索权，救守不外索助，事养不外索资。"篇中也谈到，凡无故攻城略地而"杀人之父兄，利人之财货，臣妾人之子女，此皆盗也"（《荀子》称之为"盗兵"，《吴子》称之为"暴兵"）；但不能因此就说，《尉缭子》有"非攻"倾向。《商君书·兵守》篇说："四战之国贵守战，负海之国贵攻战。四战之国举兵以距（拒）四邻者国危。"篇中未有"救守"一词，但注重"守城之道"。"救守"之说大概主要出于墨家后学，是折衷"义兵"说与"非攻"说而来的。从《尉缭子》"救守不外索助"的说法来看，对一国而言，"救守"的本义应是指各地兵民互相援救守备，以防御外来袭击，安定生活生产，并力求做到救守靠自己的力量，不借助外部力量。推而广之，对各国而言，也可以指约盟国家之间的互救互助，上节谈名家时提到的秦赵"空洛之盟"即其事。此种"救守"主张，实际是从春秋时期的"弭兵"之举、之说发展来的，在理论上与"非攻"、"偃兵"之说有相通之处。

　　墨家主张"非攻"，名家宣传"偃兵"，他们都倾向于"救守"原在情理之中。可能有一段时间（特别是负海的齐国与秦国争霸时），"救守"之说也曾在秦国流行，并且影响到秦法家，所以《吕氏春秋》把"救守"之说与"非攻"理论相提并论，皆加指斥。照《禁塞》（即壅塞之意）篇所说："夫救守之心，未有不守无道而救不义也。守无道而救不义，则祸莫大焉。"意思是用"救守"之说反对"义兵"说，"不别义与不义而疾（亟）取救守"，等于是"守无道而救不义"，为"无道"者张目，这正是暴君乱主所欢迎的。作者还联系战国现实揭露说："当今之世浊甚矣，黔首之苦不可以加矣。"（《振乱》）自古暴君"大为无道不义，所残杀无罪之民者不可为万数,壮佼老幼胎膜之死者大实平原,广堙深谿大谷,赴巨水积灰,填沟洫险阻,犯流矢,蹈白刃,加之以冻饿饥寒之患,以至于今之世,为之愈甚,故暴骸骨无量数,为京丘(集体埋葬死者的土丘)若山陵"。在这样的世道里片面鼓吹"救守"之说尤其不可取,"故大乱天下者,在于不论其义而疾取救守"(《禁塞》)。作者又指出,为此说者聚徒成群,"日夜思之,事任专精,起则诵之,卧则梦之",弄得口干舌燥,费神伤魂,"上称三皇五帝之业以愉其意,下称五伯(五霸)名士之谋以信其事",欲说服敌方之兵者用其说,结果到底不被采纳,还是返回到兵战上(同上)。这种情况可能曾是秦国外交上的实事,或者就与公元前257年魏信陵君窃符救赵以胜秦及后十年信陵君复联合五国兵而打退秦国进攻的史实有关,是吕不韦亲闻或亲历的事。"空洛之盟"当在秦赵长平之战(前260年)以前,"救守"之说的兴起可能还要早些。

《吕氏春秋》对于"救守",单从军事的角度看,并不一般地反对。《禁塞》篇说:

> 取攻伐者不可,非"攻伐"不可;取救守不可,非"救守"不可:取惟义兵为可。兵苟义,攻伐亦可,救守亦可;兵不义,攻伐不可,救守不可。

这话的意思是:对于实际战争中的攻伐和救守,都有肯定("可")与否定("不可")两种评价,这两种评价并不在于"攻伐"和"救守"本身,而在于是不是"义兵"。如果出兵正义,那么攻伐亦可,救守亦可;如果出兵不义,那么攻伐亦不可,救守亦不可。这看法是全面的,故"世之患不在救守,而在于不肖者之幸也"——以"救守"之说反对诛暴救乱,使暴君乱主不受攻击,那就成为"世之患"了。从根本上说,春秋战国时代的诸侯争霸并无"义"与"不义"可言,战事的评判对于谁都是半斤八两。但其时总有少数军队的某些行动对社会局部有利或危害较轻,可以接近于"仁义之师"的名目;此外,有利于促进大一统的战争,符合历史潮流,也不能都用"不义"二字来形容(也不可都说成是正义的)。对于《吕氏春秋》的"义兵"说,还应着重从军事理论上来看待。

《振乱》篇末有清人毕沅的一段按语说:"此篇之论,其谓天下攻伐人者之皆义兵乎?苟非义兵,则能救守者,正《春秋》之所深嘉而乐予也。而此非之,是与圣贤之意相违矣。下篇(《禁塞》)虽稍持平,然亦偏主攻伐意多。"这看法未见得十分合适。《春秋》当然是反对"无义战"的,如果能救难,能守城,尽量少死人,保得一方安定,使黎民百姓有喘息生养的机会,这无疑是谁都会赞同的。可是事实上,中国自古以来的兼并战争就没有停止过,从夏代的万邦林立,到商代的方国三千、西周的八百诸侯,直到战国时代的七大诸侯国,总的趋势是走向民族聚合与国家统一。实际战争中的攻守行为和策略是一回事,理论上的攻伐主义或救守主义又是另一回事。世上有兵就有攻,有攻就有守,把攻伐与救守对立起来的看法是不妥当的,而且救守本身也包含着攻战。再说,攻战总有胜负,各政治集团之间也不可能总持着救守主义,那样的话华夏国家就永远处于分裂状态,谈不上民族统一。可见"救守"之说和"非攻"理论一样,只不过是一种不切实际的主观愿望。如前所述,《吕氏春秋》提倡"义兵"之说,并非一味肯定"攻伐";反对"救守"之说,也并非一味否定"救守"。无论攻伐还是救守,突出一个"义"字,符合中国文化的大传统。有这样一根支柱,那就等于把战争分为正义和非正义两类,这在理论上向来是为中国人所接受的。当然，最好是能够消除战争，珍惜、爱护人类生命，大家都和和睦睦，一切冲突都通过交流和谈判解决问题。中国人也曾有这样的理想，可是至今在世界上的某些地区，依然时时炮火连天，一刻也没有安宁过。看来"义兵"还得继续存在下去，要抑制某些集团或个人的极端不合理行为，强力仍不可少，而"义"与"不义"之别更须大讲特讲。

　　法家主张"以刑去刑"，在实践上容易走向极端的刑治主义，甚不可取。但在战争观上，兵家主张"以战止战"，仍有其合理的一面。《司马法·仁本》篇说："古者以仁为本、以义治之之谓正。正不获意则权，权出于战，不出于中人（合乎人意）。是故杀人安人，杀之可也；攻其国，爱其民，攻之可也；以战止战，虽战可也。"所谓"以战止战"，不能用来为穷兵黩武辩护，必须置之于"义兵"的基点上。自《老子》问世以来，人人皆知"兵者，不祥之器"。《孙子兵法》开篇即强调说："兵者，国之大事，生死之地，存亡之道，不可不察。"国家兵力有强有弱，然而兵一动便关乎生死存亡，所以动兵出于不得已（"权"），不能不慎重，此非好玩火者所能谕。《吕氏春秋·论威》篇也记录着兵家的这类口头禅，只不过仍然落脚于"义兵"之说："凡兵，天下之凶器也；勇，天下之凶德也。举凶器，行凶德，犹不得已也。举凶器必杀，杀所以生之也；行凶德必威，威所以慑之也。此义兵之所以隆也。"进一步地说，"以战止战"又不仅在于"隆兵"本身，"隆兵"还必须以政治为靠山，或者说由政治作统帅，因为军事原不过是政治斗争的特殊手段。所以《荀子·议兵》特别强调"修政"是本，"将率"是末，又说："善附民（使人民归附）者，是乃善用兵者也。故兵要在乎善附民而已。"《管子·七法》篇也说："不能治民而能强其兵者，未之有也。"《吕氏春秋》同样继承着

这些观念,惟是在八篇中没有专论。《召类》篇有一段话(又见《应同》篇)是反映这一观念的:

> 凡兵之用也,用于利,用于义。攻乱则服,服则攻者利;攻乱则义,义则攻者荣。荣且利,中主犹且为之,有(又)况于贤主乎?故割地宝器戈剑卑辞屈服,不足以止攻,唯治为足。治则为利者不攻矣,为名者不伐矣。凡人之攻伐也,非为利则固为名也。名实不得,国虽强大,则无为攻矣。

篇中举有春秋时的二例:一是楚欲攻宋,由于士尹池出使宋国,见宋国司城子罕俭节自励,优抚邻居勤苦车夫,以为"其主贤,其相仁,贤者能得民,仁者能用人","宋不可攻",攻之必"无功",遂谏楚王放弃攻宋之举;二是赵欲袭卫,遣史墨至卫察其情,史墨居卫半年始返回,盛赞卫国多贤,赵简子遂按兵而不动。二例意在说明,"国乱非独乱","乱""必召寇","独乱未必亡",而"召寇则无以存"。因此"止攻"的根本在国治、民治,单纯的军事防御和外交手段都不足以"止攻"。这在古代农战、兵民合一的体制下,尤为一条普遍的规律。

关于兵威问题,《吕氏春秋·论威》篇突出强调的就是军心、民心:"三军一心,则令可使无敌矣。令能无敌者,其兵之于天下也亦无敌矣。古之至兵,民之重令也,重乎天下,贵乎天子。其藏于民心、捷(接)于肌肤也,深痛执固,不可摇荡,物莫之能动。若此,则敌胡足胜矣!"无论政令还是军令,事实上都要归结于使民的要求:民为国本,只有民心统一,军令畅通,才能保证隆"义兵",振军威。作者据此指出:

> 古之至兵,(才)[士]民未合,而威已谕矣,敌已服矣,岂必用枹鼓干戈哉!故善谕威者,于其未发也,于其未通

也。宜宜乎冥冥,莫知其情,此之谓至威之诚。
这也就是《孙子兵法》早就提出的至理名言:"不战而屈人之兵,善之善者也。"《管子·幼官》篇论"至善之兵",也特别指称要"立义而加之以胜,至威而实之以德"。所谓"至威之诚",即军民一心;"并气专精",由是而"虽有江河之险则凌之,虽有大山之塞则陷之",兵刃未接,敌已"悼惧惮恐",精神荡尽,"虽有险阻要塞、铦兵利械,心无敢据,意无敢处"。是其势已先胜于庙堂之上,原野的征战还在其次。

《吕氏春秋》也主张选士练兵,改进兵器。《简选》篇着重批驳了"老弱罢(疲)民,可以胜人之精士练材"、"锄櫌白梃,可以胜人之长铫利兵"等错误说法,强调了"简选精良,兵器铦利,令能将将之"的重要性。文末指出:"凡兵势险阻,欲其便也;兵甲器械,欲其利也;选练角材,欲其精也;统率士民,欲其教也。此四者,义兵之助也。"并认为无论什么样的用兵之道,这些基本的客观条件和技术条件都不可缺少。

《决胜》篇提出义、智、勇三者为兵之"本干",认为"义则敌孤独","智则知时化","勇则能决断"。又提出"兵贵其因",即"因敌之险以为己固,因敌之谋以为己事",认为"能审因而加胜则不可穷","胜不可穷之谓神,神则能不可胜(不可战胜)"。和论兵威而引进"诚"的概念一样,作者在这里又引进了"圣人必在己"的观念,认为"不可胜在己,可胜在彼","执不可胜之术,以遇不胜之敌,若此则兵无失"。接着又说到:"凡兵之胜,敌之失也。胜失之兵,必隐必微,必积必抟(专)。"大意谓因敌之失而胜敌,必须隐蔽自己的企图,精细处理,逐步积累胜机,由专一的系统筹划而扩展到从局部到整体的胜利。这些看上去都是对传统兵法有体会之言。

论兵八篇以《爱士》(一作《慎穷》)结卷,然其举例皆是人主或贵族"怜人之困"而得人效忠尽死力之事,非是指爱兵,兹略而不述。

大体言之,《吕氏春秋》对军事问题是相当重视的,八篇文字在书中有突出的地位。所谈实基于战国末政治形势趋向一统的大格局,非是详论用兵之道,故可作为军事理论的专著来看待。"义兵"之说是其理论核心,先秦兵家谈"义兵"无过于此。

十一　农学四篇

我国古代的日用实学，与国计民生联系最密切的大概要推农学。在我们这个以农业立国的国度里，"民以食为天"是流行最久的古老语言之一，所谓"民为邦本"、"民为贵"等响亮的语言，实际都是说的"农为国本"、"农为贵"。世世代代辛勤耕作在土地上的中国农民，在长期的生产过程中创造了日益进步的生产技术，积累了丰富的经验，然后转经官方或士大夫之手加以总结、提高、推广，于是从汉代以来就有了学术上的"农家"这名称，也就是有了所谓"农学"。

农学的渊源仍可上溯到新石器时代早中期以来的神话传说，像神农、后稷等传说人物都可称是农家的元祖，只不过在早期还不可能有文字记录。上古主持农事的官吏是负有总结农业生产经验的职责的，至迟自西周以来，就有可能出现这方面的官方文书。《汉书·艺文志》说"农家者流，盖出于农稷之官"，虽不一定十分确切，却也并非没有理据。我们看班固所记录的五六种汉代农书，就仍然基本上出于农官或地方官之手。先秦诸子当然也是无人不谈农的，现有的种种材料皆可查对。可是单独成编的先秦农学著作，《汉书·艺文志》却只录有两种，一种是《神农》20篇，一种是《野老》17篇，都出于战国时代。后者据说是齐、楚间"野老"所作，究竟这个"野老"是什么人，早已没人知道。前者书名下也有个注："六国时，诸子疾时怠于农业，道耕农事，托之神农。"唐人颜师古引西汉末刘向的《别录》说："疑李悝及商君所说。"要说书中记录的都是李悝和商鞅的话，自然也不可信；但在战国时代，不论李悝还是商鞅，也不论魏国、秦国还是其他大诸侯国，事实上都是极重视"耕"和"战"这样两件大事的，换言之也就是"富国强兵"，书中有一些出自李悝和商鞅后学的材料也不悖情理。先秦农学著作想来不会只有这两种，否则农家就不会成为一个学派。《吕氏春秋》两次引到"后稷曰"，有人据此认为《后稷》也是一部早期农书，而到汉代已经失传了。《孟子·滕文公上》记载的那位主张"贤者与民并耕而食，饔飧而治"的许行，和弟子们一起身体力行，自己种地打粮，"捆屦织席以为食"，近世学者都把他看做先秦农家的代表，照理他也该有著作传世才是，可惜后来也无消息流传。孟子对许行是持批判态度的，仅据他的片断引用研究先秦农家，实在难得要领。现在撇开这些不谈，单就至今仍保存着的农学专篇而言，则一见于《管子》，一见于《吕氏春秋》，正与战国时代齐、秦两大国的东西对峙相呼应，诚可说是早期农学著作中硕果仅存的联璧双珠。

《管子》中的农学专作，主要是《地员》和《度地》两篇。《地员》篇可能是齐国农官的遗文，用不大的篇幅，讲土壤的类型、颜色、土层深浅、土质特性、识别方法及适宜种植生长的草木作物等等，不仅有五种"施土"之分，而且又别为上、中、下三等，"凡土物九十，其种三十六"，构成一个整齐而复杂的分类体系。只是其文处处与"五"挂钩，脱不开五行的套路，又全是纲目性的罗列，缺少细致的分析，则不免与实际情况相去甚远。文中还谈到在土地上呼喊以测五音并从而识别土壤的方法，这有无科学道理难以说定，但却留下了一个用"三分损益法"计算五音高度的著名公式，不失为意外的收获。《度地》篇由择地为国，划州分野，谈及水、旱、风雾雹霜、疠疫、虫灾，凡"五害"，着重讨论水害问题，记录齐国的治水经验甚详，可能是据齐国水官的遗文写成的，反映出东方海原农耕文化的重大特点。书中另有一个《水地》篇，与《度地》的立意恰好相反：它通篇谈水之性、水之德、水之美、水之用、水之理以及各地民性与水性的关系，赞词满纸；又由水而及美玉，提出玉有"九德"，把中国人对玉情有独钟的文化价值观概括得很周到；又由水及人，称说"人，水也，男女精气合而水流形"。其表述优美可人，不失为散文佳作，然与农学不太接近了；惟是论及"水者，地之血气，如筋脉之通流者也"，又说水为"万物之本原"、"诸生之宗室（一切生命的宗主）"，则又透射出极高的科学眼光。这是反映齐文化特点的带有"蔚蓝色"的农学。

掉过头去看秦国"黄土色"的农学，则要实在多了。《吕氏春秋》用以杀卷压轴的《上农》、《任地》、《辩土》、《审时》四篇，就是实实在在谈重农思想和农学知识的，决无散文作家的描摹、比况和夸张。王毓瑚说："《上农》一篇泛论重农思想，以下三篇都是讨论的耕作种植技术，颇为详尽，具体地反映了那个时代的农学水平，也是保存到今天的最早的关于农业生产知识的著作，因此非常可贵。"（《中国农学书录》）这个评价就足够了。旧时士大夫常说"治生之道,非仕则农",号为名言。这一观念大致从春秋战国时代以来就有了,不过在那时更通行于社会上层的还是"治国之道,亦农亦兵"。《吕氏春秋》农学四篇的内涵不限于秦国或关中农业,但不管怎么说,秦国自商鞅变法以来大力推行的耕战政策仍是吕氏学派重农思想的来源之一。

吕不韦本来出身于大商贾,从《吕氏春秋》来看,他身居高位之后也不怎么谈霸道。可他偏偏是个重农主义者,这有意思吗?书中《贵当》篇载有一个故事说:齐国有个好打猎的人,旷日持久,还是打不到多少野兽,自觉入门愧对家室,出门愧对邻里亲友。他自知总打不到野兽,是因为猎狗不好,想换一只好猎狗,又家贫买不起。于是他就回家力耕,勤奋不息,待到家富之后,买了一只好猎狗。从此不但频频猎获野兽,而且常常超过别人。作者因此而发论道:

> 非独猎也,百事也尽然。霸王有不先耕而成霸王者,古今无有。此贤者、不肖之所以殊也。

这话有一定代表性,只是还比较简单。

重农思想的详细表述见于《上农》篇。其文有云:

> 古先圣王之所以导其民者,先务于农。民农非徒为地利也,贵其志也。民农则朴,朴则易用,易用则边境安,主位尊;民农则重,重则少私义,少私义则公法立,力专一;民农则其产复,其产复则重徙,重徙则死其处而无二虑。民舍本而事末则不令,不令则不可以守,不可以战;民舍本而事末则其产约,其产约则轻迁徙,轻迁徙则国家有患皆有远志,无有居心;民舍本而事末则好智,好智则多诈,多诈则巧法令,以是为非,以非为是。

这段文字有多重含义，基本上都是秦法家曾经着力推行的政策方针，同时也是古代统治者普遍遵循的治民原则。文中提出了"先务于农"的三条理由：一是使民务农则民风朴实，易为所用，可以保持边境安宁，国家稳定；二是使民务农则民情厚重，私曲是非减少，可以使公法易于推行，各种社会力量趋于专一；三是农民有了固定财产，就不会轻易迁徙，造成人口流失。反过来，倘使大批农民舍弃本业而追逐"末业"，便有三条害处：一是会使政令不统一，于守备、征战皆不利；二是资产轻便，易于迁徙，国家一旦有急，都想逃亡而不愿留居；三是诈伪风起，人将巧于规避法令，造成是非标准的紊乱。这些理由的背后，都隐藏着深刻的社会、阶级矛盾和冲突，在此不拟详析，但也不必因此而否定古代统治者的重农观念。篇中追述古帝王"教民尊地产"、"力妇教"的传统，有些内容可与"十二月纪"相参照。又叙及"圣人之制"的要求是："敬时爱日，非老不休，非疾不息，非死不舍。上田夫（领受肥地的农夫）食九人，下田夫（领受瘠地的农夫）食五人，可以益，不可以损。一人治之，十人食之，六畜皆在其中矣。此大任地之道也。"类似的文字又见于《礼记》等书，未必可以反映战国时代的现实，而中心意思还是提倡"尽地力之教"。其下又有关于五种"野禁"的规定：

地未辟易，不操麻，不出粪；齿年未长，不敢为园圃；

量力不足，不敢渠地而耕；农不敢行贾；不敢为异事。

这倒可以反映当时一般农民的资力和境况：种粮田未经整治好的，不准种麻田，不准不施肥；不是老年人，不准占地为菜圃之类（实指不准挪用种地打粮的劳动力）；力量不足的，不准在耕地上开沟渠（实指不准种畎田，也含有官府控制水源的意思）；农民不准经商；不准离开土地从事其他行业。除这五条外,还有号称"安农"的一条:"苟非同姓,农不出御,女不外嫁。"意思是指除非同姓不能在当地婚配的以外,男女一律都不与外乡通婚,这是在固定农业劳动力的规定上又特别加上了一条宗法制度的约束。这些都应当联系古代农业社会的基本特征去理解。文末又强调指出了导致农民丧本的三大害:"夺之以土功,是谓稽不绝忧,唯必丧其粃;夺之以水事,是谓籥丧以继乐;四邻来虚,夺之以兵事,是谓厉祸。"这些话大意是说,在农忙时节兴起土木工程、夺民之水、发生战事,最为害农。此种批判性的记载,稍稍反映出古代重农思想的正面价值。

重农或曰重本思想的直接副产物是轻商或曰轻末("末业"一词其实不仅指商业,而是包括一切凡是农民脱离土地而从事的流动或不流动的各种行业在内)。对这一政策的评价亦未可流于简单化——它事实上是中国农业文化的一种必然产物,是被社会大多数人所认同的一种意识,并非只是少数统治者的理念。中国这片土地,不耕就不能吃饭,倘若民不聊生,国家财政就会枯竭。因此"不先耕而成霸王者,古今无有",不管谁称王称霸,都必须首先抓农业,不准以商害农。从理论上说,商品经济是对农业经济的一种腐蚀剂,含有较活跃的"革命"性质,但商品经济本身并不能产生新的生产方式,新的生产方式的产生还取决于其他一系列因素。历来统治者都把淫侈之俗、诈伪之风归罪于商人,这不全对,也不全错,拜倒在"孔方兄"脚下的人是没有人格可言。有一副描写事末利的对联也许算是比较客观的:

食为民天济所不足
农实国本利有其余

在中国古代的社会体制下,农商矛盾不可能从根本上得到解决,因为它涉及到一个早已困扰人类数千年的社会分配不公问题。这已超出本书的讨论范围,暂不述说。另须补充一句的是,《吕氏春秋》并不反对正当的商业行为,如《上农》篇就仍有"农攻粟,工攻器,贾攻货"的话,还是以农、工、商并提的。

《吕氏春秋》农学四篇的主要价值其实并不仅在其重农思想,而更在于后三篇的技术含量。其中所记的农业技术知识,在今天看来都已是古董了,然而质诸中国几千年来变化不大的耕作方式,却又不见得怎么"落后"。历史不能照搬,数千年前的东西也不可能总存在实用价值,但作为农学史料来看,溯流及源,这三篇文字还是弥足珍贵的。惟是诸篇文字古奥,大不类《吕氏春秋》其他篇章所用的战国时文,很可能是更早文献的孑遗,有些术语尚待通解。下面仅据初步领会,略分几个方面作些提示。

1. 论畎田的耕作

《任地》篇载:

> 后稷曰:子能以窐(洼)为突乎?子能藏其恶而揖(辑?)之以阴乎?子能使吾土(土)靖而甽(畎)浴土(土)乎?子能使保湿安地而处乎?子能使雚夷(荑——茅草)毋淫(蔓延之意)乎?子能使子之野尽为冷风(和风)乎?子能使藁数节而茎坚乎?子能使穗大而坚均乎?子能使粟圜而薄糠乎?子能使米多沃而食之强乎?无之若何?
>
> 凡耕之大方:力者欲柔,柔者欲力;息者欲劳,劳者欲息;棘(瘠)者欲肥,肥者欲棘;急者欲缓,缓者欲急;湿者

欲燥,燥者欲湿。上田弃亩,下田弃畎,五耕五耨,必审以尽。其深殖之度,阴土必得,大草不生,又无螟蜮。今兹(年也)美麦,来兹美麦。是以六尺之耜,所以成亩也;其博八寸,所以成畎也。耨柄尺,此其度也;其耨六寸,所以间(间)稼也。地可使肥,又可使棘。人(入?)肥必以泽,使苗坚而地隙;人(入?)耨必以旱,使地肥而土缓。

这一篇文字,看来出于某一部古书,也许其书名就叫《后稷》。后面的两篇,说不定也出于同一部书,改编的地方不多。其文开头即连发十问,涉及土地的平整(使洼为突)、翻耕(藏恶土而敛之以阴土)、畎沟壤土的细作("浴土")、保湿保墒、对杂草蔓延的抑制、庄稼的通风、拔节生长、秀穗、结实、米的质量等十个问题,几乎概括了农事耕作的全过程。这种提问的方式,显见是引人读书之法。其论耕作方法说:过于坚实的土地("力")希望它松软些,过于松软的土地希望它坚实些;过于省力的希望能费些力,过于费力的希望能省些力;过于瘠薄的土地希望它变肥,过于肥厚的土地希望它变薄;土性急的希望它变缓,土性缓的希望它变急;太湿的希望它变干,太干的希望它变湿。这些皆因时、因地、因人、因力、因作物种类、因轮作方式等而异,不可能一律。上等的地可以种沟("畎")不种垄("亩"),下等的地可以种垄不种沟,勤加耕耘,惟以能尽地力为准。翻地的深度,要能达到湿土层("阴土"),挖除草根,消灭虫蛹,这样就不会生出大草,又可以减少害虫,使每年都得到收成。耕耜(犁)六尺长,用来确定田垄的宽度(垄宽六尺);耜刃宽八寸,用来确定沟的宽度。耨(耘锄工具)柄长一尺,刃宽六寸,形制较小,是为了耘苗的方便。土地能够变肥沃,也能变得瘠薄。施肥时必须浇水(或有雨),这样可使禾苗长得茁壮,而土壤也有空隙；锄地必须在旱天，这样可使土地保持肥力，而表层土也变松。

此篇主要论耕，而及于耘锄、施肥、浇水等田间管理，皆基于我国古代的一种基本的耕作制度——畎田制。这种制度起源很早，《尚书·益稷》就有"濬畎浍距川"的记载。其方法是在田间起垄挖沟，垄宽大约有一犁体的长度（上古木犁即是耜），在六尺左右，畎沟则仅约略相当于一犁刃之宽。古人说"广尺深尺曰畎"，可能差不多。《吕氏春秋》本篇以耜刃八寸作标准，也只是个约数。高诱注说"三尺为畎"，不符合本文原意，不是他没有理解原文，就是拿汉代可能有的三尺之畎来解释古制了。古时地旷人稀，广种薄收，不存在土地紧张的问题，所以田垄留得很宽，畎沟则很窄。耕种都在沟里，深翻后整平，沟表面要比垄面低，以便于保墒、浇水、施肥、培土、防风，提高实际单位面积产量。这样做大概还有一个目的，就是垄留得宽些，除了平日田间管理的活动方便外，战乱年代还可以从垄上通过兵马，使庄稼少受损失。《左传》成公二年就记载晋、齐鞌之战后，晋人因为获胜，遂要挟"使齐之封内尽东其亩"，以求"唯吾子戎车是利"。意思是要使齐国境内的土地都由南北向的田垄变成东西向的，好让晋人的战车方便开进。不过畎田制通常只适用于较好的土地，至于山岭薄地则不但不能开沟，还须培土为垄，在垄上种植才能相对增加耕土层厚度，提高壤土的利用率并起到一些保水保肥的作用，这也就是所谓"下田弃畎"。实际上，古时可能更多采用的是无垄无沟的简单点种，不然汉代就没有必要大力推广区田法（畎田制的一种发展）。《上农》篇所说"量力不足，不敢渠地而耕"，也可能指的就是贫苦农民不准造畎田。

2. 论土地的利用

《辩土》篇说:

> 凡耕之道,必始于垆,为其寡泽而后枯。必厚其靹(䩼),为其唯厚而及饱(饱)者。莛之坚者耕之泽,其靹而后之。上田则被其处,下田则尽其汗。

> 无与"三盗"任地:夫四序参(三)发,大畮小亩,为青鱼肱,苗若直猎,地窃之也;既种而无行,耕而不长,则苗相窃也;弗除则芜,除之则虚,则草窃之也。故去此"三盗"者,而后粟可多也。

> 所谓今之耕也,营而无获者,其蚤(早)者先时,晚者不及时,寒暑不节,稼乃多菑(灾)。实其为畮(亩)也,高而危则泽,夺陂则埒,见风则僵(蹶),高培则拔。寒则雕,热则修,一时而五六死,故不能为来,不俱生而俱死。虚稼先死,众盗乃窃,望之似有余,就之则虚。农夫知其田之易(治)也,不知其稼之疏而不适也;知其田之际也,不知其稼居地之虚也。不除则芜,除之则虚,此事之伤也。故畮欲广以平,甽欲小以深,下得阴,上得阳,然后咸生。

这些文字,仍着眼于畎田的耕作,而主要谈土地的利用问题,故以"辩土"为篇题。大意是说,耕作必须首先从黑色而质性较硬的粘土地("垆")开始,因为这样的土地在少雨的时候干旱较慢。翻耕这类土地,一定要增厚其土层薄的部分("靹"),因为只有厚实才能充分保持水分。杂草丛生("莛")而质性较硬的土地可在雨后开耕,先除其草,增厚薄土层的工作随后进行。上等的地本较平整,薄土层的增厚随处进行即可;下等的地则一定要把低洼积水的部分填平。利用土地,有三种不收成的情况("三盗")必须注意:一是一年四季几次耕收,大大小小的畎沟垄亩就像青鱼箱一样,而长出来的苗却像用手捋过那样直,不长叶,这是土质的问题;二是种下去以后,出的苗零零落落不成行,耕耘也不见长,这是种子和留苗的问题;三是草太多,不除草就荒芜,除草之后庄稼又虚弱不堪,这是草的问题。所以种地要排除这三种情况,才能多打粮。现在种地,勤力经营而无收获的,往往认为是种早了或种晚了,没赶上季节,所以多灾。这是不错的,但其中还有土地整理和利用的问题也不容忽视。田垄做得太高太陡,畎沟里就容易积水;积水太多成了池塘,需要放水,而放水又会把垄上的土冲下来,填平畎沟("垺");垄低沟平,庄稼见风就倒,必须培土,而培土又会超过("拔")庄稼杆茎正常生长应有的高度。这样的庄稼,气温低的时候会凋零,气温高的时候会疯长,一时温差悬殊便死去十之五六,所以往往不能同时成熟,生长期不同却要同时收割。一般虚根不实的庄稼先死去,此后种种危害收成的情况就一齐都来了,远远看上去地里的庄稼还不少,就近观察便知道都是虚的。地也有实处、有虚处。农民只知道治田,而不知道庄稼的疏密适合不适合具体的地段;只知道自己的田地哪里是边,而不知道把庄稼种在大块地的实处,有时反而恰恰种到虚处去了。至于草多之处,不除草就荒芜,除草又使庄稼虚弱。这些都是伤害农事的大端。所以开畎田时,田垄一定要宽而平整,畎沟一定要窄而深翻,下能得湿土的保养,上可以通风透光,阴阳适宜,庄稼就都会长得好。——此类内容对深入了解古代的畎田制是很有用的。

3. 论种植

《辩土》篇接下说：

> 稼欲生于尘而殖于坚者，慎其种，勿使数（密），亦无使疏。于其施土，无使不足，亦无使有余；熟（仔细）有耰也，必务其培。其耰也植，植者其生也必先；其施土也均，均者其生也必坚。是以晦广以平，则不丧本。
>
> 茎生于地者，五分之以地。茎生有行，故速长；弱不相害，故速大。衡（横）行必得，纵行必术（"术"本指道路，这里是正直的意思），正其行，通其风，夬（决）心（一作必）中央，帅（率）为泠风。苗其弱也欲孤，其长也欲相与居，其熟也欲相与扶。是故三以为族，乃多粟。
>
> 凡禾之患，不俱生而俱死，是以先生者美米，后生者为秕。是故其耨也，长其兄而去其弟。树肥无使扶疏（茂密），树墝不欲专生而族居；肥而扶疏则多秕，墝而专居则多死。不知稼者，其耨也，去其兄而养其弟，不收其粟而收其秕。上下不安，则禾多死。

这些记载，涉及下种、保苗、间苗、耨锄等农事程序，总起来是谈种植的。作者认为，庄稼总是喜欢生长在疏松的土壤中而又扎根坚实，所以种庄稼要慎重，既不要种得过于密集，也不要种得过于稀疏。加在畎沟里的土不要不够，也不要多余（不能与垄相平或超过）；要仔细地把土捣碎（耰是碎土工具），并注意培紧而保持水分。经过碎土平整后再下种，种子发芽就直，出土也早；表层土均匀，苗长出来也结实。因此田垄宽而平，可以使禾苗不受伤害。禾苗开始长茎的时候，大约有五分之一在表土下,这时就要留好行距和株距。茎生都成行,苗就长得快;弱苗不受妨害,也能长大。横看成行,纵看成行,行正通风就好,和风飒然而至,可以一直吹到地中央。苗弱小的时候是单独生长的,长起来后就互相依连,等成熟了就互相扶持。经过这样三个阶段,庄稼就聚成一片,乃可多打粮。种庄稼最担心的事之一,就是生长不齐,有的先生先长,有的后生后长,而最后却要一起收割。所以先生先长的颗粒饱满,后生后长的大都是粃子。因此在锄地间苗的时候,要把长得好的大苗留着,把长得不好的小苗去掉。一般肥地上的苗比较整齐,大小差不多,但留苗不要过密;瘦地上的苗参差不齐,也不要光留大的,还应留一部分小的,保持一定的密度,使之连成一片。肥地上留苗过密,会多生粃子;瘦地上只留大苗,过于稀疏,也会多枯死。不善于种庄稼的人,锄地时把大苗去掉,专去保养小苗,结果收获的不是成熟的粟米而是粃子。这样大苗小苗两相失,禾苗会多死去。此类记载还是主要就黑色刚性粘土地来说的。文末有"刚土柔种"的提法,就是要求通过精细的调和操作,把土壤的肥力充分发挥出来。

4. 论农时

《任地》篇说:

五时见生而树生,见死而获死。天下时,地生财,不与民谋。有年瘗土(即祭土),无年瘗土。无失民时,无使之治。下知贫富,利器皆时至而作,渴时而止。是以老弱之力可尽起,其用日半,其功可使倍。不知事者,时未至而逆之,时既往而慕之,当时而薄之,使其民而郄(逆)之。民既郄,乃以良时慕,此从事之下也。操事则苦,不知高下,民乃逾处,种穄禾不为穄,种重(種)禾不为重,是以粟少而失功。

这段话虽然附会"五时"("五行"之时),实际所强调的还是农时的自然性质。春夏万物生长,也是种庄稼的季节;秋冬天气肃杀,也是收获和收藏的时候。庄稼要靠人种,而天时、地利不能完全控制,农民必须顺从时令规律,收成了要祭土报功,不收成也要祭土禳灾。时至而作,时过而止,可以事半功倍;不当其时,或早或晚,则农事虽苦而少功,种穄(后种先熟之谷)不得穄,种穜(先种后熟之谷)不得穜。所谓"使其民而郄之",仍是对统治者不善用民,或更以种种力役剥夺农时的行为的批判。

对于农时问题的独特论述详见于《审时》篇。此篇首先指出:"夫稼,为之者人也,生之者地也,养之者天也。"把天时定为收成与否的决定性因素之一。然后历举粟、黍、稻、麻、菽、麦六种作物,分别以其"得时"、"先时"、"后时"的性状作对照,三种情况的优劣得失一目了然,表现出古人对季节时令与作物关系的精细观察。这里仅举粟、菽(豆)两种以为示例。

得时之禾,长秱长穗,大本而茎杀,疏穖而穗大;其粟圆而薄糠,其米多沃而食之强;如此者不风。先时者,茎叶带芒以短衡;穗巨而芳,夺秕米而不香。后时者,茎叶带芒而末衡;穗阅而青零,多秕而不满。

译文:按时令种植的粟禾,顶秆长、穗也长,茎的基部粗大、上部渐小,穖(穗的各个组成部分)较疏朗而穗大;其粟圆实丰满而糠皮薄,去皮后的小米含水分多,有油性,吃起来有劲;这样的粟,未收时也不会风落。先于时令种植的粟,茎和叶都带芒,茎较短，叶较平；穗也大，而且闻起来有香味，但脱皮后的小米吃起来不香。后于时令种植的粟，茎和叶也都带芒，茎小叶平；结穗后不久就未熟先落，多秕子，不成实。

  得时之菽，长茎而短足，其荚二七以为族；多枝数节，竞叶蕃实；大菽则圆，小菽则抟以芳，称之重，食之息以香；如此者不虫。先时者，必长以蔓，浮叶疏节，小荚不实。后时者，短茎数节，本虚不实。

译文：按时令种植的豆，枝茎长而本干粗短，每枝上都是二七对称的十四个荚；枝多而各有几节，枝叶繁茂，豆粒成实；大豆圆圆的，小豆也团团的，且闻起来有香味，同等数量的豆荚或豆粒作称重比较，比先时、后时的都重；吃起来也觉得性平缓，味道香；这样的豆还不生虫。先于时令种植的豆，一定会茎长得很长而成了蔓，外表叶子多而节少，豆荚小且不成实。后于时令种植的豆，则茎短而有几节，本干虚弱，豆粒不成。

  本篇所提到的六种作物都是我国古代的传统作物，也许还可反映出春秋战国时代关中作物种植的情况。其中以麦居最后，而那时关中种麦还较少，所以到西汉时，晁错仍曾奏请关中增种小麦。篇末又总结说："得时之稼兴，失时之稼约（产量低）。茎相若（茎秆差之多），称之，得时者重。粟之多（体积），量粟相若而舂之，得时者多米；量米相若而食之，得时者忍饥。是故得时之稼，其臭（气味）香，其味（味道）甘，其气章（指其力强）。百日食之，耳目聪明，心意睿智，四卫（四肢）变强，凶气不入，身无苛殃。"可见古人对粮食的产量、质量与农时的关系早就作过很细致的观察、实验和体验，其方法也是科学的。

  《吕氏春秋》所留下来的这些农业技术知识，透过古奥的字面，读起来还是蛮有味的。或者就用作者形容"得时"之谷的语言以譬之,可说"其臭香,其味甘,其气章"。人们已经习惯于指称上古农业为"刀耕火种"的落后形态,可是从这些记载来看,至迟到春秋战国时,中国式的基本耕作种植技术和原理已经趋向成熟。举凡土地之利用、垦殖之程序、土壤之性能、畎亩之大小、施土之原则、种植之关节、除草之技巧、作物之种类、农时之把握以及下种、保墒、耘苗、正行、浇水、施肥、通风、防灾等一切技术细节,在短短不足两千字的篇幅中层见叠出,尽管有些语焉不详,却尽可证实其技术内涵决不那么简易。单就学术言之,也许这些资料的综合价值,莫过于对古代畎田制的多侧面剖析。现存所有关于畎田制的先秦材料,真正可供具体裁制并勾画其大模样的,恐怕只有这三篇文字。汉代的区田法,照《氾胜之书》所记,大率有两种:一种是将长方形的一亩地,横分为十五町,十五町之间留十四条人行道,各町上每隔一尺按全地的纵向挖若干直沟,沟宽一尺,翻土深也是一尺;另一种是在土地上直接剜方坎,坎的方、深都在一尺以下,间距则因上、中、下农夫区而不同。这样的方法,显然就是由先秦畎田制发展来的,并且先秦时早就有这两种(沟状、窝状)方法的初始形态并存。《氾胜之书》说:"汤有旱灾,伊尹作为区田。"对此可以不信其人而信其事,区田的起源一定很早,只不过汉代又特别加以标准化并大力推广而已。历来争论不休的上古"井田制",很可能本来只是指在王室、公室的公田及贵族土地上所实行的一种畎田制。这种畎田制是以水利的独占为前提的,畎不一定都是纵向的沟,照理有时也会加上像汉代那样的横向的町,于是就构成"井"字形,有如《吕氏春秋·辩土》篇所说的:"大畎小亩,为青鱼胅"。普通农户无利水之权,最多只是"负水浇稼",却有不准"渠地而耕"的"野禁","量力不足"说到底也不过是一种贵族独占水利的口实。春秋战国之际学者论"井田",着眼于剥削量的大小,或者是忘记了它本来的"名实"关系,或者是因为对畎田耳熟能详,根本就不在意,以致孟子的整齐化描述使"井田"成了一个"谜"。其实只要把孟子所说的"九家为井"转换一下,理解为农民在贵族畎田上的集体劳动,未必不可以解释"井田"。畎田或曰"井田"耕作的优点是显然的,从原则上讲谁都可以采取,但须有充分的土地和充足的人力、物力作保证。中国农民一直习惯于平地耕作,至于随着劳动条件的一步步改善,可以大面积灌溉和施肥时,一般这一方法也就不再被采用了。

有人把先秦农家分为两派,一派以托始于神农、"有为神农之言"的许行为代表,一派以托始于后稷的《吕氏春秋》农学四篇为代表。实际秦汉以后农家鲜有派别可言,先秦农家也很难理出个线索。《后稷》一书出处不详,《吕氏春秋》的引用也不过是托名于"圣王之制",以此确认诸篇的作者是秦国农家,却又是说不清楚的问题。更切实一些,还是把诸篇的重农倾向统放在吕氏的王政思想中去理解为好。

十二 《吕氏春秋》的文化史价值

本节拟总括前述内容,谈一谈《吕氏春秋》一书在中国文化史上的价值。因为其书内容既广且杂,不是单靠一条线索就能贯穿起来的,所以下面的讨论不得不追述得远一些,扯开得宽一些,总的意思是想把它放到中国古典文化发展的大脉络中去考虑。也许只有这样,才能对本书的文化史价值得出较为切实的认识,而不是只停留在它的"杂"的表面上。为了清楚起见,分几个题目来谈。

1. 古典王官文化与先秦诸子

古典王官文化,笼统地说就是指当时的王朝文化和官府文化。和它对立相成的是直接植根于社会生活土壤中的民间文化。有人称王官文化和民间文化为雅文化和俗文化,也称为大传统和小传统。历来谈先秦诸子的起源问题,和王官文化联系起来的比较多。

中国文化的起源和发展,如果基于大跨度的认识,实际可分为四大段:一段是长达上百万年的原始社会文化;一段是夏、商、周三代约两千年的古典文明;一段是秦汉以降约两千余年的大一统文化;一段是近现代文化。和四大段对应的有三个重大转型期:一是传说古史上的"五帝"时代(大略相当于考古学上的典型龙山文化时期),从公元前2400年前后到公元前1900年前后,历时约500年,是中国由原始社会向文明社会过渡的期段;二是春秋战国时代,从公元前8世纪中叶到公元前3世纪末叶,历时亦500余年,是由三代文明向大一统文化过渡的期段;三是近现代,自1840年鸦片战争前后开始,中国文化由传统格局向近代化、现代化转变,这一转变过程至今仍在进行中,并且还要经历相当长的时段。《吕氏春秋》一书的写作时代,正处在第二个转型期的末段。

古典王官文化的起源,根据比较可靠的古史传说和考古资料,至迟可以上溯到"五帝"时代。这一时代的历史,主要是东夷、西夏、北狄、南蛮四大集群在黄河中下游流域冲突和融合的历史。其早期不断发生大规模的部落战争,各大集群竞相把成千上万的部落酋邦(由原始部落发展而来)组织到自己的体系之下,故有黄帝以云纪、炎帝以火纪、少昊以鸟纪等传说。最早在部落战争中取得重大胜利的是北狄集群,其首领黄帝因此而登上部落盟主的地位,后世亦率称黄帝为中华民族的祖先。此后以颛顼、帝喾为代表的东夷势力凭借在黄河下游地区的雄厚文化根基主盟,西夏势力的实际代表鲧(传说中的大禹之父)和夷夏融合势力的代表祝融亦参与联盟决策,从而逐渐形成北狄、东夷、西夏三大集群轮流主盟的局面(此即"禅让"传说的历史根源),"五帝"时代后期的尧、舜、禹即分别出自三大集群。其时华夏民族的初步凝聚和融合,已隐然透露出王官文化的滥觞。传说所称东夷少昊集团的"鸟官"系统,分为部落——胞族——氏族三个层级,由24个鸟图腾氏族组成,已具备早期血缘——地缘国家的雏形。颛顼的"绝地天通",设"南正"主持祭天而掌神事,设"火正"主持祭地(兼祭用以制历授时的大火星)而掌民事,垄断重大祭祀权,禁止普通民众直接与"天"打交道,是中国社会由原始状态向文明形态过渡时期的重大宗教改革。考古发掘所见龙山时代的大型玉斧(甲骨文的"王"字即是大斧的象形)以及龙山文化古城(豫西王城岗、鲁北边线王遗址)垣基下所发现的仪式性人殉,也可为王权与王官文化的胚胎提供实证。那时中华本土古国林立,神权占据统治地位,各酋邦之内也都是酋王与巫师共同执权。

黄河流域部落大联盟的最终结局是蜕变为夏王朝。大禹并不是夏王朝的建立者,在他死后,按照原始民主制下轮流主盟的惯例,盟主的地位本应归属东夷。其时夏启依靠"四岳"的支持,击败东夷而夺取联盟权力,从此开始了持续百余年的夷夏交争。大致到启的五世孙后杼征服广大的东夷地区之后,姓族统治的夏王朝才算是真正建立或说巩固起来,这也标志着"五帝"时代的正式结束。夏王朝所奠定的社会组织模式,是由一个中心王国("中国")控驭万方("方国"),以武力为后盾,以宗法制的层级的分封为表征,贵族独占权力,并通过层级的"进贡"为经济联系渠道,组成一个大地域的"松散的联邦"。由此而在文化上,承接"五帝"时代后期的大舜礼乐,以祭祀权力为主导,顺次构筑起注重等级名分的新型礼制。此后相继崛起的商、周王朝,一切皆相因而损益,使分封制、宗法制、贡赋制、礼乐文化等日趋成熟。

一般地说，夏、商两代王官文化的基本性格还是神本主义的，神的启示及其相关原则在王事活动的一切领域中都具有决定性的统治作用。但与神权相伴随的，还有日益成长起来的"余一人"式王权的独尊，以及与独尊的王权对立而互补的尚贤传统、"德治"萌芽。神本文化并不是一切始于神、终于神的文化，中国式的礼乐文化是注重历史、讲求实际的，即使在"天道"思想占支配地位的时代，它所蕴含的"德治"主义、贤人作风也从来没有中断过。因此巫师的权能决非如时下所想像的那样，可以笼括万有，无所不包；至迟到商代后期所建立起来的庞大史官集团，已开始把世俗理性引入王家政治和王官文化中。商末政治上的腐化和军事上的成功与失败，既把神本主义原则推向极致，同时也造成了使这一原则趋向淡化的机制，人事的衰落和"天神"偶像的失灵同时为王官文化的更改与维新提供了新的历史机遇。周人灭商后，从较低的文化起点上发扬维新精神，接受、整理和改造殷时王官文化，为之注入活力，剔除浮靡，使以"周礼"的形态逐渐趋于鼎盛。"周礼"是个大概念，决非仅出于周人的创造，它事实上只是华夏传统礼乐的一个时髦新词，其主干血脉仍直承夏商；但是"周礼"文化的主导精神已逐步由神本转向人本，非复商殷王官学之旧观。其精粹成果主要保存于后来被称作经典的几部书中。

"周礼"文化人本性格的定向过程涉及多方面的社会因素，这里不拟详谈，仅想指出，促成这种变革的转枢实在史官制度及其职能的变化。西周史官制度是从商代继承下来的，周王朝史官的不少职名都可与商代卜辞所见直接对号，周初史官集团的大部分成员也当来自商朝。史官集团这时虽仍掌宗教祭祀等大典礼,有时也还要参与卜事,然大要在佐王命、协执事,"掌官书以赞治"而已,实不得再仅以巫职视之。因此见于载籍及金文的西周高级史官大都以政治或文化活动著称,极少仅以卜事见载。由此推及西周专职的卜官,其职业地位与权能也已无法与商代的"贞人"和巫师相比。实际上,周时卜官的重要性远不如史官,甚至可以说周代卜官在相当程度上也史官化了。史官制度的发达,与"学在官府"的教育制度相适应,加上文明进步的诸多因素,都使西周典章文献的制作、整理和保存远超于前代。《左传》昭公二十九年引史墨之言曰:"夫物物有其官,官修其方(书),朝夕思之。一旦失职,则死及之。"这便道出了当时文书官守的森严情形。《周礼》所记王官之史,可数者殆不下千人;现在有名氏可查的周代史官,总载籍与金文所录,仍有约七八十人,甚非其他官职可比。龚自珍《古史钩沉论二》乃极而言之:"周之世官,大者史。史之外无有语言焉,史之外无有文字焉,史之外无人伦品目焉。史存而周存,史亡而周亡。"他还认为六经为"周史之大宗",诸子为"周史之小宗"。这样说来,西周王官文化也就是史官文化。史官文化当然也不纯是人本主义的,它在当时的历史条件下并不能彻底摆脱宗教神学的羁绊,但它的基本性格与神学独断不相容。因此它一面试图把神权下放到人间,致力于将"神话"历史化;一面又在不排除"天道"的前提下,把广义的礼制所包含的习惯法规提升到经典的高度,使之成为融合"天理"与"物理"而赋予普遍价值的自然法。这就使导源于先周"德治"主义、贤人作风的"敬德保民"思想和人本观念日益凸显起来,传统的"天道"观念被置之虚位,从而最终激发了重人事、轻鬼神的思潮在春秋时期的渐次风行。

先秦诸子的文化渊源,主要的亦须从上古王官文化中去寻找。诸子学派当然大都有一定的民间基础,但是民间传统在任何时候都不会成为在社会中占主导地位的价值系统。诸子学派的大师们无论出身于哪个阶层,他们所用于理论思维和创造的基本知识框架,或说他们所能占有的全部知识的主要部分或基本部分,仍来源于传统的王官文化。《汉书·艺文志》记录西汉古文经学家的看法,首倡"九流出于王官"说,并把儒、道、阴阳、法、名、墨、纵横、杂家、农家、小说家者流,分别与司徒之官(教化之官)、史官、羲和之官(历官)、理官(司法官)、礼官、清庙之官(祭祀官)、行人之官(使者)、议官、农稷之官、稗官一一对应起来。这种条块分割的方式拘泥于学术上的分类,是拿了诸子学说各自的突出特征与上世部门官职的特征对号,虽符合学术研究要求细致分析的规律,却又大大妨碍了人们对诸子共通性的观察和思考。所谓"九流十家"的分类体系本不尽合理,至于以诸子与上世官职对号,则又忘记了诸子兴起的先后次序,乃至混淆了文化发展的时空维度,于是不免出现牛头不对马嘴之处。例如以为"名家者流,盖出于礼官",便完全是无稽之谈;称说"杂家者流,盖出于议官",也毫无道理可讲。是以此议一出,学者道短说长,不绝于耳,迄至近世仍争论不休。然而汇合起来看,把诸子的起源与古典王官文化联系起来,却又决非没有理据。汉人的问题出在对号入座得太具体,原不在对于诸子文化渊源追究根底的思维倾向上。

先秦诸子的兴起,就其具体途径而言,实质上就是王官之学散入私家。西周的灭亡和周平王东迁,既是周王朝解体的转折点,也是"礼坏乐崩"、王官文化急剧衰落与下播的开端。这时不仅王官旧典因兵燹和动乱而散落,而且王官文化集团也因王纲解纽而发生变动。由此导致王官学的衰微和分裂,"学在官府"的局面被打破,与官学并行的民间私学于是乘势而起。严格说来,通常意识下的所谓"私学"并非春秋时才有,上古"畴人"之学很早便既属于王官学系统,又是"私学"性质的贵族家学。如章太炎所说:"古者世禄,子就父学,为畴官。"(《订孔上》)其时官师治教不分,有官、有法始有书、有学,官师集于一身,贵族子弟得习其业。一般人无受业机会,欲进身则需通过"宦学"的途径,不得不给事官府或供洒扫为仆役。在这样的体制下,民间私学自然不可能产生,而贵族家学通常也不会转变为民间私学。逮至两周之际,大批王朝文化官员转移下层或流落民间,遂使王官旧典的传播及与之相伴随的民间私学之兴起不可逆转,孔子所谓"天子失官,学在四夷"正是恰切的描述。王朝史官之散在诸侯,司马迁《太史公自序》言其家世之变迁是最确实的记录,另外还有不少材料可以证明,春秋时诸侯史官多出于西周史官世家。这些下移的史官及其后嗣,事实上已很难保持单纯的官师身份,大约有相当一部分逐渐向着私家学者的地位转变。《吕氏春秋·当染》篇载有一例:"鲁惠公使宰让请郊庙之礼于天子,桓王(疑当做平王)使史角往,惠公止之。其后在于鲁,墨子学焉。"高诱注:"其后,史角之后也。"如果说史角之辈尚不能全以"失职"例之,那么《晏子春秋·内篇·问下》所载"周室之贱史"柏常骞,去到齐国之后自称"正道直行则不容于世,隐道危行则不忍",便可说是典型地反映了春秋之世王朝史官沦落失职的一般情形。因失职而流落民间的王朝或诸侯文化官员,大约一部分过着比较单纯的隐居生活,更多的则由避世之途转而从事收徒讲学,从而成为早期民间私学的实际创办者。老子是人们熟知的例子,相传他曾做过周王朝的"守藏室之史",后见周衰,"免而归居",不知所终(《史记》本传)。大约他也曾收徒讲学,故有遗说传世,后来竟被奉为道家鼻祖。墨子的身世不详,从载籍所称"史占墨"、"史定墨"("墨"指占卜的兆)等来看,他也可能出身于巫史世家,或者就是晋国史官蔡墨(即史墨)后裔而流落鲁地者,不然更无从夸说"吾见百国春秋"了。老、孔、墨之前的私学源流,不大容易理出头绪。见于《论语》的春秋时隐士,如柳下惠、蘧伯玉、子桑伯子、少连、接舆、长沮、桀溺、荷蒉与荷蓧丈人以及铜鞮伯华、介山子然等,行迹多不可考,而大都受到孔子的尊敬。其中柳下惠曾为"士师"而屡遭贬黜,最终居柳下讲学,是春秋前期由官学转入私学的著名人物之一。旧注说他是"鲁大夫",而"士师"本为典狱之官,很可能他原是典型的"以吏为师"者的先生。卫人蘧伯玉曾为国相(见《吕氏春秋·召类》),孔子称之为"邦有道则仕,邦无道则可卷而怀之"的"君子",相传孔子到卫国时还曾向他请教,看来也是一位由官学转入私学的人物。我们在前文中已提到,郑国那位教人"学讼"的邓析,与孔子相比,也该算是私学前辈。和孔子同时的学者,如鲁国兀者(断足人)王骀讲学,"从之游者与仲尼相若……与夫子中分鲁"(《庄子·德充符》);少正卯的私学使"孔子之门,三盈三虚"(《论衡·讲瑞》)。事虽不能较真,而所见私学趋盛之大势不虚,足可证其时王官之学散在四方,民间私学已不分疆界野鄙。

春秋士阶层的形成是贵族下降和庶人上升双向流动的结果。春秋末年,"邦无定交,士无定主",叫人听从"天命"的教条不灵了,"学而优则仕"成为流行的口头禅。士庶人要谋求较好的职业和提高身份,又不能不由其道,于是乎纷纷涌入私学;

而行将没落的宗法贵族为维持其世袭特权，这时也急于利用私学以疏通越来越不适应形势发展的礼仪旧制。这是刺激民间私学成长的一大机缘。由庶人阶层上升的士而进入私学领域的，愈后而愈多，孔子是其总代表。孔子本是贵族出身，然而也是"三后之姓，于今为庶"的没落宗族后裔，他年轻时的身份实与庶人相差无几。他早年曾受过官学的教育与否，史无明文；以现有材料推断，他的学问可能和当时许多下等士人一样，主要是通过"宦学事师"的途径积累起来的，又随游踪所至，得自贤士大夫之益。他学无常师而无不学，对于早期私家讲学先生（如柳下惠、蘧伯玉等人）的风范是景仰的；待到他初欲在仕途上发展便接连受挫之后，遂亦选择了创办私学的道路，并通过数十年不懈的努力，终于成为一代私学宗师，而同时成就了一位前无古人、后无来者的伟大教育家、思想家。孔子平生办学的最大业绩，在于他不拒远近，"有教无类"，能将旧有及新起的民间私学联成一个偌大的松散网络，从而构成规模空前的层级的私学。这样的私学，就其整体言之，显然不能看成是普通形式的私塾。以往学者言及孔子的私学，对其组织形式设想得过于整齐，总以为其中受业身通的"贤人七十"可信，"弟子三千"则是不大可能的事。其实孔子乃当时私学界领袖，所谓"贤人七十"大都是各地私家讲学之师（包括极少数时或出仕而仍收徒授业者）；至于"贤人七十"所属，恐怕又不止于"弟子三千"。层级的私学及整理传统王官典籍为教本之需，都使孔门弟子日益焕发出浓厚的学派意识，古代知识阶层的形成和扩展因此获得一个内在的支撑点。粗略地说，先秦诸子的第一个强大学派——原始儒学的正式成立，当亦以此种层级私学的出现为标志。孔子晚年周游列国，无异于是对诸国私学的一次大巡礼,其时他的主要活动还是讲学。到他谢世以后,他的后学"散游诸侯,大者为师傅卿相,小者友教士大夫"(《史记·儒林列传序》),早期儒家的学派性质日趋鲜明。

原始儒学是传统王官学的直系大宗。这一路的学术,如《汉书·艺文志》所说:"游文于六经之中,留意于仁义之际,祖述尧舜,宪章文武,宗师仲尼,以重其言,于道为最高。"但是在论及王官文化与诸子百家的关系时,在历史转换的关节上,仍不能采取非儒无外的单线式看法。这中间有一个并非无关紧要的问题,就是"儒"的称呼在初并无特定的学派含义。"儒"本是一个俗称,照我们所推求,它原是特指私家讲学先生而言的,亦即指民间私学之师。如果要下一个定义的话,可以这样表述:凡是依托于民间私学,有生徒或弟子受学,能执《诗》、《书》之类传统典籍讲授的,便叫做"儒"。这一称呼的约定俗成,起于早期私家讲学先生的一种习惯性服饰,即战国时习称的所谓"儒服"。古籍以"章甫之冠、缝掖之衣"指称"儒服",实际指的是一种由民间流行的襦衣(蔽至腰的短上衣)变制而成的宽博的长襦(蔽至膝)。大约私家讲学先生从一开始就效法官学之师,率以服长襦为礼文习尚,是致流俗于轻重抑扬之间称之为"襦者",久而以"儒"代"襦",遂成定名。汉世统称儒者为"缙绅先生",正是有力的证据;迄至近世,仍或戏称知识分子为"长袍阶级",尚存此种古俗的影响。因此,如果侧重于早期的"儒"为私学之师这一基本的定义,那么对于先秦诸大师的看法,就不能仅仅拘泥于后世标签式的学派划分;换言之,如果权且抛开思想路线上的论争,仅仅作为执经教授、传播王官文化、并致力于理论创造以图救时之弊的私学巨擘来看,先秦诸大师未必有实质上的差异。"儒"在初并不是孔门师弟子的专称,如老子本出于王官文化集团,原可说是典型的"儒";墨子最初师事王朝史官之后而"习儒者之业",又何尝不是"儒"!其余可以类推。先秦两汉时期,俗间对"儒"的界定也并不那么严格,如《盐铁论》就统称齐国稷下先生为"诸儒"。还有一个人们已习以为常而往往不加追究的事实是,"诸子"的称谓本来就起于对私家讲学先生的尊称和敬称,各家弟子言及本师亦必称"子"。这样来看,先秦"诸子"当然更不止"百家"。世守说经之业原是诸子的身份性共同特征,直到汉代,所谓"以教授为人师者"的"世儒"仍是儒者群体的最基本构成部分。退一步说,纵使着眼于学术上的区分,先秦诸子之间也未必像汉以后所理解的那样畛域分明。儒家在王官文化衰落和分裂之后固然兴起最早,但继起的墨、道、名、法、阴阳诸家亦直承王官学之遗意,并非尽由儒家化出。因此六经的编订虽主要出自儒家之手,六经本身却并非儒家所专属。诸子百家的概念系统和学理,就大处言之有大区别,就细处审查则往往语同而意近,相互渗透和蕴含之处甚多。对此《汉书·艺文志》引刘歆之言,其实已经揭示得很明白:"今异家各推所长,穷知究虑,以明其指,虽有蔽短,合其要归,亦六经之支与流裔。"这等于是说诸子百家皆源出于旧时王官学。由此反观同一个刘歆所主张的"九流出于王官"说,则惟模糊言之更近实;若必谓某家出于某官,或与某一经典相应,反失之于至察而自坏其说。这一特点的揭示不仅适合于各个学派,而且适合于学者本人。最典型的如荀子,有人说他是儒家,有人说他是法家,还有人说他是儒法过渡人物,更常见的说法是把他称为百家的总结者。实则哪一种说法都有所偏——准确地说,荀子乃是先秦齐学的总代表,而齐学本来就是综汇百家的,融合着中国传统文化的种种因素。据此也可以看出,诸子百家皆或远或近地传承着古典王官文化,因王官文化分裂后的直系大宗是儒家,所以荀子的思想看上去仍以儒家为主。不过荀子原不以"儒"自许,《荀子》一书中,"儒"字凡数十见,而多加"俗"、"陋"、"贱"、"腐"、"散"、"瞀"、"小"等贬斥性前缀,其态度一目了然。

王官之学散入私家,先秦诸子以"教师"的身份自觉实践,成为中国第一批将古典文化的大传统传播到民间的承担者。他们以空前活跃、敏感、机智、深刻而辩证的思维创造力,对传统文化进行全面、系统、批判性和超越性的反思,力图改变旧传统,吸取旧有的思想精华,渗入全新的思维度量,确立相应的思想形态,以促使整个文化进入更高的境界,这本身便是中国文化史上具有划时代意义的壮举。然而思想现象和价值系统的清理改造是复杂的,其中既有扬弃、维新、能动、开明以至激进和功利,也有传承、延续、存亡继绝、保守、复古以至退化,既有对未来的向往和设计,也有对往古的回顾和追忆。这些历来论述已多,近时学者的发掘和探讨尤见新颖,精义迭出,上述只不过试图补充几个细节,同时也作为下文讨论《吕氏春秋》与诸子的关系及其王政思想的一个出发点。

2.《吕氏春秋》与诸子的关系

熟悉古代学术史的人都知道,历来大家习称的儒、墨、道、法、名等学术派别名目,都是到西汉时才最后确定下来的。这种确定当然并非没有流传根据,与追溯诸子的起源不是一码事,所以无妨用于先秦,小有不合之处无关大局。

先秦学者论及古代学术思想史的现存材料主要有三种,

一见于《庄子·天下》篇,一见于《荀子·非十二子》,一见于《吕氏春秋·不二》篇。再后来的系统看法,就是汉代司马谈的"论六家之要指"(见《史记·太史公自序》)以及《汉书·艺文志》所记录的刘歆的叙说(亦反映出其父刘向的观点)。《庄子·天下》篇论古典王官学(即所谓古之"道术")分散为诸子百家,最能得春秋战国之际私家学术兴起的真相。其文有云:

> 古之所谓"道术"者,果恶乎在?曰:无乎不在。曰:神何由降?明何由出?……古之人其备乎!配神明,醇天地,育万物,和天下,泽及百姓。明于本数,系于末度,六通四辟,小大精粗,其运无乎不在。其明而在数度者,旧法世传之史尚多有之。其在于《诗》、《书》、《礼》、《乐》者,邹鲁之士、搢绅先生多能明之。《诗》以道志,《书》以道事,《礼》以道行,《乐》以道和,《易》以道阴阳,《春秋》以道名分。(《释文》:"道音导。")其数散于天下而设于中国者,百家之学时或称而道之。天下大乱,贤圣不明,道德不一,天下多得一察焉以自好。譬如耳目鼻口,皆有所明,不能相通。犹百家众技也,皆有所长,时有所用。虽然,不该不遍,一曲之士也。判天地之美,析万物之理,察古人之全,寡能备于天地之美,称神明之容。是故内圣外王之道暗而不明,郁而不发,天下之人各为其所欲焉以自为方。悲夫!百家往而不反(返),必不合矣。后世之学者,不幸不见天地之纯、古人之大体,道术将为天下裂。

这一段文字,虽然还是一"家"的口吻,但从上古文化的"神明"阶段谈起,一直到"邹鲁之士、搢绅先生"的传习王官典籍,迄于"百家之学"的称道,差不多把古典王官之学散入私家的历史过程都概括进去了。《天下》篇很难说是庄子的遗文,甚至有可能出于汉初,所以篇中对墨翟和禽滑黎,宋钘和尹文,彭蒙、田骈和慎到,关尹、老聃和庄周,以及惠施等各家代表人物的学术,都有着相对来说较为细致的归纳。不过文章的基本精神还是和庄子的思想相契合的,因此文中一面指出了古之"道术"由合而分的历史趋势,一面又表现出了对"道术将为天下裂"的不胜惋惜之情。有如《庄子·应帝王》所记的一段寓言:南海之帝儵与北海之帝忽谋报中央之帝浑沌之德,乃为浑沌凿窍,"日凿一窍,七日而浑沌死",把个好端端的"浑沌"文化给葬送了。此种观念所反映的,恐怕实际还是"不该不遍"的诸子百家到秦汉之际重新趋向一统的新形势,只不过作者的观察立场看上去有些颠倒。

荀子对于"十二子"(它嚣和魏牟、陈仲和史鳅、墨翟和宋钘、慎到和田骈、惠施和邓析、子思和孟轲,凡"六说"的代表人物共12人),也都作了相当严厉的批判,而他的落脚点也还是放在百家的整合上。其《非十二子》一文指出:

> 若夫总方略,齐言行,壹统类,而群天下之英杰而告之以大古(一作大道),教之以至顺;奥窔(讲堂)之间,簟席之上,敛然(当作歛然)圣王之文章具焉,佛然平世之俗起焉;六说者不能入也,十二子者不能亲也;无置锥之地,而王公不能与之争名……是圣人之不得势者也,仲尼、子弓是也。

> 一天下,财(裁)万物,长养人民,兼利天下,通达之属,莫不从服,六说者立息,十二子者迁化,则圣人之得势者,舜、禹是也。

> 今夫仁人也,将何务哉?上则法舜、禹之制,下则法仲尼、子弓之义,以务息十二子之说,如是则天下之害除,仁

人之事毕,圣王之迹著矣。

这比《庄子·天下》篇的表述清楚多了,明明白白地是在呼唤整合与一统,并且主张政治上"法舜、禹之制"(特指"一天下"),学术思想上则"法仲尼、子弓之义"。这个"子弓",荀子以之与孔子并称为"圣人"、"大儒",后世学者历来不清楚他指的是谁。照我们推想,他应该是指孔子晚年的首座高徒冉雍。冉雍字仲弓,比孔子小29岁,以"仁而不佞"、"居敬行简"、敬事孔子"己所不欲,勿施于人"的教导著称,与其父冉耕(字伯牛)并被孔子列入"德行"科。冉耕仅比孔子小7岁,先于孔子而死,孔子曾对他的死深表痛惜。大概在冉耕死后,孔子把孔门大宗师的地位寄托到冉雍身上了,故有"雍也可使南面"的极高评价。《论语》中的有子(名有若),传说状貌类孔子,在孔子死后曾被推举为孔门首领,这说法是很值得怀疑的。现在所知有子的为人和思想,如勤奋好学,重视孝悌,主张"礼之用,和为贵"及藏富于民,"无为而治"等,都与冉雍的思想极相合,说不定二人其实是一人,孔门后学编集孔子的遗说时,各据传习的称呼记录,把"雍"、"有"搞串花了,"子弓"更有可能是曾经流行的敬称。冉雍本出身于"贱人",大约因此而不被孔门弟子们所尊重,这与有子的首领地位很快就被否定的传说也相吻合。总观《论语》所记,可知冉氏宗学(为孔子弟子者另有冉求、冉孺、冉季等)曾大显于孔门。汉末郑玄作《论语序》,仍称"仲弓、子游、子夏等撰",亦可见冉雍在孔门中的地位;孔子语录可能出于冉氏所记者颇多。此亦涉及学术史问题,故顺便出此一说。

《吕氏春秋·不二》篇对各学派宗旨的记载比较简单,但非常精要。其文云:

> 老聃贵柔,孔子贵仁,墨翟贵廉,关尹贵清,子列子贵虚,陈(田)骈贵齐,阳生(杨朱)贵己,孙膑贵势,王廖(兵家)贵先,兒良(也是兵家)贵后。此十人者,皆天下之豪士也。

《不二》篇太短了,总共只有160多字,当有脱文。清代校勘家卢文弨以为上引文字应与《安死》篇的下列记载相衔接:

> 故反以相非,反以相是。其所非方其所是也,其所是方其所非也,是非未定而喜怒斗争反为用矣。吾不非斗,不非争,而非所以斗,非所以争。故凡斗争者,是非已定之用也。今多不先定其是非,而先疾斗争,此惑之大者也。

吕氏所谈到的十家,大致按人物生平的时代先后编排,连兵家也包括在内,而其中用尊称的只有孔子和子列子。《吕氏春秋》对诸子的"斗争"局面是抱着乐观态度的,决不同于庄子的悲观态度,甚至比荀子的态度还要乐观。"不非斗,不非争",这本身就是一种开放性的认识。虽然在理论上说,要"先定其是非"并不妥,但战国末年的政治形势确有了"定是非"的要求。《不二》篇所提出的目标是:"夫能齐万不同,愚智工拙皆尽力竭能,如出乎一穴者,其唯圣人乎!无术之智,不教之能,而恃强速贯习(靠博闻强记、速通而习熟),不足以成之也。"——整部《吕氏春秋》所要做的,也就是试图使"万不同"的百家学说归于"一穴",以便"足成"一种"圣人"的理想制度。

现在再顺次看一下司马谈的"论六家之要指"。《太史公自序》记录说:

> 《易大传》:"天下一致而百虑,同归而殊途。"夫阴阳、儒、墨、名、法、道德,此务为治者也,直所从言之异路,有省不省耳。尝窃观之,阴阳之术大祥,而众忌讳,使人拘而

多畏,然其序四时之大顺不可失也。……道家使人精神专一,动合无形,赡足万物。其为术也,因阴阳之大顺,采儒、墨之善,撮名、法之要,与时迁移,应物变化,立俗施事,无所不宜,指约而易操,事少而功多。……

原文于六家要旨各予评说,文长不俱录。从庄子、荀子的各六种区分,到《吕氏春秋》的"十人",再到司马谈的"六家",反映了战国秦汉之际建立诸子体系的大体路向。下至西汉末刘向、刘歆父子整理群籍,乃总为"十家九流"。"十家"指儒、道、阴阳、法、名、墨、纵横、杂、农、小说家;因"诸子十家,其可观者九家而已",故去小说一家,便成"九流"。这种分法在学术上是允许的,因为当时有这样一些类别的书,就无妨使用这样一些名称。近世学者对此种分法颇多非议。如梁启超说:"分诸子为九家十家,不过目录学一种利便。……盖其分类本非有合理的标准,……其批评各家长短得失,率多浮光掠影语,远不如司马谈之有断制,更无论《庄子·天下篇》及《荀子·解蔽篇》也。"(《汉书艺文志诸子略考释》)又具体指出:"纵横家毫无哲理,小说家不过文辞,杂家既谓之家矣,岂复有家法之可言,而以之与儒道名法墨等比类齐观,不合论理。……农家固一家言也,但其位置与兵商医诸家相等。农而可列于九流也,则如孙吴之兵,计然白圭之商,扁鹊之医,亦不可不为一流。"(《论中国学术思想变迁之大势》)胡适也说:"古无九流之目,《艺文志》强为之分别,其说多支离无据。"(《诸子不出于王官论》)这些批评也都有一面道理。但是学术研究总是愈趋愈细,"浑沌"不易凿,凿而"浑沌"死固然不好,不凿而永远"浑沌"下去也不行。不仅思想流派的划分不易理清,就连目录学的方便也是很难做得好的。即使在今天,使用较科学的方法,要把先秦诸子

十二 《吕氏春秋》的文化史价值

区分得十分停当,使人人都满意,恐怕也还是几乎做不到的事。

这里要着重谈的是"杂家"之名。《汉书·艺文志》说:

> 杂家者流,盖出于议官。兼儒墨,合名法,知国体之有此,见王治之无不贯,此其所长也。及荡者为之,则漫羡而无所归心。

这可能就是主要针对着《吕氏春秋》及后来的《淮南子》而说的,道出了原书欲以"知国体"、"见王治"的本意。不过"出于议官"之说,令人无法琢磨。若说"议官"是谏议官,则古时有谏议之责者又种种不一,如人们所熟知的召公谏厉王弭谤故事,就讲"天子听政,使公卿列士正谏,好学博闻献诗,矇箴师诵,庶人传语,近臣尽规,亲戚补察"(《吕氏春秋·达郁》)。《周礼》里头有"司谏"一职,乃"掌纠万民之德而劝之";另有"八议"(又称"八辟")之目,包括议亲、议故、议贤、议能、议功、议贵、议勤、议实,这"议"乃是减刑的条件,恐怕也不是少数"议官"所能确定的。要而言之,杂家只能出于百家争鸣的后期,和上古官职对号是没有意义的。有人认为"杂家"之名脱胎于司马谈所述"采儒墨之善,撮名法之要"的"道德家"(黄老之学),是刘歆、班固误解了司马谈之意,从而抄袭"兼儒墨,合名法"而立"杂家"之名,并推断《吕氏春秋》应归入黄老之学,"杂家"一派并不存在。这误解就更严重了。实际战国末年的黄老之学和不一定很后起的"杂家"名目之间,原本就没有一个截然可分的界限。黄老之学的大本营原在稷下,它并且是稷下齐学的主干,一向带有综合百家的特征。战国末,齐学流散转移,曾在秦、楚流行;西汉前期,思想界所盛行的仍是齐学,所谓新道家、新法家、新儒家等都是齐学化的,其代表人物如盖公、黄生、晁错、贾谊、叔孙通、桑弘羊、董仲舒等,也统统可视为齐学化的学术家。司马谈、司马迁父子的学术也是这样,《史记》浓厚的功利主义特征正是齐学的特点。他们论"六家",把阴阳家摆在第一位,置于儒家之上,是因为阴阳家学说"序四时之大顺",渗透及于一切社会、自然现象;而最后归结于黄老道德家,乃是齐学的主体学术,也就是他们所主持的学说。司马迁的主要思想倾向,历来搞不清楚,有的说他倾向于道家,有的说他倾向于儒家,其实他的思想主承综合性的齐学,总纲还是本来"与时迁移,应物变化,立俗施事,无所不宜"的稷下黄老之学。这一综合性的特征,早在《管子》及《吕氏春秋》中已有鲜明的体现;《荀子》事实上也是这样,只不过他反对阴阳五行学说的附会内容,对道家不甚感兴趣,而更注重儒、法的综合(同时也批判地吸取百家的内容)。《吕氏春秋》以"十二月纪"为总纲,亦如《太史公自序》所说,"春生、夏长、秋收、冬藏,此天道之大经也,弗顺则无以为天下纲纪";全书其他部分,则综合各家学说而成。综合性的学术也可以自成一家,所以我们称《吕氏春秋》的作者群为吕氏学派,认为它完全有资格与先秦诸子并列。不管对这样的学派怎么称呼,对他们的工作还是应当给以充分的肯定的。至于说"杂家"没有什么"家法",或说没有自己独特的思想体系及传衍统系,这又是断不可轻易概言的。比如《吕氏春秋》,我们就认为它有着一整套的思想体系和政治主张,这点留待后面再说。倘若仅以"杂家"之名就否认综合研究也是一家,则不免会使人对古今成千上万的大学者的学术发生疑问。返回去看司马谈对黄老之学的断制,他也只是把它当做一种综合性的学术来看待的,与后人所理解的纯粹的道家尚有所不同。《史记》事实上也正是一部包罗古今的综合性历史巨著。

关于《吕氏春秋》与先秦各主要学派学说的关系,我们在前面各节已经分述不少。这里想再就书中各原标题,对全书的内容结构作一归纳,以求一目了然。因为《吕氏春秋》基本上是一部政治书,所以下面的罗列但分为18个小类,不再划分层次;又因各篇很少有纯主于一家之说的,所以指称它们属于哪一家,也只是就各篇所偏重的倾向而言,不可看得过死。特别是儒道、儒法、道法、儒墨、名墨融合的一些具体材料,根本就无法分割,此亦因诸子学说本来就有共同的文化根源所致。

(1) 王政日程:"十二月纪"。凡12篇,基本上属于儒家,而用阴阳五行学说为框架。

(2) 天人关系:《有始》、《应同》、《慎人》、《召类》。凡4篇,除《慎人》属儒家外,其他3篇大略可归入阴阳家。

(3) 君道、君人之术:《圜道》、《贵因》、《君守》、《任数》、《勿躬》、《知度》、《慎势》、《不二》、《执一》、《审应》、《重言》、《精谕》、《恃君》、《行论》、《壹行》、《博志》、《有度》、《分职》。凡18篇,除《行论》、《壹行》两篇稍偏向儒家外,其余皆属道家,有几篇严格说来应属道法家。

(4) 君臣关系:《遇合》、《必己》、《知接》。凡3篇,应属儒家。

(5) 性理与人主修身:《本生》、《重己》、《贵生》、《情欲》、《尽数》、《审为》;《当染》、《先己》、《论人》、《慎大》、《悔过》、《骄恣》、《自知》、《慎小》;《达郁》、《贵直》、《直谏》。凡17篇,除《当染》篇出自《墨子》,《先己》、《论人》偏重道家外,其余大致可归属儒家,但论性理诸篇亦类似道家言。

(6) 为政之道:《贵公》、《去私》、《功名》、《审己》、《去尤》、

《务本》、《谕大》、《孝行》、《权勋》、《先识》、《去宥》、《具备》、《上德》、《贵信》、《贵当》、《务大》；《当务》、《义赏》、《当赏》。凡19篇，除《去尤》、《去宥》两篇倾向道家外，其余属儒家，但末3篇与法家学说有关系。

（7）尚贤：《谨听》、《本味》、《下贤》、《报更》、《观世》、《举难》、《察贤》、《期贤》、《求人》、《不苟》、《赞能》。凡11篇，均属儒家。

（8）士行、士节：《知士》、《至忠》、《忠廉》、《士节》、《介立》、《诚廉》、《不侵》、《离俗》、《高义》、《知分》、《士容》。凡11篇，大致可说属于儒家，但墨家气味甚浓，《知士》篇则用名家故事。

（9）顺民、用民：《顺民》、《乐成》、《用民》、《适威》、《为欲》、《爱类》。凡6篇，除《乐成》篇用法家观点外，其余属儒家，而"爱类"之说又兼采墨家观点。

（10）斥佞、斥不义、斥暴君乱主：《慎行》、《无义》、《知化》、《过理》、《壅塞》、《原乱》。凡6篇，应归入儒家。

（11）人情事理：《精通》、《异宝》、《异用》、《长见》、《察微》、《长利》、《观表》、《贵卒》、《疑似》、《察传》、《似顺》、《别类》。凡12篇，《异宝》、《异用》可能出于墨家后学之手，其余虽都和君人之术相联系，但难以归入道家，似仍以归属儒家为宜。

（12）审时适变：《首时》、《长攻》、《不广》、《察今》。凡4篇，《察今》吸取法家观念，其余属儒家。

（13）名分、名辩：《听言》、《顺说》、《正名》、《审分》、《离谓》、《淫辞》、《不屈》、《应言》、《开春》、《处方》。凡10篇，大体属名家。《开春论》由阴阳五行说引入，但主题是论述"善说"。

（14）尊师重教：《孟夏纪》所属4篇，属儒家。

（15）古代音乐：《仲夏纪》、《季夏纪》所属8篇，属儒家。其中《明理》篇实际皆用阴阳家资料。

(16) 军事理论:《孟秋纪》、《仲秋纪》所属8篇,属兵家。

(17) 农学文献:全书最后4篇,属农家。

(18) 节丧:《节丧》、《安死》。凡2篇,属墨家。

以上若不计"十二月纪",大致道家24篇,墨家5篇,与法家相牵连的5篇,名辩内容较多的11篇,兵家8篇,农家4篇,阴阳家3篇,合计60篇;其余88篇(包括已佚去的《廉孝》篇),皆可归属儒家。倘若将"十二月纪"也划归儒家,那么儒家总共就有100篇。不过这种归属是宽泛的,实际有大量属于传统文化的内容,很难说它们就是纯儒学的东西。道家资料集中于君道、君人之术一类,其次是性理学说一类;墨家看上去虽只有5篇,然而有不少散见的材料与儒家、名家资料纠缠在一起;阴阳家资料亦多错落杂出;有关名辩资料则难以专归于名家(先秦诸子事实上没有哪一家不谈名辩)。《汉书·艺文志》所分的"十家"中,纵横、小说两家上面没有单列,实际《吕氏春秋》中并非没有这两类材料,如《知士》、《不侵》、《报更》、《离谓》等篇中就都有纵横家故事,有的可以和《战国策》相对照。如果粗略划分一个比例,那么照我们的看法,《吕氏春秋》中较宽泛的儒家资料约占60%,道家资料约占15%,其余各家合起来约占25%。这个统计不一定很准确,但估计不会相差多远。过去也有学者作过统计,而统计方法、标准和所得结果与我们在这里所说的大异;特别是认为书中发挥儒家学说的只有26篇,发挥法家学说的则多至43篇,这是我们尤其不能同意的。吕氏学派虽然聚集于实行法治的秦国,然而就书论书,《吕氏春秋》却与法家学说没有那么多的瓜葛。

郭沫若曾据自己的研究结果指出:"吕氏书中的关于政治

理论的系统大体上是因袭儒家，虽然在君道这一层颇近于道家，有时甚至有些法家的气息(如上举《审分览》语)。无疑，吕不韦本人倒可以说是一位进步的政治家，不然他是不会容许这种理论在他的名下综合起来的。"(《十批判书》第 413 页)以这一结论与我们在上面的总括作对照，我们认为大体是可以成立的。确切地说，《吕氏春秋》政治思想的主流是从传统王官学继承下来的，因为后世所称的儒家学说是传统王官学的嫡系，所以吕氏政治思想的大部分内容与儒家相合，但在君道这一层突出了道家思想。至于所谓"法家气息"，仅就《审分览》所属各篇而言，实际多属于道法家的君人南面之术，从根源上说仍可归入黄老之学；就一般而论，《吕氏春秋》谈"法"多本于儒家"导之以政，齐之以刑"、"善人为邦百年，亦可以胜残去杀"之类的观念，"法家气息"倒可以说是相当淡薄。倒是在"爱利"、"义利"、"忠义"、"节丧"等观点上，《吕氏春秋》的墨家气息相当浓厚，因为郭老对墨家有成见(可参见他的《孔墨的批判》)，故而在这方面揭示得不够。《四库提要》说《吕氏春秋》"大抵以儒为主，而参以道家、墨家"，这个说法是有见地的；但又说其书于"纵横之术、刑名之说一无及焉"，则失于不曾详察。

《吕氏春秋》在安排自己的学说体系时，对各家的采取是有重点的，其中最重视的是道、儒、兵、墨、农诸家。这一特点突出表现在"十二月纪"所属各篇的内容上。"十二月纪"的诸"春纪"所属 12 篇，重点论性理和君道，特偏重于道家之说；诸"夏纪"所属 12 篇，分别论劝学尊师和礼乐，反映的是古典王官文化和儒家的本色；诸"秋纪"所属本当全是论兵的，大约因内容不足，遂仅成两卷；《季秋纪》与接下诸"冬纪"所属，转入顺民、节丧、士节等内容,吸取墨家观念的色彩很鲜明,但大都用儒家学说作了改造。这几个部分的主导线索是君道——礼乐——义兵——顺民知士,是按"序四时之大顺"的"天道之大经"设置的,以与"十二月纪"的王政日程相扣合。春生为万物之始,故首出之以性理君道——在作者的观念上,此亦自古以来政治学说的核心,置于全书之首理所当然;夏长乃荣华之季,故继之以礼乐教化;秋收因农事已毕,故继之以选士练兵;冬藏则以备来年,故终之以爱民养士。以古人的观念逻辑推断,诸"冬纪"该叙述重农理论才是,似乎是因农学四篇内容偏少,且多谈技术问题,故在最后编定时移到了书末。"八览"、"六论"的绝大部分内容都是和"十二月纪"的各个部分相呼应的,有些部分也按分题作了归拢,概括起来则总归于君道、治道,少部分篇章通言人情事理。不过因为编纂上的求整齐、凑篇数,有些归拢被打乱了,上下篇章的衔接和转换不乏混乱无序之处。

《吕氏春秋》对先秦诸子的征引,有名氏可查的,以孔子为最多,凡叙及孔子故事及引其语录的共有33篇;孔子的弟子曾参、颜渊、子贡、子夏、子路、宓子贱、巫马期、颜阖,合观之引述亦频繁。其次是墨子,有13篇叙及其事,另外又有腹䵍、唐姑果等墨家学者10人(见前述第九节)。齐国稷下系统的先辈和学者,引述最多的是管子和晏子,另外又有慎到、田骈、邹衍、列精子高、淳于髡等人。其他引见者,属于道家的有老子、庄子、关尹子、子华子、尹文子、列子、鹖子,属于名家的有兒说、惠施、公孙龙、邓析、惠盎,属于法家的有李悝(李子)、吴起、商鞅、申不害,同时还有一时名流宁越、季子、白圭、詹何(詹子)、公孙牟、沈尹华、匡章等。仅这些就已达50余人,尚不包括"黄帝曰"、"后稷曰"等引书称呼及兵家、纵横家的人物名氏、故事和言论。20世纪30年代初,李峻之曾编《吕氏春秋古书辑佚》,集录了其中20家的材料,只能算是重点辑录,还不全。据现在所知的先秦诸子名氏,《吕氏春秋》引录殆遍,惟独不见孟、荀两大家之名,这是很可奇怪的(《韩非子》成书在《吕氏春秋》之后,当作别论)。孟子的学术不讲功利,时称"迂阔远于事情",大概吕氏门下不愿采取。孟子曾讲过一个故事:楚大夫有欲其子学齐言者,聘请了一位齐人给他做师傅,而他一天到晚仍与楚人呶呶不休,虽每天加以鞭挞,他还是学不来齐言;后来楚大夫把他送到齐国"留学",结果在稷下学士出入的庄岳之间数年,再让他说楚国方言,即使又加鞭挞也不可能了。《吕氏春秋·用众》篇有"楚人生乎楚、长乎楚而楚言"的话,似乎用的就是《孟子》的掌故,而仅称"学士曰",不出孟子之名,或者反映出吕氏门下对孟子的态度。孟子曾两次入齐在稷下讲学,大谈"王道",不谈"霸道",稷下学子不欢迎他,齐王也不采取他的学说,最后他很不情愿地离开了稷下。假如肯定吕氏门下多齐学之士的话,那么他们对孟子的学说不愿采择也在情理之中,况且秦国也不是不谈功利的地方。荀子的情况则有所不同。拿《荀子》与《吕氏春秋》相比较,后者在观点上与前者相通之处甚多,甚至有的不但篇名相同,而且在字句上也有很相近之处。《荀子》的篇章,可供比较的主要是《劝学》、《不苟》、《王制》、《君道》、《臣道》、《致士》、《议兵》、《强国》、《乐论》、《解蔽》、《正名》诸篇,具体的材料不烦列举。也许在吕氏门下编书时,《荀子》一书尚未有完整的本子流传,且荀子曾在秦不受礼遇,故吕氏门下虽用其文而不明引;但荀学对吕氏学派的深刻影响是不容忽视的。二书篇名相同的有《劝学》、《不荀》、《正名》诸篇,吕氏《壹行》、《具备》二篇的标题疑亦取意于《荀子·王制》的"以一行万"和"具具而王"云云,其他篇题还有类似的情况。《荀子》的天道自然观和"爱民"、"利民"观念等应该对《吕氏春秋》也有影响。荀子晚年曾回到他的故土赵国,并同赵孝成王"议兵",此时大约还在邯郸的吕不韦是否曾见过或师事过荀子,没有直接的证据。《吕氏春秋》之接受荀学,大概主要由于吕氏门下多齐学之士。本书所提到的墨家后学,有好几位姓田氏,估计原与稷下也有牵连。稷下墨学的源流,历来最不清楚,似乎墨学在稷下一直不兴,然而《晏子春秋》的学说又分明有不少与墨家接近。由《吕氏春秋》所见的"东方之墨者"(包括几位田姓人物)作推导,也许还可发现稷下墨学的一些线索。当然,墨家学者入秦以后,观点也会发生变化。另外,《吕氏春秋》还有许多材料取自《易》《书》《诗》《礼》《左传》《国语》及"上志"之书(古代史记)等,不尽来自诸子。这些都是需要分别看待的。

3. 王政理想与大一统政治

先秦诸大师都是"摩登圣人",都有自己的一套欲以应时救弊的政治主张。一贯习学管子思想的稷下齐学流派注重现实功利;开创传统王官学和鲁学新局面的孔子把理想寄托在恢复"周礼"上;鲁学的另一位大师墨子要追踪更古老的原始宗教传统;老、庄更要倒退到文明社会之前,而建立一个超越"方内"的"方外"世界("道"的境界);孟子的"仁政"学说偏重于"民本"的一面;荀子的"王制"思想强调"隆礼"和"重法"双轨并行;至于韩非的极端法治观念,乃通向绝对君权的政治独裁——他们都各各不同。《吕氏春秋》出于执政者的设计，融合各家学说，集中集体智慧，建立起一大套围绕帝王政治而展开的指向大一统的价值系统，与学者个人各有偏重的理论探讨又有所不同。根据我们在前面的论述，这一价值系统的要点可归纳如下：

（1）主张君主"无为"，通过最高当权者的虚静守素，调整等级关系，设官分职，各尽其责，构成"圜道"式的良性行政循环过程，保证政令的畅通，反对君主独裁。

（2）赞成修齐治平的哲人政治，强调以帝王的养性修身为中心，发扬贤人作风，任人唯贤，注重士节，贵公去私，反对苟合取容；同时主张尊贤尚功，走"内圣外王"的思想路线，倡导为国家、为天下建立功名。

（3）实行"德治"，尊重民意，"以爱利民为心"，"执民之命"，顺民之欲，"忧民之利，除民之害"，治民以"信"，用民以"义"，不与民争利，安定社会局面。

（4）注重教化，维护传统礼乐制度和人伦纲常，劝学尊师，显荣忠孝，移风易俗，提倡节丧；赏罚务求公平、合乎实际，反对"严罚厚赏"、专恃刑威和恩私，同时不准以私议害公法、以察辩乱纲纪。

（5）重视农业生产，以耕织为本务，改进生产技术，不以工、商、土木工程、无故兴兵害农，使民产逐渐有所增加；同时强化宗法统治和对人口流动的控制，禁止农民舍本趋末和迁徙、逃亡。

（6）肯定"义兵"的作用，主张以有道伐无道，诛暴、平乱、救民、怀远抚近，反对"非攻"思想和保守的"救守"主义；并强调选士练兵，统一号令，改进兵器，提高军队战斗力，不战而屈人之兵。

（7）在学术文化上，主张齐不同，一是非。

这些要点，都是古典王官文化传统中所本有的，经过先秦诸子的水火斗争，进一步被提炼为明确的思想形态。"无为"思想，往往被误认为是道家的发明，其实也不是那么一回事。孔子就说过："无为而治者，其舜也与！夫何为哉？恭己正南面而已矣。"（《论语·卫灵公》）《吕氏春秋》用大量正反两方面的事实，对上述要点作了分论，各个分论整合起来，也就构成了自己的思想体系。不过这个体系在大一统前夕的战国末年还难以落实，它所反映的仍只能算是吕氏学派的王政理想或初步方案（吕氏所谈的"王政"与孟子所乐道的"王政"不能混为一谈）；待到吕不韦一死，这一理想或方案就被秦王政抛到九霄云外去了。秦王政在扫灭六国的过程中，仍打着"义兵"的旗号，这点与吕不韦的思想相通；然而当他完成统一大业，正式采用"始皇帝"的名号之后，大张旗鼓地继续推行法家的主张，传统王政也就只剩了一具空壳。

秦国的政治，在秦孝公任用商鞅变法的时代，还有些尚贤使能的味道，君主保持"无为"，放手让臣下去做，国家照样可以富强。此后的几位君主（包括车裂了商鞅的秦惠王和为秦统一奠定了坚实基础的秦昭王），虽然事实上仍都奉行着商鞅变法以来的政治路线，但却不甘于端拱而治，时时动着驾驭臣下的脑筋，使丞相换来换去，而且个个没有好下场。吕不韦虽说做过少年秦王政的"仲父"，但并没有把这位誓欲"大有为"的少年君王调教过来。《吕氏春秋》本想编成一部帝王教科书，而在秦王政身上却恰恰起了相反的效果，所以书成之后数年，吕不韦就被赶下台并被逼死了。后来秦始皇的所作所为，差不多完全是和《吕氏春秋》的主张相反的,即如《君守》《任数》《勿躬》《知度》《分职》等篇所一再强调的,人主不必忧劳勤事,干预臣下职权,以致弄得上下搅扰万端,在秦始皇也正好走到了反面的极端。《史记·秦始皇本纪》引用侯生、卢生的话,对此有扼要的描述:

> 始皇为人,天性刚戾自用。起诸侯,并天下,意得欲从(纵),以为自古莫及己。专任狱吏,狱吏得亲幸,博士虽七十人,特备员弗用。丞相诸大臣皆受成事,倚办于上。上乐以刑杀为威,天下畏罪持禄,莫敢尽忠。上不闻过而日骄,下慑服谩欺以取容。……天下之事,无小大皆决于上,上至以衡石量书(称取待批阅的竹木简文件),日夜有呈(程,定量),不中呈(不完成定量)不得休息。

假如一天看一石重的文件,凡120斤,就算是写大字的竹木简,也足够累死人的,况且人主不可能一天到晚只看文件。这就怪不得《吕氏春秋·贵生》篇会说:"帝王之动,……非所以完身养生之道也。"倘若"动"得过累,那就真是"迫生不若死"。吕不韦和秦始皇在思想上、政见上的冲突,当然不只是表面上的,郭沫若曾列成一个简表(见《十批判书》第455页),不妨移录在这里:

	吕不韦	秦始皇
世界观	无　神	有　神
	变　化	不　变
	有　命	无　命
	适　欲	纵　欲

	吕不韦	秦始皇
世界观	重理智	重迷信
	平 等	阶 级
政治主张	官天下	家天下
	民本的	君本的
	哲人政治	狱吏政治
	讴歌禅让	万世一系
	君主任贤	君主极权
	裂土分封	分设郡县
一般倾向	反对秘密	极端秘密
	重儒道	轻儒道
	轻法墨	重法墨
	急学尊师	焚书坑儒
	隆礼正乐	恣威淫乐
	重 农	重 商

表中有几项是我们不能完全同意的。比如"有命"、"无命"一项，吕氏虽承认"命"是一种必然性，却也十分注重人的能动作用；而秦始皇欲求成仙不死，也并不能作为他不承认"命"的证据。"平等"、"阶级"一项也难说，他们事实上都是维护等级制度的。"讴歌禅让"问题，在《吕氏春秋》中并无深切著明的说法，吕氏最多也不过是借此为尚贤寻求古史根据。赞成"分封"，在《吕氏春秋·慎势》篇有表现，而该篇是阐述道法观念的，欲复"封建"之古与全篇主旨有矛盾，大概不能反映吕氏本人的观点，这点我们在讨论本书的"法"观念时已经说过了。再

就是"轻法墨"的问题,我们的看法是吕氏轻法家,却不大轻视墨家。其余项目皆一目了然,极容易理解。不过综合来看,这种对立很难说成是封建思想与奴隶主思想的对立。就一般言之,它仍只是新兴势力内部以儒家为代表的王政思想(吸收道家主张)与以法家为代表的极端法治思想的对立。时下说先秦诸子对传统文化的"哲学突破"是最温和的(与西方相比),其中儒家尤其温和(与其他诸子相比),《吕氏春秋》的政治学说可说整个就是这种温和的面孔,而且并没有被付诸实行。秦始皇的政治实践则是用法家的政治理论,对传统文化动了大手术,包括废除"封建"制,建立起新一套中央行政机构,完善郡县制,统一各种具体的制度等;但在同时,他过分依赖于独裁和纵欲,确也把几十万乃至上百万人民变成了苦役、刑徒和奴隶,又禁私学,崇法教,粗暴地焚书、坑儒、黜道,忽视对思想文化遗产的批判继承和新的上层建筑的营造,结果是自食其恶果,秦王朝很快就在农民战争浪潮的猛烈冲击下垮台了。这也给楚汉战争之后重新建立起来的大一统政权提出了稳定政治统治的新课题。

《吕氏春秋》显然对秦王朝的政治不曾发生什么影响,但是汉初政治,特别是崇尚黄老"无为"之术的大格局,几乎就是《吕氏春秋》政治主张的翻版。这当然不是说汉初统治者都是照《吕氏春秋》的政治论纲去做的,而是说汉承秦制之后,鉴于当时的历史形势,不得不顺从人心,改变秦王朝的酷虐统治形式,从而使得《吕氏春秋》的王政理想在许多方面变成了现实。仔细考究起来,《吕氏春秋》一书未必就不曾引起汉初决策者的重视。刘邦的帝王功业起于在关中称王,当他初率军攻占秦都咸阳时,他的大总管萧何即首先收取秦王朝的律令图书,以便掌握全国的山川险要、郡县户口和当时的社会情况。此后萧何长期以丞相身份留守关中,对建立汉朝立了头功,又于刘邦称帝后主持制订律令制度,汉初大政方针多出其手。想来《吕氏春秋》原是秦博士的官藏图书,经历秦始皇的焚书劫难而能够完整保存下来,而这位大总管也很可能对其书读之精熟,并汲取其政治主张付诸实行。宋人蔡伯尹曾跋《吕氏春秋》说:"汉兴,高堂生、后仓、二戴之徒取此书之十二纪为《月令》,河间献王与其客取其《大乐》《适音》为《乐记》,司马迁多取其说为《世家》《律历书》。孝武(汉武帝)藏书,以预九家之学;刘向集书,以系《七略》之数。今其书不得与诸子争衡者,徒以不韦病也。"《吕氏春秋》在汉代的详细流传情况无法弄清了,但它曾为西汉官府的重要藏书应该没有疑问。萧何的执政纲领可以说是儒道并重的,协助汉高祖消除割据势力、巩固大一统是他的重大功绩之一。为汉高祖制订朝廷礼仪的叔孙通,继承的完全是趋时变通的齐学;继萧何为丞相的曹参,采纳齐人盖公的建议,开汉初黄老"无为"政治的新局,注重齐学的风格尤为鲜明。他们的政治思想,可说都与《吕氏春秋》息息相通。还有一个张苍,秦时为御史,是专管图书的官;汉初封侯,迁计相,后为丞相十余年,曾主持改定音律历法,《汉书·艺文志》以其著作16篇列入阴阳家。相传他曾做过荀子的学生,传《左传》,不知这说法有无根据,但说他的学术也出于齐学应该是可信的,并且十有八九曾经受到《吕氏春秋》的影响。郭沫若曾推测吕后的父亲吕公可能是吕不韦的族人,若此说当真,或虽不属实而吕后族党要假借吕不韦后裔的名义抬高自己的身份,那么《吕氏春秋》在汉初上层统治者中间流传就更非意外之事了。相传秦末著名隐士"商山四皓"(东园公、甪里先生、绮里季、夏黄公），汉高祖聘之而不至，吕后乃令太子卑词安车与四人游，以巩固太子的地位。说不定这"四皓"，早年便曾是吕不韦的门人。

所有这些，自然尚无直接的证据。然而种种迹象表明，《吕氏春秋》在大一统前夕所提供的政治统一与思想统一的初步方案或理想模式，在汉初混乱的思想界仍像一股潜流在涌动着，新起的儒、道、法及阴阳家学说等层出不穷的论争，概不能逃出吕氏之书所曾论述的范围。一方面，《吕氏春秋》所着力突出的帝王存养天性、分职责下、"无为"而治的思想路线，在汉初政治实践中得到自觉的贯彻；特别是由于文帝皇后、景帝之母窦太后大力尊好黄老之学，一时文帝、景帝及大批朝臣"不得不读《黄帝》、《老子》，尊其术"（《史记·外戚世家》）。另一方面，在秦王朝的残酷统治和野蛮文化政策被葬送之后，儒学之士从汉朝建立伊始就不甘寂寞。曾斥汉高祖"居马上得之，宁可以马上治之乎"的陆贾，著《新语》以"粗述存亡之征"，大概可以算是对短命的秦王朝以暴政取亡的最早理论反思。现在看来，其书乃并取儒、道两家思想，而又恰恰凑成十二篇，这与《吕氏春秋》的"十二纪"有没有联系呢？下至汉景帝时，极力"隆推儒术，贬道家言"的博士申培公、辕固生等人，便公开与新道家的代表黄生（司马谈之师）等人发生冲突了，虽然他们由于窦太后的压制而一再被黜。这位代表新道家的黄生其实也不是纯守道家之说的，他曾在景帝面前公言"汤、武非受命"，乃是"篡弑"（先秦已有此说），强调等级名分而用了极端的引例，直接触及汉高祖代秦称帝的敏感现实，故而导致辕固生等人的激烈批评。文、景之际的所谓新法家，如贾谊、晁错等人，他们的激进改革主张，同样渗透着浓厚的儒学意识，或者毋宁说他们的思想是儒学的法家化,而且照例夹杂着道家思想的辩证法,又特别突出了民为"万世之本"。这些都表明了各家在学术路线上虽各有承继,在思想上却互相吸收,从而共同趋向对立互补的整合与统一。后来汉武帝采纳董仲舒的建议,借助行政力量和同息争,号称"罢黜百家,独尊儒术";然而有如学者所说,却决不能因此就轻率地断定当时的中国已变成了一个"儒教国家"。汉武帝的"大有为"风格实与秦始皇相似,并且也好神仙术,他所推行的一系列内外政策决非都是儒家的。董仲舒的思想和理论固然以儒学为中心,而同时也吸收了黄老之学,糅合了阴阳、名、法各家的理念,依然是一个庞杂的体系,并且仍以阴阳五行学说为框架。这一体系在许多基本的方面,诸如取法天地,重视伦理,主张改姓易王可以"有道伐无道",强调帝王修身及顺从民意,突出权变和"更化",以"德教"统帅刑政,"固守其德以附其民",轻徭薄赋"以宽民力"等等,事实上仍与《吕氏春秋》的主张相通;只是董仲舒的理论建立在天人感应的哲学基础上,借《公羊春秋》的微言大义神化孔子、神化皇权,以致提倡"天不变道亦不变"、"正其谊(义)不谋其利",又带上新的时代烙印,而与《吕氏春秋》大不相同(但董氏也不是完全不讲"变"和"利",对他的有关论断也不能看得过死)。汉代社会,总起来说是由政治统一带动"六合同风,九州共贯"的文化统一,《吕氏春秋》的王政理想在思想路线上,可以说是从战国纷争到秦汉大一统之间的一个转关。

东汉高诱在注《吕氏春秋》时所作的序言中有个评价:"此书所尚,以道德为标的,以无为为纲纪,以忠义为品式,以公方(贵公去私)为检格,与孟轲、荀卿、淮南、扬雄相表里也,是以著在《录》《略》。"这个评价大体是合乎实际的,反映了中国古代政治价值观的几个带普遍指向的重大侧面。不过《吕氏春秋》对孟子的论说直接采取的极少，与荀子的主张相合之处则极多。后世儒家经常突出孔孟与荀学的歧异和对立，而在《吕氏春秋》却还是重孔亦重荀，反而不见以孟述孔。成书于汉文帝时的《淮南子》，显然是继承《吕氏春秋》的衣钵的，只是"讲论道德，总统仁义"，更偏重于道家。高诱序其书说："其旨近《老子》，淡泊无为，蹈虚守静，出入经道。言其大也，则焘天载地；说其细也，则沦于无垠。及古今治乱，世间诡异瑰奇之事，其义也著，其文也富，物事之类，无所不载。然其大较归之于道，号曰《鸿烈》。鸿、大也，烈、明也，以为大明道之言也。故夫学者不论《淮南》，则不知大道之深也。是以先贤通儒述作之士，莫不援采以验经传。"此书的"杂家"风格与《吕氏春秋》接近，时亦采录《吕氏春秋》的故事和文字，然而主题远不如《吕氏春秋》集中。至于扬雄的《法言》，自东汉以迄北宋中叶，往往被视为《孟》《荀》之亚，实际是不够格的，苏轼曾指责其书"以艰深之词，文浅易之说"，不算过分。

《四库提要》评价《吕氏春秋》说："是书较诸子之言独为醇正。……其持论颇为不苟。论者鄙其为人，因不甚重其书，非公论也。"这个论断很恰当。如果套用高诱指称《淮南子》的话，也可以说，学者不论《吕氏春秋》，则不知古代王政之要。中国古代政治以帝王为中心，《吕氏春秋》的政治主张也是围绕这一中心而展开的。书中突出强调帝王的修身养性与虚静"无为"，又格外反对帝王搞秘密统治或以不正当权术控御臣下，这不仅是出于对王者行政求其"圜道"运转的设计，同时也还有超越具体政务之上的更深涵义，就是用儒家、道家的理论限制王权，防止人主之"威"的滥用。由此便引出尚贤使能的哲人政治和公而去私、为官方正的传统,引出"天听自我民听,天视自我民视"的民本思想和礼乐教化风俗,引出"德治"和刑政的辩证关系以及各项具体的开明政策思想。秦汉以后的大一统政治,并不都是符合这些理想要求的,特别是明清时代的极端君主专制,几乎没有什么开明可言,但开明的传统在中国古代亦不绝若线。因此《吕氏春秋》的许多论说,且不论其深浅程度、方圆尺度,其基本意义在中国人的观念上并未贬值。这是由于它们是在传统文化长期发展过程中所形成的正面价值,并不是取决于一两个人或一群人主观动机的东西。即使在今天乃至以后,开明政治仍然较易为大众所接受和欢迎,虽然这与现代化的民主和法制说到底还是不相容的东西。

4.《吕氏春秋》的史料价值及其对后世的影响

《吕氏春秋》的全部论述,可说都对研究中国古代的政治学说及先秦诸子与学术史有重要的史料价值。如果认定中华元典"率先荟萃先民智慧,其思想富于原创性,其主题具有恒久性"(冯天瑜《元典文化丛书序》),"包含了后世中华文化的各种文化因子,历史地决定了中华文化发展的方向,及其文化性质和特征"(李振宏《"元典文化丛书"的说明》),那么《吕氏春秋》作为现存惟一的一部萃取诸子英华的先秦典籍就更不容忽视。书中所存录的众多诸子佚文固然可贵,即使尚可由他书参查的材料,因其已被纳入一个综合的思想体系中,也就具有了别一种可供参照的整体价值。其中的几个分题,特别是音乐史、军事理论、农学文献的部分,更有着他书所不能替代的研究价值。这些我们在这本小册子的各个部分都已反复说过，于此不再赘言。

书中的现实材料，尤其是有关春秋战国社会生活变迁的，是值得提出来一说的。如《博志》篇有关宁越的一段记载：

> 宁越，中牟之鄙人也。苦耕稼之劳，谓其友曰："何为而可以免此苦也？"其友曰："莫如学。学，三十岁则可以达矣。"宁越曰："请以十五岁。人将休，吾将不敢休；人将卧，吾将不敢卧。"十五岁而周威公师之。

宁越本为中牟偏僻地方的乡下人，因力学有成而做了周威公（战国初小国西周之君主）的师傅。作者引此故事，以宁越与孔、墨并列，本意在印证欲知"先王之术"必须致力于学，学则贵在有恒："矢之速也而不过二里，止也；步之迟也而百舍，不止也。今以宁越之材而久不止，其为诸侯师，岂不宜哉！"钱穆《先秦诸子系年·宁越考》则据以论证当时的社会风气，指出："游仕渐得势，故宁越亦苦耕稼而从学问。其事虽微，足征世变。"此种"世变"是从官学衰落、私学兴起之际开始的，孔子"十有五而志于学"、"三十而立"是最著名的实例。宁越友人所说的"三十岁可以达"，显然即指"三十而立"；而宁越答称"请以十五岁"，看来他当时的年龄是15岁（钱穆推断他生于公元前445年），决心再奋斗15年而成名。这样说来，"十有五而志于学"、"三十而立"乃是春秋战国之交的一种普遍观念，宁越的故事可能由孔子的故事化出，故《吕氏春秋》以之与孔、墨并提。吕氏《知度》篇另载有一事：

> 赵襄子之时，以任登为中牟令。上计，言于襄子曰："中牟有士曰胆胥己，请见之。"襄子见而以为中大夫。
> ……

《韩非子·外储说左上》亦具载其事,而"胆胥己"作"中章、胥己",分为二人,盖传闻异辞;末又复赘一语:"中牟之人,弃其田耘、卖宅圃而随文学者邑之半。"宁越其人大约就是在此种风气中成长起来的佼佼者(参见余英时《士与中国文化》第16页),而所谓中牟之人"随文学者邑之半",正可为当时私学之趋盛提供一证。"邑之半"之说可能有夸张,但若理解为中牟之地有近半数人家变卖家资以使子弟求学,亦未必就违离事实。

先秦私学的情况是很复杂的,既有学者开馆授徒的私学,也有宗族性或地域性的私学,还有大批延师教授的贵族家庭私塾。大约到春秋战国之交,在一些偏僻地区也开始有私学。《吕氏春秋·孟夏纪》部分的"劝学"4篇,保存了有关战国时代私学教育的一些相当具体的情况。如《尊师》篇谈到受学者尊师的三条要求:一要恭谨不二尽孝道,父母生时竭力奉养,父母死后也要四时敬祭;二要经常参加种菜、耕稼、织鞋、编席、结网及渔猎等各种生产劳动;三要在衣食住行上注重养生知礼。这便把尊师问题移到了课堂之外,要求学生身体力行,不能只把尊师挂在口头上,实际反映了当时教育的内容结构、教学重点和培养目标,而素质教育又是头等重要的任务。所以文末又特别指出:"义之大者莫大于利人,利人莫大于教;知之盛者莫大于成身,成身莫大于学。"所谓"成身",也就是自孔子以来所强调的"成人":教育首先要使学生修己有成,从而能够立身处世,知识学习必须服从于"成身"的目标。《论语·乡党》篇连篇累牍地记载着有关孔子日常生活礼仪的情况,诸如"食不厌精,脍不厌细"之类,过去不大被注意;实则当时教学,修身养性是最重要的内容之一,孔子必须身体力行,一代宗师何敢须臾放松!曾经有人根据这类材料,指斥孔子向往贵族生活,真是强不知以为知，荒谬得可以。《吕氏春秋·尊师》篇正是在素质教育这一层意义上——虽然仍不免主要与贵族教育相联系——才把"适衣服，务轻暖；临饮食，必蠲洁"等当做尊师的一条紧要标准。有关材料适可与《论语·乡党》所记相参照。

"师道尊严"是中国文化的老传统。《吕氏春秋》主张尊师，强调事师如事父，又认为"听从不尽力（不实行）"、"说义不称师"便是"背叛"。然而吕氏门下也并未把尊师绝对化。如《劝学》篇就批评屈尊登门教授贵族子弟的"往教者"是"自卑"（自己降低自己的身份），所教不被听从，也就达不到教育的目的；同时也批评了"召师者"的纨袴子弟"不听不化"，自行其是，完全不知尊师为何物，只贪从学之名，其实是"怀腐而欲香"。同篇还强调"为师之务，在于胜理，在于行义"，首先要把自己所主持的学说弄通，并作出养德行义的表率，才能树立师道尊严，被人礼敬。《诬徒》篇是重点谈师生关系的，一开头就说：

> 达师之教也，使弟子安焉、乐焉、休焉、游焉、肃焉、严焉。此六者得于学，则邪辟之道塞矣，理义之术胜矣；此六者不得于学，则君不能令于臣，父不能令于子，师不能令于徒。

下文对一些不称职教师的批评是相当严厉的："不能教者，志气不和，取舍数变，固无恒心。若晏阴（比喻残害），喜怒无处（无常），言谈日易，以恣自行。失之在己，不肯自非；愎过自用，不可证移（谏改）。见权亲势，及有富厚者，不论其材，不察其行，畋而教之，阿而谄之，若恐弗及。弟子居处修洁，身状出伦，闻识疏达，就学敏疾，本业几终者，则从而抑之，难而悬之，妒而恶之。弟子去则冀终，居则不安，归则愧于父母兄弟，出则惭于知友邑里。此学者之所悲也，此师徒相与异心也。人之情恶异于己者,此师徒相与造怨尤也。人之情不能亲其所怨,不能誉其所恶,学业之废也,道术之败也,从此生矣。"这种"不能教者",性情无常,刚愎自用,趋炎附势,人格卑下,对家有势力、钱财而不学无术、德行恶劣的弟子百般阿谀,犹恐不及,对家无政治、经济背景而身处出伦、学识通达的弟子则百般抑制,以至妒而难之,使不得终其学业。这一种人,显然完全不具备教师的资格,甚至可说是教师的败类,虽然历来是少数,却也决不是个别现象。所以《诬徒》篇接着又指出:"善教者则不然。视徒如己,反己以教,则得教之情也。所加于人,必可行于己,若此,则师徒同体。人之情,爱同于己者,誉同于己者,助同于己者,学业之章明也,道术之大行也,从此生矣。"所谓"视徒如己"、"师徒同体",皆可作从事教师职业者的格言;而"反己以教"、"所加于人,必可行于己",也就是孔子所主张的"己所不欲,勿施于人"了——这既是《论语》教育思想的精髓,也是孔子"仁"的思想的至高点。所以有学者说,一部《论语》的精华全包于二字:"忠恕"而已矣。当然,吕氏《诬徒》篇也批评了那些"矜势好尤"、"惑于嗜欲"等类型的"不能学者",笔调同样很严厉。诸如此类的材料,不仅对研究战国时代的教育情况很有价值,其批判语言对于今天依然存在的趋势矜能、败坏师德的从教分子仍是很好的开导。

春秋战国私学不同于官学,但传统"六艺"科目并未失坠。《吕氏春秋·博志》篇另载有二例:

> 养由基、尹儒,皆文艺(一作六艺)之人也。荆廷尝有神白猨,荆之善射者莫之能中,荆王请养由基射之。养由基矫弓操矢而往,未之射,而括(箭矢的末端)中之矣。发之,则猨应矢而下。则养由基有先中中之者矣。尹儒学御

三年，而不得焉，苦痛之，夜梦受秋驾（一种驾车法）于其师。明日，往朝其师，[师]望而谓之曰："吾非爱道也，恐子之未可与也。今日将教子以秋驾。"尹儒反走，北面再拜曰："今昔（疑'昔'当作'夕'）臣梦受之。"先为其师言所梦，所梦固秋驾已。上二士者，可谓能学矣，可谓无害之矣。此其所以观后世已。

此二例，一射一御，在传统"六艺"科目中仅次于礼、乐，主要是武艺科目。余英时认为"射"在周代并"不完全是军事训练，其中含有培养'君子'精神的意味"，所以也可以视为"礼乐教育的一部分"（《士与中国文化》第 23 页）这看法有一定道理。"御"大概也是这样，尹儒学御而名为"儒"，似乎就包含了这种意味。不过自春秋末年以降，随着文士阶层人数的增加，武艺科目的地位在人们心目中已有所降低。《论语·子罕》篇载："达巷党人曰：'大哉孔子！博学而无所成名。'子闻之，谓门弟子曰：'吾何执？执御乎，执射乎？吾执御矣。'"私家的"博学"以传习王官旧典的礼乐文化为主，孔子是忠实的实践者，但他事实上也善射、善御。对于达巷党人的评论，大约孔子认为"六艺"还是都要学的（春秋战国时代的军事攻战也不允许放松武艺的练习），但"六艺"之学必须以"博学"的礼乐为主，否则偏执一艺（包括"六艺"的另外两种书和数），便无能为：我能去具体从事哪一项职业呢？去驾车，去做射手？要说"博学而无所成名"，那我就去驾车吧。汉人以为"御为六艺之卑"，故孔子以为言，可能有这方面的因素。不过达巷党人（邻里乡亲）的评论所反映的，可能实际是平民百姓与新兴知识阶层观念上的差异：热衷于礼乐文化的传播，徒守清白寒素，"博学"而无所用，何如专执一艺，谋得一职，立功求名而来得实惠？实则为私学之师也是一种职业,早期的私学先生恐怕绝大多数首先想到的还是以教书混饭吃。可见中国知识阶层从形成的那天起,就开始面对着清素与利禄的矛盾,故孔子已谓"君子忧道不忧贫"。然而完全的"不忧贫"难能做到,所以假借教职而谋利益者亦大有人在,这也就难怪《吕氏春秋》对"不能教者"出以激烈的批评之词了。

与"六艺"科目的演变相牵连的文、武二途之高下,其实只是一种意识问题,与社会现实未必相契合。顾颉刚曾指出:"战国者,攻伐最剧烈之时代也,不但不能废武事,其慷慨赴死之精神且有甚于春秋。故士之好武者正复不少。彼辈自成一集团,不与文士混。"(《史林杂识初编》)以此来看《吕氏春秋》,其所谓"士"正是文武混杂的:一部分是厚德高行的"有道之士",其概念内涵实等同于"贤人"、"君子",因而书中谈统治者"礼士"之例往往无异于"尚贤";一部分是侠味十足的"忠义之士",而"忠义之士"的构成尤其复杂,既有文士,也有武士,还有一些文儒武侠两种社会性格兼具的士。《吕氏春秋》对士的论说甚多,是全书的重点内容之一,包括士的好学上进、立身处世、风节操行,以及王侯人主的知士、求士、爱士、养士、尊士、礼士、用士、不以权势骄士等等,都显示出战国时代士阶层群体自觉的情况,不仅是私门养客之风使然。

以上所说,仅仅围绕私学风气问题,揭示《吕氏春秋》一书中现实材料的一个侧面。其他种种不同类型的史料,都可作多维度的分析思考,这里不再详举。

先秦诸子书有一个共同的特点,就是大量的论说和举例都充满了辩证的思维。这方面的记录可称是一种特别的史料——"智慧"史料。《吕氏春秋》同样重视王者治世的辩证法,下面拟再略举部分事例,以备一格。

(1) 长见与短见

《长见》和《长利》两篇是着重论述这一道理的。《长见》篇说:

> 智所以相过,以其长见与短见也。今之于古也,犹古之于后世也;今之于后世,亦犹今之于古也。故审知今则可知古,知古则可知后,古今前后一也。

《长利》篇说:

> 天下之士也者,虑天下之长利,而固处之以身若也。利虽倍于今而不便于后,弗为也;安虽长久而以私其子孙,弗行也。

两篇都提到周公封鲁与太公封齐的两条路线问题,是主要的例证。《长见》篇强调太公"尊贤上功"而齐日以大,周公"亲亲上恩"而鲁日以削,对此我们在前文中已加说明。但事情总有两面,对齐鲁文化路线问题也不能作简单化的理解。《长利》篇记载鲁大夫辛宽对鲁缪(穆)公说:"臣而今而后,知吾先君周公之不若太公望封之知也。昔者太公望封于营丘之渚,海阻山高,险固之地也,是故地日广,子孙弥隆。吾先君周公封于鲁,无山林溪谷之险,诸侯四面以达,是故地日削,子孙弥杀(衰)。"这就是所谓"见木不见林"了,似乎齐、鲁两国的强盛与衰落只是由于地理位置和自然环境的不同。其实鲁地沃野肥壤,虽处四战之境,却适宜于早期部族的发展,鲁国在西周时期也长期强于齐国,齐地在太公建国时期还是相当落后的地区。南宫适批评辛宽"弗识"(无识),而引周成王定成周之说,强调"善者得之,不善者失之,古之道也",贤者治国,决非是

"欲其子孙之阻山林之险以长为无道",仅以地理环境指责周公所选择的封国之地不对,"岂不悲哉"!南宫适没有对春秋战国时代齐强鲁弱的发展形势作具体分析,我们不能冒昧揣测他的意见,但他不把问题笼统地归于地理环境的看法是可取的。事实上,在分析齐、鲁两条文化路线时,还应当从交互影响的角度来看,尤其是齐文化路线中也含有不少鲁文化路线的成分(如管子便强调礼义廉耻为国之"四维"),因齐文化路线的开放特征而过分贬斥鲁文化路线也是片面的理解。

(2) 务大与慎小

《谕大》《务大》等篇皆强调人主及人臣欲建功立业必须目标远大,不能安于逸乐。《谕大》称"务在事,事在大:地大则有常祥……山大则有虎豹……水大则有蛟龙"。《务大》又托言孔子曰:"燕爵(雀)争善处于一屋之下,母子相哺也,区区焉相乐也,自以为安矣。灶突决,上栋焚,燕爵颜色不变,是何也?不知祸之将及之也,不亦愚乎?"作者由此而发挥说:

> 天下大乱,无有安国;一国尽乱,无有安家;一家尽乱,无有安身:此之谓也。故细之安必待大,大之安必待小。细大贵贱,交相为赞(助),然后皆得其所乐。

这里有宣传等级名分之义,但重点还是说明为国要务远大。《长利》篇也引南宫适的话说:"今使燕爵为鸿鹄凤皇虑,则必不得矣。其所求者,瓦之间隙、屋之翳蔚也。与一举则有千里之志,德不盛,义不大,则不至其郊。"连城郊也飞不到,更何谈一举千里。但尊卑之道,非是以大轻小。故《慎小》篇又指出,贤主必须"谨小物以论好恶";"巨防容蝼(大堤坝有蝼蚁之穴),而漂邑杀人;突泄一熛(烟囱里冒出火焰),而焚宫烧积;将(将领)失一令,而军破身死;主过一言,而国残名辱,为后世笑。"所以"小物"不可"不审","人情不蹶于山而蹶于垤(蚁封)",小不慎则大无所用。《权勋》篇谈大忠与小忠、大利与小利的关系,则是另一种辩证法,重在说明小忠为"大忠之贼",小利为"大利之残"。

《察微》篇主旨在论说防微杜渐,与《慎小》篇意通,而所举"桑妾之讼"更称典型:

> 楚之边邑曰卑梁,其处女与吴之边邑处女桑(采桑)于境上,戏而伤卑梁之处女。卑梁人操其伤子以让(指责)吴人,吴人应之不恭,(卑梁人)怒杀而去之。吴人往报(报复)之,尽屠其家。卑梁公(楚地方官)怒曰:"吴人焉敢攻吾邑!"举兵反攻之,老弱尽杀之矣。吴王夷昧闻之,怒,使人举兵侵楚之边邑,克夷(平)而后去之。吴楚以此大隆(大动干戈)。吴公子光又率师与楚人战于鸡父(地名),大败楚人,获其帅潘子臣、小帷子、陈夏啮;又反伐郢(楚都),得荆平王之夫人以归。实(是)为鸡父之战。

因两国边境女子之间的争桑而导致一场大战,代价实在太大了。史实未必尽如所说,争桑也可能曾是导火索,然而因小失大之事在现实生活中也不胜枚举。

(3) 异宝和异用

《异宝》篇举有一个著名的例子:宋之野人耕而得玉,献之司城子罕(罕),子罕不受。野人请曰:"此野人之宝也,愿相国为之赐而受之也。"子罕曰:"子以玉为宝,我以不受为宝。"故宋国之长者曰:"子罕非无宝也,所宝者异也。"

此例见于《左传》襄公十五年,行文稍有异。《左传》原文是:"献玉者曰:'以示玉人,玉人以为宝也,故敢献之。'子罕曰:'我以不贪为宝,尔以玉为宝。若以与我,皆丧宝也,不若人有其宝。'"所记突出了"不贪"二字,更足以针砭千古。《异宝》篇在例下接着说:"今以百金与抟黍(粘米团)以示儿子(小儿),儿子必取抟黍矣;以和氏之璧与百金以示鄙人,鄙人必取百金矣;以和氏之璧、道德之至言以示贤者,贤者必取至言矣。其知弥精,其所取弥精;其知弥觕(粗),其所取弥觕。"

《异用》篇所论与《异宝》篇相仿,而开头即从大处落笔:

> 万物不同,而用之于人异也,此治乱存亡死生之原。故国广巨兵强富未必安也,尊贵高大未必显也,在于用之。桀、纣用其材而以成其亡,汤、武用其材而以成其王。

传说有人四面置大网,祷祝说:"愿天上落下来的,地上冒出来的,从四面八方聚集来的,都入我的网。"商汤见到后说:"哎呀,你要把万物一网打尽,要不是像夏桀那样的暴君,谁能做到?"乃收其三面,只置一面,祷祝说:"人学蜘蛛结网,是为了织布。我现在在网开三面,飞鸟禽兽愿向左的就向左,愿向右的就向右,愿高飞的就高飞,愿落下的就落下,我只取那些犯命者。"汉南之人闻之,归附者四十余国。作者因此指出:"人置四面,未必得鸟。汤去其三面,置其一面,以网四十国,非徒网鸟也。"寓意深刻。

(4) 通识与偏蔽

《荀子·解蔽》篇是专以纠正蒙蔽偏见的,《吕氏春秋》的《去尤》《去宥》两篇(实为一篇割裂)亦全取其意而成之。《去尤》篇说:

> 世之听者,多有所尤。多有所尤,则听必悖矣。所以尤

> 者多故,其要必因人所喜与因人所恶。东面望者不见西墙,南乡(向)视者不睹北方,意有所在也。

这便揭出了偏蔽的主观根源。其文首举"人有亡铁者"的寓言:其人"丢失"斧子一把,怀疑邻家的孩子偷了,于是不住地打量孩子的走路、脸色和说话,怎么看怎么像偷斧子的。待到他日忽见斧子原来埋进了谷堆里,再看邻居孩子的动作姿态,便怎么也不像偷斧子的了。这道理很简单:"其邻之子非变也,己则变矣。变也者,无他,有所尤也。"接下去所举郏国国君的一例,则是政治生活中常见的事实:郏国一向用丝织品作为兵士铠甲穿缀金属片的衬底,大夫公息忌以为是一种浪费,建议改用丝绳,郏君接受了他的建议,于是他身体力行,要家人尽力多做丝绳;不料有人告发他是因为家里丝绳多才提这一建议,而郏君糊涂,竟又下令仍用帛来缀甲。《去宥》篇有一个类似的例子,是属于日常生活中的:有人见邻居家的一棵梧桐树死了,以为不吉利,建议邻居砍掉;随后这人想借点柴烧,结果邻居大为不满,说是没想到这人如此"阴险"。其实这人和公息忌一样,本出于一片好心,何尝想到会被人误解至此!当然,还有另外的情况,不可一概而论。如有人大清早穿得衣冠楚楚,到市上卖金子的地方见了就拿,被人捉住,反而辩解道:"我只看到金子,没有看到人。"这寓言也是尽人皆知的,但也许通常都没有想到它还有更深刻的含义:历来的贪官污吏都是公开攫取人民财产的,正如这位攫金者的见"金"而不见"人"。另一个寓言说,宋国有个叫澄子的人丢失了一件黑上衣,就到路上去寻找,看见一位妇人穿了件黑衣服,便上前抓住不放。妇人说:"你丢了黑衣,与我何干?我穿的是我自己做的。"澄子说:"你不如把这件衣服送给我。我所丢的是一件厚黑衣,你的只是一件单衣,拿单衣还厚衣,你不是占便宜了吗?"(《淫辞》)拦路抢劫还要编些理由,更其可恶。"澄"者,清也,此人名清而实不清,真是莫大的讽刺。高诱注此,以为是"言宋乱无法",其实对所有乱法和恶人都是无理可讲的,又不能纯以偏蔽绳之。《去宥》篇的结尾耐人寻味:"以昼为昏,以白为黑,以尧为桀,宥之为败亦大矣。亡国之主,其皆甚有所宥邪!"

(5) 疑似与别类

世事复杂,辨疑与别类皆所不免。上升到政治上,则"亡国之主似智,亡国之臣似忠",故"相似之物,此愚者之所大惑,而圣人之所加虑也"(《疑似》)。例如西周王朝建都丰镐,地近戎人,曾与诸侯相约,若戎人内侵,则击鼓集诸侯兵以救天子;而到周幽王时,为了博取宠妃褒姒的欢心而屡次乱击鼓,终于当戎人大举来攻之时,诸侯兵不至,导致西周灭亡。这一例证——一般相传为举烽火——讲的其实是信用问题;然人主之信,往往失于似与不似之间,周幽王的亡国只不过是个极端的例子。《别类》篇着重阐释"物多类然而不然",人之患在于"不知而自以为知"。例如鲁人有公孙绰者,自称能起死回生,人问其故,他回答道:"我能治偏枯(半身不遂),如果把治偏枯的药剂加一倍,不就能使死人(两个半身不遂)复活了吗?"又如宋人高阳应嘱匠人用鲜木头造房子,匠人说:"不行,鲜木头加上泥会变弯,现在虽能建起来,将来一定会使房子毁掉。"高阳应说:"鲜木头上了房子,会渐渐干枯而变硬,泥也会越干越轻,以硬木头承担轻泥,房子怎么会毁掉呢?"匠人无辞以对,只好按他所说的去做,后来房子果然毁了。作者通过这些寓言指出,"智固有不知","数固有不及","好小察而不通大理"是极有害的。

(6) 审闻与察传

《察传》篇论对传言的态度,举出了一些很有意思的例证:

> 数传而白为黑,黑为白。故狗似玃,玃似母猴,母猴似人,人之与狗则远矣。此愚者之所以大过也。闻而审,则为福矣;闻而不审,不若无闻矣。……

> 凡闻言,必熟论;其于人,必验之以理。鲁哀公问于孔子曰:"乐正夔一足,信乎?"孔子曰:"昔者舜欲以乐传教于天下,乃令重黎举夔于草莽之中而进之,舜以为乐正。夔于是正六律,和五声,以通八风,而天下大服。重黎又欲益求人,舜曰:'夫乐,天地之精也,得失之节也。故唯圣人为能和,乐之本也。夔能和之,以平天下。若夔者,一而足矣。'故曰'夔一足',非一足也。"

> 宋之丁氏,家无井而出溉汲,常一人居外。及其家穿井,告人曰:"吾穿井得一人。"有闻而传之者,曰:"丁氏穿井得一人。"国人道之,闻之于宋君。宋君令人问之于丁氏,丁氏对曰:"得一人之使(原来常外出打水的一人可腾出手来干其他活了),非得一人于井中也。"求(能)[闻]之若此,不若无闻也。

> 子夏之晋,过卫,有读史记者,曰:"晋师三豕涉河。"子夏曰:"非也,是'己亥'也。"夫"己"与"三"相近,"豕"与"亥"相似。至于晋而问之,则曰"晋师己亥涉河"也。辞多类非而是,多类是而非,是非之经,不可不分。

这几个例子,后来都被用作校勘学上的证据,为研究古典文献学者所熟知。不过对于"夔一足"的传说,还是应当区别看待的。"夔"字见于甲骨文,原是商王室隆重祭祀的祖先之一,并不纯出于神话。由比较可靠的传说资料推断,夔其实是上古帝喾部落的直系后裔夔部族的首领,因这一部族信奉夔(独脚兽)图腾,故其部族与首领皆称夔,商代的归方国又是这一部族的后裔。夔部族原先与舜部族是近亲,其首领在舜为部落联盟大酋长时曾担任主管乐舞的乐正(见于《尚书·舜典》),相传为《韶》乐的创作者。由甲骨字形分析,"夔"字本为扮作图腾模样而善跳独脚舞的乐师兼巫师的形象("舜"字是善跳双脚舞的乐师兼巫师的形象),因此传说的"夔一足"正有其可信的来历。后世不明上古风俗,假托孔子之言,力求使传说信史化,从而造出舜称"夔一个就够了"的故事,来解释"一足"二字,反而弄巧成拙,失去了传说的本来面貌。是知"察传"之法固不可不讲,而用此法还原传说古史,却又必须慎重从事,莽撞不得,否则亦不免"不知而自以为知"。

(7) 美与丑

美与丑的对立,直接关系到道德评价问题。中国文化在数千年发展过程中所形成的道德评价标准,大致变化不大,至今讲美学也不可完全抛开道德。《吕氏春秋·去尤》篇记有一个故事:

> 鲁有恶(丑)者,其父出而见商咄(人名),反(返)而告其邻曰:"商咄不若吾子矣。"且其子至恶也,商咄至美也,彼以至美不如至恶,尤乎爱也。故知美之恶、知恶之美,然后能知美恶矣。

美、丑出于比较,应该承认它们的客观存在,但是说到底,世界上没有脱离主观评价的美和丑。上面引文强调美、丑两种概念的相互对待,美中有丑,丑中有美,能知美中之丑、丑中之美,才是真知美丑。此确为不易之论,只是鲁之丑人出于"爱"的评价未必全可据。《遇合》篇又载有一个故事并进而发挥说:

> 人有为人妻者,人告其父母曰:"嫁不必生也(不一定能生儿育女;一说终将会死),衣器之物可外藏之,以备不生。其父母以为然,于是令其女常外藏。姑妐(婆婆和公公)知之,曰:"为我妇(儿媳妇)而有外心,不可畜。"因出之(把她休掉了)。妇之父母以谓为己谋者以为忠,终身善之,不知其所以然矣。宗庙之灭,天下之失,亦由此矣。故曰:遇合也无常,说(悦)适然也。若人之于色也,无不知说(悦)美者,而美者未必遇也。故嫫母执乎黄帝,黄帝曰:"厉女(汝)德而弗忘,与女(汝)正而弗衰,虽恶(丑),奚伤?"

所举为人妻者之例是很有讽刺意味的,因为有个对比在里头:这位女儿的父母本是和和睦睦的一对,相信夫妻之间应该忠诚,也就是相信"士为知己者死,女为悦己者容"的老传统;然而他们偏偏又听信闲话,教自己的女儿常存自私的心理,到底使女儿很快就被婆家休掉了。这样,老两口之间的忠诚,就真的是"终身善之,不知其所以然"了。作者接下去把这一道理提到很高的度数上:国家、天下的灭亡也是如此,人主如果不以天下为公,常视天下为私有财产,那就非灭亡不可。所以说人际之遇合没有什么常规,适意即可。譬如美色,人人喜欢,但未必可遇。黄帝之妻嫫母奇丑,可黄帝却对她说:"你只要不忘记修励德行,我与你相敬相爱,感情不衰,你虽然长得不漂亮,那又有何妨?"言外之意,人主对美色、美味之类适意而已,正不必要占尽天下之利而皆为私有。《遇合》篇的主旨是讲君臣遇合的,有关论说又皆适用于人臣。在作者看来,人臣之事君亦如为人父者之嫁女。

同篇还有一个颇为特殊的例子:

> 人有大臭者,其亲戚、兄弟、妻妾、知识(知交相识)无能与居者。自苦而居海上,海上人有说(悦)其臭者,昼夜随之而弗能去。说(悦)亦有若此者。

这样的事不知在现实中有没有,也许真有人喜闻恶劣的"狐臭",就如古籍所载实有其事的"嗜痂之癖"。近读一小小说,道是有人小名狗蛋,遂成绰号,而特擅长养猪之道,办起了全世界最大规模的"猪式会社",于是有趋利者慕其名,不欲求其养猪技术,反而仿其"狐臭"造为香水,大发其财。人间之事,百怪千奇,至于闻上司之屁臭,亦盛赞"不胜馨香之至者"。

《吕氏春秋》中的故事、寓言还有很多,但全书主于论说,非是故事集锦,所以作者的辩证思维亦非仅仅表现在有关故事上。以上所举,权为示例,然亦可证辩证法不分古今,古籍中的"智慧"史料是永远有用的。

附录一

《吕氏春秋》选译

（据中华书局1986年重印《诸子集成》本与文学古籍刊行社1955年出版之《吕氏春秋集释》）

孟春纪

[原文]　孟春之月，日在营室。昏参中，旦尾中。其日甲乙，其帝太皞，其神句芒。其虫鳞。其音角，律中太蔟。其数八。其味酸，其臭膻。其祀户，祭先脾。

东风解冻，蛰虫始振。鱼上冰，獭祭鱼。候雁北。

天子居青阳左个。乘鸾辂，驾苍龙。载青旂，衣青衣，服青玉。食麦与羊，其器疏以达。

是月也，以立春。先立春三日，太史谒之天子，曰"某日立春，盛德在木"，天子乃斋。立春之日，天子亲率三公、九卿、诸侯、大夫以迎春于东郊。还，乃赏卿、诸侯、大夫于朝。命相布德和令,行庆施惠,下及兆民。庆赐遂行,无有不当。迺命太史守典奉法,司天日月星辰之行,宿离不忒,无失经纪,以初为常。

是月也,天子乃以元日祈谷于上帝。乃择元辰,天子亲载耒耜措之,参于保介之御间,率三公、九卿、诸侯、大夫躬耕帝籍田。天子三推,三公五推,卿、诸侯、大夫九推。反,执爵于太寝,三公、九卿、诸侯、大夫皆御命,曰劳酒。

是月也,天气下降,地气上腾,天地和同,草木繁动。王布农事,命田舍东郊。皆修封疆,审端径术,善相丘陵阪险原隰、土地所宜、五谷所殖,以教道民,必躬亲之。田事既饬,先定准直,农乃不惑。

是月也,命乐正入学习舞。乃修祭典,命祀山林川泽,牺牲无用牝。禁止伐木。无覆巢,无杀孩虫、胎夭、飞鸟,无麛无卵。无聚大众,无置城郭。掩骼霾髊。

是月也,不可以称兵,称兵必有天殃。兵戎不起,不可以从我始。无变天之道,无绝地之理,无乱人之纪。

孟春行夏令,则风雨不时,草木早槁,国乃有恐;行秋令,则民大疫,疾风暴雨数至,藜莠蓬蒿并兴;行冬令,则水潦为败,霜雪大挚,首种不入。

[译文] 孟春正月,太阳在天球上运行到营室的位置。黄昏时候参星在正南天,清晨时候尾星在正南天。本月的祭祀用甲乙之日,祭祀的古帝王是太皞(木德之帝),配祭的神灵是句芒(木神)。与时令和五行的木相应的动物是鳞甲类。相应的音是五音中的角音,乐律合于太蔟。数合于八。相应的味道是酸味,气味是膻味。祭祀户神,用牲畜的内脏作祭品,要把脾摆在前面。

这时东风吹来,河水开始解冻,蛰虫开始甦醒。水中的鱼浮到冰面下游动,水獭觅食常把捕到的鱼陈列在水边。到南方过冬的候鸟大雁开始北归。

天子按时令居住在明堂的东室。乘鸾辂车,驾苍龙马。车上插青色蛟龙旗,穿青色衣服,佩青色玉饰。行食麦礼,以羊为祭牲。所用器物的镂孔装饰都大方明朗。

是月有立春节气。立春前三日,太史报告天子,说"某日立春,盛德在东方"(五行的木象征东方),天子于是沐浴斋戒。立春这一天,天子亲率三公、九卿、诸侯、大夫,到东郊举行迎春仪式。仪式完毕返回,即赏赐卿、诸侯、大夫于朝堂。命他们传布德教,合和政令,推行庆赏,实施恩惠,下及于黎民百姓。庆赏恩赐因而顺利推行到各个等级,皆得其所,无有不当。于是命太史遵循典章,奉行法规,主管天文历法以掌握日月星辰的运行情况,推勘校验,使天文进退度数不出过差,保持时令秩序,以求既往制定的历法常能行用。

是月天子择吉日,举行郊祀大礼,敬天祈祷丰收。又选择良辰,天子亲自带上耒耜农具,放在所乘车的陪乘甲士和驾车人之间,率领三公、九卿、诸侯、大夫,到郊外举行躬耕劝农的籍田礼。行礼时,天子执耒推三次,三公推五次,卿、诸侯、大夫各推九次。礼毕返回,在祭祀祖先的太庙行饮酒礼以报功,三公、九卿、诸侯、大夫皆奉命参加,称为"劳酒"(犒赏慰劳群臣的饮酒礼)。

是月天气下降,地气上升,天气、地气交汇合和,草木开始萌动。王发布农事,命主管农事的农大夫留住郊外,督促耕作。所有土地都划分好疆界,严格端正田间道路,周密地察看丘陵、高地、平原、低洼地,看各种土地适宜种植什么作物,作物怎样才能生长,农大夫以尽地力之教劝导农民,一定要亲自下到田里。田事整治既有条理,先定下了标准,农民才能心里踏实,按部就班地勤力劳作。

是月命乐官长到国子学,组织子弟生员练习乐舞。于是修订祭祀典礼,命祭祀山川林泽之神,所用牺牲不得杀雌性牲畜(以便牲畜繁殖)。禁止砍伐树木(因树木正在生长期)。不得破坏鸟巢,不得杀死幼虫、胎兽、幼兽或刚会飞的鸟,不得用小兽或鸟蛋作祭品。不得集中大批人力出徭役,不得修建城郭。要掩埋动物或死人的枯骨及腐烂的尸体。

是月不可以举兵征伐,举兵必有上天降予的大祸殃。这是不能兴兵的季节,任何人都不可以挑起战争。不要因为兴兵而违背了天时节令的规律,断绝了土地养生的本原,打乱了人伦秩序的纲纪。

孟春时节推行夏季的时令行政,就会风雨不时,草木早枯,国家出现恐慌;推行秋季的时令行政,就会发生大瘟疫,疾风暴雨频至,藜莠蓬蒿等荒草猛长;推行冬季的时令行政,就会发生涝灾,不时有霜雪为害,早种的庄稼都不收。

本　生

[原文]　　始生之者天也,养成之者人也。能养天之所生而勿撄之,谓之天子。天子之动也,以全天为故者也,此官之所自立也。立官者,以全生也。今世之惑主,多官而反以害生,则失所为立之矣。譬之若修兵者,以备寇也;今修兵而反以自攻,则亦失所为修之矣。

夫水之性清,土者抇之,故不得清;人之性寿,物者抇之,故不得寿。物也者,所以养性也,非所以性养也。今世之人惑者,多以性养物,则不知轻重也。不知轻重,则重者为轻,轻者为重矣。若此,则每动无不败。以此为君悖,以此为臣乱,以此为子狂。三者国有一焉,无幸必亡。

今有声于此,耳听之必慊,已听之则使人聋,必弗听;有色于此,目视之必慊,已视之则使人盲,必弗视;有味于此,口食之必慊,已食之则使人瘖,必弗食。是故圣人之于声色滋味也,利于性则取之,害于性则舍之,此全性之道也。世之富贵者,其于声色滋味也多惑者,日夜求,幸而得之则遁焉。遁焉,性恶得不伤?万人操弓,共射其一招,招无不中。万物章章,以害一生,生无不伤;以便一生,生无不长。故圣人之制万物也,以全其天也。天全则神和矣,目明矣,耳聪矣,鼻臭矣,口敏矣,三百六十节皆通利矣。若此人者，不言而信，不谋而当，不虑而得；精通乎天地，神覆乎宇宙，其于物无不受也，无不裹也，若天地然；上为天子而不骄，下为匹夫而不惛，此之谓全德之人。

贵富而不知道，适足以为患，不如贫贱。贫贱之致物也难，虽欲过之，奚由？出则以车，入则以辇，务以自佚，命之曰招蹙之机；肥肉厚酒，务以自强，命之曰烂肠之食；靡曼皓齿，郑卫之音，务以自乐，命之曰伐性之斧。三患者，贵富之所致也。故古之人有不肯贵富者矣，由重生故也。非夸以名也，为其实也，则此论之不可不察也。

[译文] 人之初生出于自然的"天"，养成却在人自己。能保养自然生理而不违背它，所以有"天子"之名。天子的行为举动以顺应自然、保全天性为事，这也就是所以要设官分职的原因。设官分职是为了保全天子的天性。现在世上的糊涂君主，设官很多，反而因干涉官职部门的事务而损害自己的天性，则失去了设官分职的本意。譬如治军，本是为了防御外敌的入侵，现在却以军兵自相攻杀，也就失去了治军的本意。

水的本性是保持澄清，而土会使它变浑浊，也便不能澄清；人的本性是希望长寿，而受到外物的扰乱，也便不能长寿。对人有用的物是用来养人天性的，并非是要用人性来养它。现在世上的糊涂人，多是以性养物，则不知轻重之理。不知轻重之理，就会以重为轻，以轻为重，颠倒了身重物轻的关系。这样就一举一动，没有不坏事的。以此为人君则荒谬，以此为人臣则扰乱，以此为人子则放荡。这三种情况，国家有一种，就必定非危即亡。

假如有一种声音，人听到会觉得快意，而听过之后却会耳聋，人必定不去听；有一种美色，人看到会觉得悦心，而看过之后却会目盲，人必定不去看；有一种美味，人吃到会觉得爽口，而吃过之后却会变哑，人必定不去吃。因此圣人对于声、色、滋味，有利于养性则用之，不利于养性则弃之，这才是保全天性之道。世上有地位、有钱财之人，多迷恋于声、色、滋味，日夜追求，一旦有幸得到，便流连不返。这样不能自禁，人的本性怎么会不受到伤害？万人持弓，同射一个箭靶，靶子没有不被射中的。自然界万物俱存，都有不利于人生的一面，若取以害生，则人生无不会受到伤害；若取以养生，则人生亦可以追求长寿。因此圣人驾驭万物，是为了用来保全天性。天性保全则精神谐和，目能明，耳能聪，鼻能嗅，口能品味，全身三百六十节皆通畅利便。像这样的人，不开口而立身守信用，不预谋而处事常恰当，不思虑而观念总得实；精神通乎天地、笼括宇宙，对于万事万物无不接受、无不包容，就像自然界本身的品格那样；上为天子而不放任骄恣，下为匹夫亦无抑郁忧闷，这才叫做"全德之人"。

大贵大富而不知大道，这样的富贵恰恰足以成为祸害，还不如贫贱。人处在贫贱的地位上，难以得到养身之物，即使想纵情适欲，能有什么途径？处在富贵的地位上，出则以车，入则以辇，行动务求舒适，是名之曰"招蹶之机"（招至百疾缠身的契机）；肥肉厚酒，一心想使身体强壮，是名之曰"烂肠之食"；迷恋美色歌女、靡靡之音，追求淫乐，是名之曰"伐性之斧"。这三种祸害，都是富贵所带来的。所以古人有不肯富贵的，就是由于重视人生本性的缘故。这不是为了求得一个虚名，而是因为这样做符合保生全性之实。故而贵贱祸福之论，不能不加以详察。

贵　　公

[原文]　昔先圣王之治天下也，必先公，公则天下平矣，平得于公。尝试观于上志，有得天下者众矣，其得之以公，其失之必以偏。凡主之立也生于公，故《鸿范》曰："无偏无党，王道荡荡；无偏无颇，遵王之义。无或作好，遵王之道；无或作恶，遵王之路。"天下非一人之天下也，天下之天下也。阴阳之和，不长一类；甘露时雨，不私一物；万民之主，不阿一人。

伯禽将行，请所以治鲁。周公曰："利而勿利也。"荆人有遗弓者，而不肯索，曰："荆人遗之，荆人得之，又何索焉？"孔子闻之曰:"去其荆而可矣。"老聃闻之曰:"去其人而可矣。"故老聃则至公矣。天地大矣,生而弗子,成而弗有,万物皆被其泽、得其利,而莫知其所由始。此三皇五帝之德也。

管仲有病,桓公往问之,曰:"仲父之病矣渍甚,国人弗讳,寡人将谁属国?"管仲对曰:"昔者臣尽力竭智,犹未足以知之也。今病在于朝夕之中,臣奚能言?"桓公曰:"此大事也,愿仲父之教寡人也。"管仲敬诺,曰:"公谁欲相?"公曰:"鲍叔牙可乎?"管仲对曰:"不可。夷吾善鲍叔牙。鲍叔牙之为人也,清廉洁直,视不己若者不比于人,一闻人之过,终身不忘。勿已,则隰朋其可乎?隰朋之为人也,上志而下求,丑不若黄帝,而哀不己若者;其于国也,有不闻也;其于物也,有不知也;其于人也,有不见也。勿已乎?则隰朋其可也。"夫相,大官也,处大官者不欲小察,不欲小智。故曰:大匠不斫,大庖不豆,大勇不斗,大兵不寇。桓公行公,去私恶,用管子,而为五伯长;行私,阿所爱,用竖刁,而虫出于户。

人之少也愚,其长也智,故智而用私,不若愚而用公。日醉而饰服,私利而立公,贪戾而求王,舜弗能为。

[译文]　古昔先圣王治天下,必定首先强调为公,为公则天下平正,平正出于公心。曾试为此而考查上古历史记载,得天下者多矣,其所以得天下必定是由于公正无私,其所以失天下也必定是由于偏私不公。人主职务地位的确立出于公天下之心,因此《鸿范》篇说:"没有偏私,没有抑扬,王道如砥,平平荡荡;不要偏私,不要违离,遵法先王,依行大义。不要任情,无有私好(hǎo),遵法先王,依行大道;不要擅欲,勿存私恶(wù),遵法先王,依行大路(即大道)。"这是由于天下不是一人的天下,而是天下人的天下。阴阳二气调和,不只是为了使一类生物成长;甘露和及时雨下降,不只是为了使一草一木受到沾溉;为天下万民之主,就要普惠于万民,不能偏私于一人一事。

周公之子伯禽分封鲁地将莅国,请示怎样治国。周公说:"务要利民,不要自利。"楚地有人丢失了一张弓,却不肯去寻找,他说:"楚人丢失的东西,还是由楚人拣到,又何必去寻找呢?"孔子听说这件事以后说道:"要是不限于'楚'(意谓着眼于'人'——人失之而人得之),那就可以了。"老子听说这件事以后说道:"要是不限于'人'(意谓着眼于'天下'——失于天下而存于天下),那就可以了。"这样说来,老子可称是至公无私的。天地广大,生育万物而不以万物为子孙,养成万物而不以万物为私有,万物皆受大自然的恩泽利惠,而不知这是怎么来的。三皇五帝的道德就是这样。

管仲有病,齐桓公前往探视存问,说:"仲父您的病情越来越重了,万一国有不讳(指管仲之死),将托谁来接替您作相国?"管仲回答说:"以往臣(管仲自称)尽心竭智,还是不敢说足以知人。现在臣病死只是早晨晚上的事,又能说什么话!"桓公说:"这是国家大事,请仲父务必要指教寡人(桓公自称)。"管仲恭敬答应,说:"公欲以谁为相?"桓公说:"鲍叔牙可以接替您吗?"管仲说:"不可以。夷吾(管仲之名,此亦用作自称)与鲍叔牙交情最厚。鲍叔牙之为人,清廉正直,对待不如自己的人不去和别人比较一下,往往一听到别人有个过错就终身不忘,总是搁不下。如果君上您一定要我不得已而说出一个人的话,那么隰朋可以吗?隰朋之为人,总是记着古贤人的德行而努力去效法,且不耻下问('下求'),自愧德行不如黄帝,对待不如自己的人从不看不起,一心使别人和自己一样。他对于国事,有的不求知道;对于事物,有的不求了解;对于人际关系,有的不去交接。(他时时考虑到自己的本分和职事)。君上您一定要我不得已而说出一个人吗?那么我以为隰朋可以接替我。"国相是大官,做大官的人不可以苛察小事,不可以靠小智慧。因此说:高级木匠不善刮削砍凿,高级厨师不善摆弄俎豆(祭器),大勇之人不尚矜能私斗,强大之兵不事劫掠抄寇。齐桓公当初行公心,去私欲,用管仲为相,遂为五霸之首;后来桓公行私心,嬖佞人,委国政于谀臣竖刁,终于导致死后内乱,使自己的遗体六十日不得葬,蛆虫流出于门外。

通常人年少的时候还缺乏经验而有些愚笨,随着长大成人而逐渐增加智慧,然则智慧增加了而处事行私,还不如尚有些愚笨而处事行公。每天沉迷于酒色而欲整饬服丧的规矩,自私自利而求天下为公,贪暴荒淫而求王有天下,虽像大舜这样的非凡之人也无能为力。

情　欲

[原文]　　天生人而使有贪有欲。欲有情,情有节,圣人修节以止欲,故不过行其情也。故耳之欲五声,目之欲五色,口之欲五味,情也。此三者,贵贱愚智贤不肖,欲之若一,虽神农、黄帝,其与桀、纣同。圣人之所以异者,得其情也。由贵生动,则得其情矣;不由贵生动,则失其情矣。此二者,死生存亡之本也。

俗主亏情,故每动为亡败。耳不可赡,目不可厌,口不可满。身尽府种,筋骨沈滞,血脉壅塞,九窍寥寥,曲失其宜,虽有彭祖,犹不能为也。其于物也,不可得之为欲,不可足之为求,大失生本。民人怨谤,又树大仇。意气易动,跡然不固;矜势好智,胸中欺诈。德义之缓,邪利之急,身以困穷,虽后悔之,尚将奚及?巧佞之近,端直之远,国家大危,悔前之过,犹不可反。闻言而惊,不得所由,百病怒起,乱难时至。以此君人,为身大忧。耳不乐声,目不乐色,口不甘味,与死无择。

古人得道者,生以寿长,声色滋味能久乐之,奚故?论早定也。论早定则知早啬,知早啬则精不竭。秋早寒则冬必燠矣,春多雨则夏必旱矣,天地不能两,而况于人类乎?人之与天地也同,万物之形虽异,其情一体也。故古之治身与天下者,必法天地也。尊,酌者众则速尽。万物之酌大贵之生者众矣,故大贵之生常速尽;非徒万物酌之也,又损其生以资天下之人,而终不自知。功虽成乎外,而生亏乎内,耳不可以听,目不可以视,口不可以食;胸中大扰,妄言想见;临死之上,颠倒惊欢,不知所为。用心如此,岂不悲哉!

世人之事君者,皆以孙叔敖之遇荆庄王为幸。自有道者论之则不然,此荆国之幸。荆庄王好周游田猎,驰骋弋射,欢乐无遗,尽傅其境内之劳与诸侯之忧于孙叔敖。孙叔敖日夜不息,不得以便生为故,故使庄王功迹著乎竹帛,传乎后世。

[译文]　大自然造就了人类而使它生来就有贪欲的本能。有欲就有情,有情就要有节制,圣人注重节制以使欲有所止,故不过分纵其情。人都想听美妙悦耳的音乐,都想看美丽赏心的颜色,都想吃美味爽口的食物,这是人之常情。这三条,不论贵贱、愚智、贤不肖,欲望都是一样的,即使像神农、黄帝那样的圣君,与夏桀、商纣等暴主也没有什么不同。圣人之所以异于常人,就在于他们能够节制自己的欲望,使情得其所,无过无不及。因地位高贵而采取与之相适应的活动方式,就能使情得其所;不顾地位高贵而采取与之不相适应的活动方式,就会使情失其所。这两条,乃是关系到生死存亡的根本。

庸俗的君主纵欲亏情,所以行事非败即亡。耳听音乐不知繁富,目视美色不知厌倦,口食美味不知满足。全身都浮肿起来,筋骨活动不灵,血脉壅塞不通,九窍寥落无用,全都失去应有的官能,虽有像彭祖那样传说活到七八百岁的巫医,也无法治愈这种病症。这样的君主对于外物,因不能尽得而欲望无限,因不能盈足而追求不止,大失生人根本。由此而导致民怨沸腾,又人树仇敌。其意气容易变化,跃然不稳定;常以势位陵傲群下,好耍弄聪明机智,胸怀欺诈,不诚其所行。行事把道德仁义丢置脑后,以攫取不正当利益为急,因此落到身败名裂的地步,虽复后悔,又将何及!人主亲近巧佞小人,疏远正直之士,这是国家的大危害,纵使痛悔以往的过失,还是无法补救返正。及至危亡关头,猛听正直之言而始惊怖,也已无从再用其言而挽救危局,因此百病暴起,大乱之难随时会发生。像这样子为人主,正是自身的大忧患。此时耳听音乐而不快,目视美色而不乐,口含甘旨而不知味,与死人还有什么差别!

古来得道之人,能以长寿终其性命,久有声、色、滋味之乐,原因在哪里呢?就在于他们早早明白了节欲的道理。此理早早有知有定,则早知自爱;早知自爱,则精力充沛,如源泉不断。秋季早寒,则冬季必暖;春季多雨,则夏季必旱。天地自然也不能两不相失,何况人类!人生与天地自然之理同,万物形态虽异,其生理情实却一致。所以古人治身与治天下,必皆效法天地。一樽酒,酌取的人多了,很快就会被舀光。万物酌取贵极生人的人主性命者不可胜数,所以大贵大富的人主常常不能延年益寿;而且不仅有万物的酌取,还要损其性命以资给天下之人,而人主终不自觉(此指人主过分注重功业而不知重生)。功业虽然成于身心之外,性命却亏损于身心之内,以致弄得耳不能听,目不能视,口不能食;胸中大乱,精神恍惚,胡言乱语狂想幻见之状;临死之际颠倒错乱,一会惊惧恐怖,一会无端欢笑,完全不能控制其行为。用心到这种地步,岂不悲哀!

世人皆以为楚国令尹孙叔敖能得到楚庄王的礼遇重用是一种幸运,在深通尊生之道者看来其实不然。这是楚国的幸运,而不是孙叔敖个人的幸运。楚庄王好周游打猎,放纵其驰骋弋射之乐把法子都想尽了,所有的内政之劳与外交之忧尽付与孙叔敖。孙叔敖日夜不休地操劳国事,不能以养性利生为事,这才使得楚庄王有功业著于史册,传于后世。(言外之意,君主"无为"乃一国之幸运)

尽　　数

[原文]　　天生阴阳,寒暑燥湿,四时之化,万物之变,莫不为利,莫不为害。圣人察阴阳之宜,辨万物之利,以便生,故精神安乎形,而年寿得长焉。长也者,非短而续之也,毕其数也。毕数之务,在乎去害。何谓去害?大甘、大酸、大苦、大辛、大咸,五者充形,则生害矣;大喜、大怒、大忧、大恐、大哀,五者接神,则生害矣;大寒、大热、大燥、大湿、大风、大霖、大雾,七

者动精,则生害矣。故凡养生莫若知本,知本则疾无由至矣。

精气之集也,必有入也。集于羽鸟与,为飞扬;集于走兽与,为流行;集于珠玉与,为精朗;集于树木与,为茂长;集于圣人与,为敻明。精气之来也,因轻而扬之,因走而行之,因美而良之,因长而养之,因智而明之。流水不腐,户枢不蝼,动也。形气亦然,形不动则精不流,精不流则气郁。郁,处头则为肿为风,处耳则为挶为聋,处目则为䁾为盲,处鼻则为鼽为窒,处腹则为张为疛,处足则为痿为蹙。轻水所多秃与瘿人,重水所多尰与躄人,甘水所多好与美人,辛水所多疽与痤人,苦水所多尪与伛人。

凡食,无强厚味,无以烈味。重酒,是以谓之疾首。食能以时,身必无灾。凡食之道,无饥无饱,是之谓五藏之葆。口必甘味,和精端容,将之以神气,百节虞欢,咸进受气。饮必小咽,端直无戾。

今世上卜筮祷祠,故疾病愈来。譬之若射者,射而不中,反修于招,何益于中?夫以汤止沸,沸愈不止,去其火,则止矣。故巫医毒药逐除治之,故古之人贱之也,为其末也。

[译文]　大自然有阴阳二气交合,寒冷、暖热、干燥、潮湿,四季转换,万物变化,对于人类没有不既有利又有害的。圣人详观阴阳二气交合的适宜条件,辨察万物之利以使之有益于人生,因此精神与形体相安共守,而得以益寿延年。年寿延长,并不是由短寿接续下来的,生命活动的根本在于尽其规律。要尽其规律,就务必要去掉有害的东西。怎样才能去害呢?大甜、大酸、大苦、大辛(辣)、大咸,这五样东西充于体内,就会害生;大喜、大怒、大忧、大恐、大哀,这五样东西接触精神,就会害生;大冷、大热、大干燥、大潮湿、大风、大霖(久下不停的雨)、大雾,这七样东西扰动了精气,就会害生。所以凡是要养生强身,莫若首先知其根本。知道了这个根本,那么疾病就无从发生。

精气的集聚有一定的途径和表现形式。精气集聚于有羽毛的鸟类，就表现为飞翔；集聚于靠奔跑的兽类，就表现为成群结队的游动；集聚于珠宝珍玉，就表现为精莹光亮；集聚于树木，就表现为繁生茂长；集聚于圣人身上，就表现为远大英明。精气集聚于万物生灵之时，因其性轻就使之飞扬，因其性走就使之游动，因其性美就使之精良，因其性长就使之得养，因其性智就使之明哲。流水不会腐臭，门轴不会生虫，都是由于它们在不断地动。形气也是这样，形体不动则精气不畅，精气不畅则积滞郁结。郁积在头上，就会头昏脑涨以至风痹；郁积在耳上，就会听力减弱以至变聋；郁积在眼睛上，就会视力减弱以至变盲；郁积在鼻子上，就会鼻孔窒碍不通畅；郁积在腹中，就会腹部胀满跳动而疼痛；郁积在腿脚上，就会下肢萎弱以至跛足。水质轻清的地方，多有秃顶和瘿脖之人；水质重浊的地方，多有肿足和跛足之人；水质甘甜的地方，多有好男子、美女子；水质辛膻的地方，多有生疽疮和痤疮之人；水质苦味的地方，多有突胸曲背之人。

凡是进食，不要强吃味道太浓的东西，不要贪恋烈性的气味。浓烈的酒，这可说是致病的根源。能按时节进食，身体必无灾疾。凡进食之道，不要太饥和太饱，这是使五脏健康的保证。口中常有甜味，调和精神，端正身容再通过精神气脉的将养，身体百节舒畅，都会接受精气。饮水则要细咽，使水正直进入体内，不要猛喝而使水呛上来。

现在世人迷信卜筮算命，祈求神灵保佑，反而疾病越多。譬之如射箭，射而不中，反而去修理箭靶，这对提高技艺、希望射中有何益处？用开水去制止沸腾，沸腾就更不可制止，去掉锅底的薪火，沸腾也就止住了。所以求巫医、用毒药除病治身，古人自来就轻视这办法，因这不是正性保命、去病强身之本而只是末。

论　　人

[原文]　　主道约,君守近;太上反诸己,其次求诸人。其

索之弥远者,其推之弥疏;其求之弥强者,失之弥远。

何谓反诸己也?适耳目,节嗜欲,释智谋,去巧故,而游意乎无穷之次,事心乎自然之涂,若此则无以害其天矣。无以害其天则知精,知精则知神,知神之谓得一。凡彼万形,得一后成。故知一,则应物变化,阔大渊深,不可测也;德行昭美,比于日月,不可息也;豪士时之,远方来宾,不可塞也;意气宣通,无所束缚,不可收也。故知知一,则复归于朴,嗜欲易足,取养节薄,不可得也;离世自乐,中情洁白,不可量也;威不能惧,严不能恐,不可服也。故知知一,则可动作当务,与时周旋,不可极也;举错以数,取与遵理,不可惑也;言无遗者,集肌肤(按:疑脱一字),不可革也;谚人困穷,贤者遂兴,不可匿也。故知一,则若天地然,则何事之不胜,何物之不应!譬之若御者,反诸己则车轻马利,致远复食而不倦。昔上世之亡主,以罪为在人,故日杀僇而不止,以至于亡而不悟;三代之兴王,以罪为在己,故日功而不衰,以至于王。

何谓求诸人?人同类而智殊,贤不肖异,皆巧言辩辞以自防御,此不肖主之所以乱也。凡论人,通则观其所礼,贵则观其所进,富则观其所养,听则观其所行,止则观其所好,习则观其所言,穷则观其所不受,贱则观其所不为;喜之以验其守,乐之以验其僻,怒之以验其节,惧之以验其特,哀之以验其人,苦之以验其志。八观、六验,此贤主之所以论人也。论人者,又必以六戚、四隐。何谓六戚?父、母、兄、弟、妻、子。何谓四隐?交友、故旧、邑里、门郭。内则用六戚、四隐,外则用八观、六验,人之情伪、贪鄙、美恶无所失矣。譬之若逃雨汗,无之而非是。此先圣王之所以知人也。

[译文] 为人主之道尚简约,为人君所守尚近身;最上等的路径

是反身求之于修己，其次才是求之于论人。在这方面，寻索离自身越远，推求于人就越不周密；推求于人越强，失之于修己就越远。

什么叫反身求之于修己？调适耳目之愉，节制嗜欲好恶，放弃智略计谋，去掉伪巧世故，而纵意于大道无穷之际，治心于自然无为之途，这样，就能无害于自身的天性。无害于自身的天性，就能了解事物的精微；了解了事物的精微，就能知道什么是神明变化；知道了什么是神明变化，就叫做"得一"（得道）。大凡万物之形体，都是在得到这个"一"之后才形成的。所以知道了这个"一"，就能适应万物的变化，胸怀扩大，知识渊深，不可测其深浅；德行昭明美善，光辉比于日月，不可熄灭；世之贤人豪士应时而至，远方之民皆来宾服，不可遏止；意气开朗通畅，无拘无束，不可收敛。所以致力于了解这个"一"，就能复归于天性之本，嗜欲容易满足，索取俭少，奉养微薄，这是很难能的；脱离世事，自得其乐，心性高洁清白，未可按世俗的标准去度量；威势不能使之惧，严法不能使之恐，没有什么可以使之屈服。所以致力于了解这个"一"，就可举动合于当行之事，随时势周旋进退，应物变化没有穷尽的时候；举措依于自然规律，取舍遵行大道之理，事事物物不能使之迷惑；言满天下而无失，括尽自然，切于保身，不可改变；谗人困穷，贤者兴起，都不可隐伏。所以致力于了解这个"一"，便如天地自然的运行，诸事之为又有哪一件不能胜任，凡物之变又有哪一种不能应付！譬如驾御车马，反身求之于自己的技艺水平，则车若轻，马利用，远行千里，虽一日两餐，连续驱进，人马不倦。往昔上古之世的亡国之主，总以为罪过在别人，故日加杀戮而不止，直到亡国也不醒悟；三代兴起时的贤王，以为罪在于己，故日思立功救民而奋力不息，直到王有天下。

什么叫求之于论人？人在自然界属于同类，但智慧有差别，德行上的贤或不肖也有异，因而人人都知道用巧辩言词来提防他人，保护自己，这正是不肖之主所以乱世的一种根源。凡是论人，对知识通达的要看他礼敬些什么人，对地位高贵的要看他荐举些什么人，对财产丰厚的要看他供养些什么人，听他发言要看他平时行些什么事，见他居处要看他有些什么嗜好，对他熟悉的东西要看他说些什么话，对处于困境的人要看他接受什么、不接受什么,对身份低贱的人要看他做什么、不做什么;再就是送他喜欢的东西以检验他的操守,让他享乐以检验他有什么不正当习性,激怒他以检验他的节制能力,恐吓他以检验他的独立程度,可怜他以检验他的隐忍品性,使他受苦以检验他的志气抱负。这"八观"、"六验",就是贤主用来论人的依据和方法。论人还要看"六戚"、"四隐"。什么叫"六戚"?就是他的父、母、兄、弟、妻、子。什么叫"四隐"?就是他的交友、故旧、乡人、邻居。看他的内部表现用"六戚"、"四隐",看他的外部表现用"八观"、"六验"。这样,一个人的真伪、贪鄙、美丑就可以尽知而无所失。譬之如下雨天躲避雨水和污泥,任你跑到什么地方也躲不掉。这就是先圣王之所以能够知人的缘由。

孟夏纪

[原文] 孟夏之月,日在毕。昏翼中,旦婺女中。其日丙丁,其帝炎帝,其神祝融。其虫羽。其音徵,律中仲吕。其数七。其性礼,其事视。其味苦,其臭焦。其祀灶,祭先肺。

蝼蝈鸣,丘蚓出。王菩生,苦菜秀。

天子居明堂左个。乘朱辂,驾赤骝。载赤旂,衣赤衣,服赤玉。食菽与鸡,其器高以觕。

是月也,以立夏。先立夏三日,太史谒之天子,曰"某日立夏,盛德在火",天子乃斋。立夏之日,天子亲率三公、九卿、大夫以迎夏于南郊。还,乃行赏,封侯庆赐,无不欣说。乃命乐师,习合礼乐。命太尉赞杰俊,遂贤良,举长大,行爵出禄,必当其位。

是月也,继长增高,无有坏隳。无起土功,无发大众。无伐大树。

是月也,天子始絺。命野虞出行田原,劳农劝民,无或失时。命司徒循行县鄙,命农勉作,无伏于都。

是月也,驱兽无害五谷,无大田猎。农乃升麦,天子乃以彘尝麦,先荐寝庙。

是月也,聚蓄百药。靡草死,麦秋至。断薄刑,决小罪,出轻系。蚕事既毕,后妃献茧。乃收茧税,以桑为均,贵贱少长如一,以给郊庙之祭服。

是月也,天子饮酎,用礼乐。行之是令,而甘雨至,三旬。

孟夏行秋令,则苦雨数来,五谷不滋,四鄙入保;行冬令,则草木早枯,后乃大水,败其城郭;行春令,则虫蝗为败,暴风来格,秀草不实。

[译文] 孟夏四月,太阳在天球上运行到毕宿的位置。黄昏时候翼星在南天,清晨时候婺女星在正南天。本月的祭祀用丙丁之日,祭祀的古帝王是炎帝(火德之帝),配祭的神灵是祝融(火神)。与时令和五行之火相应的动物是羽毛类。相应的音是五音中的徵(zhǐ)音,乐律合于仲吕。数合于七。物性合于礼,物事合于视。相应的味道是苦味,气味是焦味。祀灶神,用牲畜的内脏作祭品,要把肺摆在前面。

这时蛤蟆开始鸣叫,蚯蚓开始钻出地面。栝楼发芽出土,苦菜已苗秀叶茂。

天子按时令居住在南向明堂的东室。乘朱辂车,驾赤骝马。车上插赤旗,穿赤色衣服,佩赤色玉饰。行食豆礼,以鸡为祭牲,所用器物都高而粗大。

是月有立夏节气。立夏前三日,太史报告天子,说"某日立夏,盛德在南方"(五行的火代表南方),天子于是沐浴斋戒。立夏这一天,天子亲率三公、九卿、大夫,到南郊举行迎夏仪式。仪式完毕返回,即行赏赐,封诸侯,行庆赐,无不欢欣。于是命乐师教习合练礼乐。命太尉选拔举进俊杰、贤良及高大强壮的人材,授予爵位禄秩,必与其职位相当。

是月草木继续生长增高,不要毁坏。不要兴起土木工程,不要集中大批劳力出徭役。不要砍伐大树。

是月天子开始穿细葛布做的单衣。命主管田地和山林川泽的官员出行巡视田原,安抚和引导农民,不要错过农时。命司徒巡行视察县邑乡村,使农民勉力耕作,不要留在城邑内。

是月驱赶野兽,不使它们损害庄稼,但不准大规模打猎。农人进献新鲜的小麦,天子于是用猪牲作祭品举行尝麦礼,先到祖庙进献以示孝敬。

是月开始积聚和收藏各种草药。糜草开始死去,小麦进入成熟的时节。审断轻刑,判决小罪,释放被拘押而不够判刑条件的人。养蚕事务结束后,后妃以蚕茧进献祖妣庙。于时收茧税,以种桑多少均收,不论贵贱、长幼都一样,用来制作敬天敬祖的祭服。

是月天子饮用春天酿造而入夏始成的醇酒,共与群臣行礼奏乐。举行这种时令活动时,如果有人们盼望的甘雨来到,就会连下三旬,每旬(十天)一次,三旬三次。

孟夏时节推行秋季的时令行政,就会频有久下成灾的雨水,五谷不长,四境之民都入城邑自保;推行冬季的时令行政,就会草木早枯,随后又有大水灾,冲毁城郭;推行春季的时令行政,就会有蝗虫为灾,暴风袭来,田里杂草茂长而庄稼不结实。

劝　　学

[原文]　先王之教,莫荣于孝,莫显于忠。忠、孝,人君、人亲之所甚欲也;显、荣,人子、人臣之所甚愿也。然而人君、人亲不得其所欲,人子、人臣不得其所愿,此生于不知理义。不知义理生于不学,学者师达而有才,吾未知其不为圣人。圣人之所在则天下理焉,在右则右重,在左则左重,是故古之圣王未有不尊师者也。尊师,则不论其贵贱贫富矣。若此,则名号显矣,德行彰矣。故师之教也,不争轻重、尊卑、贫富,而争于道。其人苟可,其事无不可。

所求尽得,所欲尽成,此生于得圣人。圣人生于疾学,不疾学而能为魁士名人者,未之尝有也。疾学在于尊师,师尊则言信矣,道论矣。故往教者不化,召师者不化;自卑者不听,卑师者不听。师操不化、不听之术,而以强教之,欲道之行、身之尊也,不亦远乎?学者处不化、不听之势,而以自行,欲名之显、身之安也,是怀腐而欲香也,是入水而恶濡也。

凡说者,兑之也,非说之也。今世之说者,多弗能兑,而反说之。夫弗能兑而反说,是拯溺而硾之以石也,是救病而饮之以堇也。使世益乱,不肖主重惑者,从此生矣。故为师之务,在于胜理,在于行义。理胜义立,则位尊矣,王公大人弗敢骄也,上至于天子朝之而不惭。凡遇合也,合不可必。遗理释义以要不可必,而欲人之尊之也,不亦难乎?故师必胜理行义然后尊。曾子曰:"君子行于道路,其有父者可知也,其有师者可知也。夫无父而无师者,余若夫何哉?"此言事师之犹事父也。曾点使曾参,过期而不至,人皆见曾点曰:"无乃畏邪?"曾点曰:"彼虽畏,我存,夫安敢畏!"孔子畏于匡,颜渊后,孔子曰:"吾以汝为死矣。"颜渊曰:"子在,回何敢死!"颜回之于孔子也,犹曾参之事父也,古之贤者与!其尊师若此,故师尽智竭道以教。

[译文] 先王的教化所注重的纲纪,没有比孝更荣耀的,没有比忠更彰显的。忠和孝,都是为人君、为人父者甚想得到的;显和荣,都是为人臣、为人子者甚想做到的。然而为人君、为人父者往往想得到而得不到,为人臣、为人子者往往想做到而做不到,这都是出于不知理义。不知理义出于不学。如果从学者以达道者为师而又有才性,我看不出他不会成为圣人。有圣人在则天下就能得到治理,圣人在右则右边重,圣人在左则左边重,因此古代的圣王没有不尊师的。尊师,就要不论贵贱贫富。如果能做到这一点,就能名号显耀,德行彰著。因此对于师教,不可争于轻重、尊卑、贫富,而要争于"道"。假如其人可以为师,那就没有什么理由不

可以拜他为师。

所要学到的尽能学到,所要养成的尽能养成,这出于能得圣人之要。圣人出于力学,不力学而能成为显士名人者从未有过。力学在于尊师,师道尊严则所教可被信从,道义可得讲论。因此往教之师不能使受学者感化,召师而受学者亦不能接受感化;往教者屈尊自卑则所教不见从,召师者不尊师亦不听师言。为师而用这种不能感化、不被听从的方式勉强从事教学,要使"道"得以流行、自身受到尊敬,不是越走越远了吗?受学者处在不受教化、不听师言的地位上,只管自行其是,而要显扬名声,安身处世,则犹如怀腐臭而欲使身香,掉水中而又厌恶沾湿。

凡是一种学说的建立,目的是为了使它通行,并非只是为了讲解它。现在世上建立学说的人,多对自己的学说就不能通,反而来讲解它。不能通而反去讲解,就如拯救落水者而又系之以重石,救治病人而又饮之以毒药。使世道愈乱,不肖之主更加迷惑的状况,就由此而生(按:此乃抨击战国私学及游说之士)。因此为师之务,首先在优于学理,力行道义。学理优胜,道义得立,则为师者地位自尊,王公大人不敢轻慢,上至于天子的屈尊拜谒亦受之无所惭愧。凡为人师,能遭逢机遇而见尊于天子者极少,不是必定可以求得的。倘若遗弃学理,抛开道义,而去追求不常有的机遇,又欲被人尊崇,岂不是难事?故而为师之人,必定学理优胜、力行道义,然后才能有尊严。曾子(曾参)说:"君子行于道路,如果能知道他是孝敬父亲的人,那也就可以知道他是尊敬老师的人。一个人的道德修养,无父便无师,其余还有哪一种关系更像这种关系呢?"这是说事师犹如事父。曾参的父亲曾点有一次派曾参外出办事,早就过了说好的日期而还不见曾参回来,人们见到曾点都说:"他是不是死到外边了?"曾点说:"他就是想死,我还在,他怎敢死?"孔子落难于匡地时,颜渊失散了,后来才追上来,孔子说:"我以为你已经死了。"颜渊说:"老师您还在,回(颜渊之名)怎敢死?"颜回师事孔子,犹如曾参之事父,大概可称是古之贤人了。他尊师如此,故为师者也尽自己所知来教导他。

尊　师

[原文]　神农师悉诸，黄帝师大挠，帝颛顼师伯夷父，帝喾师伯招，帝尧师子州支父，帝舜师许由，禹师大成贽，汤师小臣，文王、武王师吕望、周公旦，齐桓公师管夷吾，晋文公师咎犯、随会，秦穆公师百里奚、公孙枝，楚庄王师孙叔敖、沈尹巫，吴王阖闾师伍子胥、文之仪，越王勾践师范蠡、大夫种。此十圣人、六贤者，未有不尊师者也。今尊不至于帝，智不至于圣，而欲无尊师，奚由至哉？此五帝之所以绝，三代之所以灭。且天生人也，而使其耳可以闻，不学，其闻不若聋；使其目可以见，不学，其见不若盲；使其口可以言，不学，其言不若爽；使其心可以知，不学，其知不若狂。故凡学，非能益也，达天性也，能全天之所生而勿败之，是谓善学。子张，鲁之鄙家也，颜涿聚，梁父之大盗也，学于孔子；段干木，晋国之大驵也，学于子夏；高何、县子石，齐国之暴者也，指于乡曲，学于子墨子；索卢参，东方之巨狡也，学于禽滑黎。此六人者，刑戮死辱之人也，今非徒免于刑戮死辱也，由此为天下名士显人以终其寿，王公大人从而礼之，此得之于学也。

凡学，必务进业，心则无营。疾讽诵，谨司闻；观骓愉，问书意；顺耳目，不逆志；退思虑，求所谓；时辨说，以论道；不苟辨，必中法；得之无矜，失之无憝，必反其本。

生则谨养，谨养之道，养心为贵；死则敬祭，敬祭之术，时节为务。——此所以尊师也。

治唐圃，疾灌寖，务种树；织葩屦，结置网，捆蒲苇；之田野，力耕耘，事五谷；如山林，入川泽，取鱼鳖，求鸟兽。——此所以尊师也。

视舆马,慎驾御;适衣服,务轻煗;临饮食,必蠲絜,善调和,务甘肥;必恭敬,和颜色,审辞令;疾趋翔,必严肃。——此所以尊师也。

君子之学也,说义必称师以论道,听从必尽力以光明。听从不尽力,命之曰背;说义不称师,命之曰叛。背叛之人,贤主弗内之于朝,君子不与交友。故教也者,义之大者也;学也者,知之盛者也。义之大者莫大于利人,利人莫大于教;知之盛者莫大于成身,成身莫大于学。身成,则为人子弗使而孝矣,为人臣弗令而忠矣,为人君弗强而平矣,有大势可以为天下正矣。故子贡问孔子曰:"后世将何以称夫子?"子曰:"吾何足以称哉!勿已者,则好学而不厌,好教而不倦。其惟此邪?"天子入太庙祭先圣,则齿尝为师者弗臣,所以见敬学与尊师也。

[译文] 神农师事悉诸,黄帝师事大挠,帝颛顼师事伯夷父,帝喾师事伯招,帝尧师事子州支父,帝舜师事许由,禹师事大成贽,商汤师事伊尹,周文王、武王师事吕望、周公旦,齐桓公师事管夷吾,晋文公师事咎犯、随会,秦穆公师事百里奚、公孙枝,楚庄王师事孙叔敖、沈尹巫,吴王阖闾师事伍子胥、文之仪,越王勾践师事范蠡、大夫种。这十位圣人、六位贤人,没有不尊师的。当今列国君主未到称帝的地位,智数未到圣人的地步,而又想不尊师,那么有什么途径能至于称帝称圣呢?这就是五帝功业所以会断绝、三代王朝所以会灭亡的原因。而且天地生人,使人有耳可以听,倘若不学,则能听不如聋;使人有目可以见,倘若不学,则能见不如盲;使人有口可以言,倘若不学,则有口不如哑;使人有心可以知,倘若不学,则能知不如妄。所以学习并不只是因为它能使人增加知识,更重要的还是因为它能使人通达自己的天性。能保全秉承天地的人生本性,而不要使它败坏,这才叫做善学。子张出身于鲁国边地的一个贫贱家庭,颜涿聚原是梁父地方的一个大盗,他们都受学于孔子;段干木原是晋国的一

个大市侩,受学于子夏;高何、县子石原是齐国地方为乡人所痛恨的暴徒,受学于墨子;索卢参原是东部地区的一个大滑头罪犯,受学于禽滑黎。这六个人,本来都是刑戮之余、死有余辜的,后来非但免于刑戮身死之辱,而且成为天下名士显人而终其天年,王公大人又从而对他们皆加礼敬,这就是由于他们得力于学。

凡是为学,必须努力使学业有进步,心中才能无疑惑。要尽力朗读背诵,谨慎地伺候先生,听其教诲;看到先生心情愉快,及时提问所学书中的知识;理顺所听、所见,排除干扰,不自改变力学的志向;退而认真思考,力求弄通所学的知识;时时分辨讲说,以论大道义理;不苟骋口辩,辩则力求合乎法度;有心得不骄傲,出现了失误也不必惭愧,务必要回归自己的本性。

父母生时恭敬奉养,奉养之道以培养孝心最为可贵;父母死后恭敬祭礼,祭祀之事以四时节祭最为重要。——这就是尊奉师教的一种表现。

治理池塘和园圃,勤加灌溉,致力于种菜和植树;织麻鞋,结兽网,编蒲席和苇席;到田间去,尽力于农事生产,把庄稼种好;到山林川泽去,捉鱼鳖,捕鸟兽。——这些也是尊奉师教的表现。

管好车马,谨慎驾驭;衣服穿得舒适,尽量要求轻暖;饮食务必干净,善于烹调,尽量做得好吃;举动务必恭敬敬,和颜悦色,说话谨慎;快步行走时也保持礼节,态度严谨整肃。——这些也是尊奉师教的表现。

君子之治学,讲论义理必定尊称师说以阐释"道",听从师教必定身体力行以追求德性光明。听从师教不力行可说就是"背",讲论"道"理不尊称师说可说就是"叛"。背叛师教之人,贤君明主不使立于朝,贤士君子不与之交友。所以师教一事,乃是道义的大端;学习一途,乃是求知的盛事。道义之大莫大于利人,利人莫大于师教;求知之盛莫大于修身有成,修身有成莫大于学习。假如修身有成,那么为人子不用驱使也能尽孝道,为人臣不用指令也能尽忠道,为人君不用勉强也能务公平,一旦有帝王大位就可以治理天下。因此子贡曾问孔子:"后世将从哪些方面来称颂先生您呢?"孔子说:"我有什么值得称道的!若不得已而说的话,那就该说是好学不厌、诲人不倦。大概只有这一条吧!"天子到太学祭祀先圣,常把曾为自己的师傅者不列入为臣的范围(称师而不臣),就是要以此提倡敬学与尊师之道。

大　乐

[原文]　　音乐之所由来者远矣。生于度量,本于太一。太一出两仪,两仪出阴阳。阴阳变化,一上一下,合而成章。浑浑沌沌,离则复合,合则复离,是谓天常。天地车轮,终则复始,极则复反,莫不咸当。日月星辰,或疾或徐,日月不同,以尽其行。四时代兴,或暑或寒,或短或长,或柔或刚。万物所出,造于太一,化于阴阳。萌芽始震,凝㝠以形;形体有处,莫不有声。声出于和,和出于适,和适,先王定乐,由此而生。

天下太平,万物安宁,皆化其上,乐乃可成。成乐有具,必节嗜欲;嗜欲不辟,乐乃可务。务乐有术,必由平出;平出于公,公出于道。故惟得道之人,其可与言乐乎!亡国戮民非无乐也,其乐不乐。溺者非不笑也,罪人非不歌也,狂者非不武也,乱世之乐有似于此。君臣失位,父子失处,夫妇失宜,民人呻吟,其以为乐也,若之何哉?

凡乐,天地之和、阴阳之调也。始生人者天也,人无事焉。天使人有欲,人弗得不求;天使人有恶,人弗得不辟。欲与恶,所受于天也,人不得与焉,不可变,不可易。世之学者有非乐者矣,安由出哉?大乐,君臣、父子、长少之所欢欣而说也。欢欣生于平,平生于道。道也者,视之不见,听之不闻,不可为状。有知不见之见、不闻之闻、无状之状者,则几于知之矣。道也者,至精也,不可为形,不可为名,强为之[名],谓之太一。故一也者制令,两也者从听,先圣择两法一,是以知万物之情。故能以一听政者,乐君臣,和远近,说黔首,合宗亲;能以一治其身者,免于灾,终其寿,全其天;能以一治其国者,奸邪去,贤者治,成大化;能以一治天下者,寒暑适,风雨时,为圣人。故知一则明,明两则狂。

[译文]　音乐的起源已经很久远了。音乐生于一定的法度标准,其根本在于自然的"道"。"道"生天地,天地生阴阳二气。二气变化无穷,一上一下,交合而成各种形态。它们浑浑沌沌,离则复合,合则复离,这是大自然永恒的规律。天地像车轮一样运转,终而复始,极而复返,无不与自然规律相合,井然有序。日月星辰的运行或快或慢,周期不同,各尽其行度。四时季节的代换或热或冷,或短或长,气候特性亦有柔有刚。万物的产生造始于道,化成于阴阳二气。萌芽始动,气凝固冷却而成形;形体皆有一定位置,没有哪一物不能发声。各种声音趋向谐和,谐和则能适宜于听,先王定乐即出于这一原理。

当天下太平时,万物安宁,人民皆顺从等级制度,君王之乐才能作成。制乐要有一定条件,必须节制嗜欲;嗜欲不放纵,乐方可制成。制乐又有一定方法,必须由平正引出;平正出于公,公出于道。因此只有得道之人,差不多才可以跟他谈乐。亡国之民并非没有音乐,其音乐不能使人快乐。将被淹死的并非不笑,(其笑不欢);被判死罪的人并非不歌,(其歌不乐);头脑发疯的人并非不勇武,(其勇武可憎);乱世之乐有似于这些。君臣关系错乱,父子关系颠倒,夫妇关系失宜,(三纲俱丧),人民痛苦呻吟,要使他们快乐起来,怎么可能呢?

大凡音乐,乃是天地谐和、阴阳协调的产物。始生人类的是大自然,人类不可能参与自身始生的过程。自然使人有本能的欲望,人就不可能不追求;自然使人有本能的厌恶,人就不可能无所避。欲望和厌恶,都是自然赋予人的天性,人既不能参与自身始生的过程,就无法改变它、换易它。当世学者有否定礼乐的,理由从何而来呢?大乐(国家举行大礼的用乐)是君臣、父子、长少都欢欣而喜悦的。欢欣出于平正,平正生于道。这个道,视之不见其形,听之不闻其声,不可描绘它的状貌。如果有人能于不见处有见、不闻处有闻、无状处得状,那就近于了解它了。这个道,至为精微,不可使它成形,也无法为它起名,强给它起个名,就叫太一。所以"一"是制定和发布号令的,"两"是听从和执行号令的。先圣王弃去"两"而效法"一",所以能够洞知万物的性情。因此能效法"一"而听政的,君臣共乐,远近和同,黎民喜悦,宗亲和睦;能效法"一"而修身的,身免于灾,可终其天年,保全天性;能效法"一"而治国的,奸邪不容,贤者远至,可使教化大成;能效法"一"而治天下的,节令谐调,风雨适时,是为圣人。因此知"一"则趋向圣明,明"两"则趋向妄为。

孟 秋 纪

[原文] 孟秋之月,日在翼。昏斗中,旦毕中。其日庚辛,其帝少皞,其神蓐收。其虫毛。其音商,律中夷则。其数九。其味辛,其臭腥。其祀门,祭先肝。

凉风至,白露降,寒蝉鸣。鹰乃祭鸟,始用行戮。

天子居总章左个。乘戎路,驾白骆。载白旂,衣白衣,服白玉。食麻与犬,其器廉以深。

是月也,以立秋。先立秋三日,太史谒之天子,曰"某日立秋,盛德在金",天子乃斋。立秋之日,天子亲率三公、九卿、诸侯、大夫以迎秋于西郊。还,乃赏军率武人于朝。天子乃命将帅,选士厉兵,简练桀俊,专任有功以征不义,诘诛暴慢以明好恶,巡彼远方。

是月也,命有司修法制,缮囹圄,具桎梏,禁止奸。慎罪邪,务搏执,命理瞻伤察创,视折审断。决狱讼,必正平,戮有罪,严断刑。天地始肃,不可以赢。

是月也,农乃升谷,天子尝新,先荐寝庙。命百官始收敛。

完堤防,谨壅塞,以备水潦。修宫室,坿墙垣,补城郭。

是月也,无以封侯、立大官,无割土地、行重币、出大使。行之是令,而凉风至,三旬。

孟秋行冬令,则阴气大胜,介虫败谷,戎兵乃来;行春令,则其国乃旱,阳气复还,五谷不实;行夏令,则多火灾,寒热不节,民多疟疾。

[译文]　孟秋七月,太阳在天球上运行到翼宿的位置。黄昏时候斗星在正南天,清晨时候毕星在正南天。本月的祭祀用庚辛之日,祭祀的古帝王是少皞(金德之帝),配祭的神灵是蓐收(金神)。与时令和五行之金相应的动物是毛皮类。相应的音是五音中的商音,乐律合于夷则。数合于九。相应的味道是辛味,气味是膻味。祀门神,用牲畜的内脏作祭品,要把肝摆在前面。

这时凉风来到,开始有霜露下降,寒蝉鸣叫。鹰多捕杀鸟类,王政开始用刑,判决死罪。

天子按时令居住在西向明堂的东室。乘戎路车,驾白骆马。车上插白旗,穿白衣服,佩白色玉饰。行尝麻(食麻籽)礼,以犬为祭牲,所用器物都边角锐利而腹深。

是月有立秋节日。立秋前三日,太史报告天子,说"某日立秋,盛德在西方"(五行的金代表西方),天子于是沐浴斋戒。立秋这一天,天子亲率三公、九卿、诸侯、大夫,到西郊举行迎秋仪式。仪式完毕返回,即赏赐军帅武人于朝。天子于是征集甲兵,整治军器,挑选和训练才力超群之士,专门发布功赏令以讨伐大逆不道之人,向暴君慢主兴师问罪以明王政所向,巡狩远方。

是月命有司修订法律禁令,完缮监狱,置备刑具,禁止奸邪犯罪。谨防刑事罪犯,一经发现,务必捕捉。命治狱官仔细察看受害人的创伤情况,依据伤残毁折的实际程度审理决断。判决狱讼案件务必公正合实,刑戮有罪,严格执行断刑标准。天地之气始趋肃杀,白天变短了,各种案件不可以拖延积滞下来。

是月农人进献新谷,天子行尝新之礼,先进献太庙以示孝敬。命百官开始征收各种赋税实物。加修堤防,严格注意堵塞容易决口之处,以备水涝灾害。修缮宫室,在城墙上培土,补筑城郭。

是月不分封诸侯,不任命高官;不以土地赐人,不以大数额的金帛行赏,不派出负有重大使命的官员。推行这些时令行政时,如果有凉风来到,就会连吹三旬,每旬一次,三旬三次。

孟秋时节推行冬季的时令行政,就会阴气大盛,甲虫毁坏庄稼,有外兵入侵之灾;推行春季的时令行政,就会发生旱灾,阳气复还,五谷不成实;推行夏季的时令行政,就会多火灾,寒热不规律,使疟疾流行。

荡　　兵

[原文]　古圣王有义兵而无有偃兵。

兵之所自来者上矣,与始有民俱。凡兵也者,威也;威也者,力也。民之有威力,性也。性者,所受于天也,非人之所能为也,武者不能革,而工者不能移。

兵之所自来者久矣。黄、炎故用水火矣,共工氏固次作难矣,五帝固相与争矣。递兴废,胜者用事。人曰:蚩尤作兵。蚩尤非作兵也,利其械矣。未有蚩尤之时,民固剥林木以战矣,胜者为长。长犹不足治之,故立君;君又不足以治之,故立天子。天子之立也出于君,君之立也出于长,长之立也出于争。争斗之所自来者久矣,不可禁,不可止,故古之贤王有义兵而无有偃兵。

家无怒笞,则竖子婴儿之有过也立见;国无刑罚,则百姓之悟相侵也立见;天下无诛伐,则诸侯之相暴也立见。故怒笞不可偃于家,刑罚不可偃于国,诛伐不可偃于天下,有巧有拙而已矣。故古之圣王有义兵而无有偃兵。

夫有以饐死者,欲禁天下之食,悖;有以乘舟死者,欲禁天下之船,悖;有以用兵丧其国者,欲偃天下之兵,悖。夫兵不可偃也,譬之若水火然,善用之则为福,不能用之则为祸;若用药者然,得良药则活人,得恶药则杀人。义兵之为天下良药也亦大矣。

且兵之所自来者远矣,未尝少选不用。贵贱、长少、贤不肖相与同,有巨有微而已矣。察兵之微:在心而未发,兵也;疾视,兵也;作色,兵也;傲言,兵也;援推,兵也;连反,兵也;侈斗,兵也;三军攻战,兵也。此八者皆兵也,微巨之争也。今世之以偃兵疾说者,终身用兵而不自知,悖,故说虽强,谈虽辨,文学虽博,犹不见听。故古之圣王有义兵而无有偃兵。

兵诚义,以诛暴君而振苦民,民之说也,若孝子之见慈亲也,若饥者之见美食也;民之号呼而走之,若强弩之射于深豀也,若积大水而失其壅堤也。中主犹若不能有其民,而况于暴君乎!

[译文] 古圣王有义兵,而没有偃(息)兵之举。

兵之所从来起于上古,与始有生民相伴随。凡兵即是威,威即是力。民有威力,这是天性。天性出于自然,非人工所能为,勇武之人不能革除它,巧工之人不能改变它。

兵之所从来已经很久很久了。黄帝和炎帝本已用水火相攻,共工氏也曾屡次作难,五帝固相与争夺。世道递嬗兴废,胜者为盟主。有人认为"蚩尤作兵"是指始有战争,其实蚩尤并非是始用兵者,他只是曾经改进兵器。还在蚩尤之前,人们已剥林木为棍棒而争战,战胜者便成为一方酋长。一方酋长还不足以统治大地盘,所以要立国君;国君又不足以统治天下,所以要立天子。天子之立出于国君之立,国君之立出于酋长之立,酋长之立出于争斗。争斗之所从来久而又久,不可禁绝,不可遏止,因此古贤王有义兵而没有偃兵之举。

家无严父怒笞,则不肖之子凌上傲下的过失立即出现;国无刑罚可畏,则臣民上下侵凌掠夺的行为随即显见;天下无诛伐之兵,则诸侯之国相互侵暴的纷争当即发生。是以怒笞不可息于家,刑罚不可息于国,杀伐不可息于天下,只不过随人所用而有巧有拙罢了。因此古圣王有义兵而没有偃兵之举。

假如因有人吃饭而噎死,就要禁止天下之人吃饭,那是荒谬的;因有人乘船而淹死,就要禁止天下之人乘船,也是荒谬的;那么因有用兵而丧身亡国之主,就要偃息天下之兵,同样是荒谬的。兵是不可偃息的,譬如水火,善用之可以得福,不善用之则可以成祸;又如治病用药,得良药可以使人活命,得劣药可以使人丧命。兵为天下良药,其为用亦大矣。

再说,兵之所从来已经很久远,未尝须臾不用。不论对于贵贱、长少、贤不肖,这点都相同,只不过有巨大有细微而已。细察兵的微巨之象:有怒气在胸中而未发,是兵;疾目而视,是兵;怒形于色,是兵;傲言出口,是兵;推搡拉拽,是兵;动腿动脚,是兵;群从殴斗,是兵;三军攻战,是兵。这八种情况都是兵,只不过有小争与大争之别。当今学者有极力主张偃兵之说的,他们终身用兵而不自知,实为悖谬,故其主张虽力,谈说虽辩,学问虽博,仍不能被认同。因此古圣王有义兵而没有偃兵之举。

倘若用兵确出于正义,以之诛暴君而救苦民,那么民众的欣悦必如孝子见到双亲,饥者见到美食;民众奔走相告必如强弩利箭射入深溪,汪洋蓄水冲决堤坝。义兵所到,就连治理国家还不算很昏庸的君主也不能领有其土地人民而保持其统治,何况暴君!

顺　民

[原文]　先王先顺民心,故功名成。夫以德得民心以立大功名者,上世多有之矣;失民心而立功名者,未之曾有也。

得民必有道。万乘之国、百户之邑,民无有不说,取民之所说而民取矣。民之所说岂众哉?此取民之要也。昔者汤克夏而正天下,天大旱,五年不收。汤乃以身祷于桑林,曰:"余一人有罪,无及万夫;万夫有罪,在余一人。无以一人之不敏,使上帝鬼神伤民之命。"于是翦其发,䥶其手,以身为牺牲,用祈福于上帝。民乃甚说,雨乃大至,则汤达乎鬼神之化、人事之传也。

文王处岐,事纣,冤侮雅逊,朝夕必时,上贡必适,祭祀必敬。纣喜,命文王称西伯,赐之千里之地。文王载拜稽首而辞曰:"愿为民请炮烙之刑。"文王非恶千里之地,以为民请炮烙之刑,必欲得民心也。得民心则贤于千里之地,故曰文王智矣。

越王苦会稽之耻,欲深得民心以致必死于吴,身不安枕席,口不甘厚味,目不视靡曼,耳不听钟鼓。三年,苦身劳力,焦唇干肺,内亲群臣,下养百姓,以来其心。有甘脆,不足分,弗敢食;有酒,流之江,与民同之。身亲耕而食,妻亲织而衣;味禁珍,衣禁袭,色禁二。时出行路,从车载食,以视孤寡老弱之渍病困穷、颜色愁悴不赡者,必身自食之。于是属诸大夫而告之曰:"愿一与吴徼天下之衷。今吴、越之国相与俱残,士大夫履肝肺同日而死,孤与吴王接颈交臂而偾,此孤之大愿也。若此而不可得也,内量吾国不足以伤吴,外事之诸侯不能害之,则孤将弃国家,释群臣,服剑臂刃,变容貌,易姓名,执箕帚而臣事之,以与吴王争一旦之死。孤虽知要领不属,首足异处,四枝布裂,为天下戮,孤之志必将出焉。"于是异日果与吴战于五湖,吴师大败,遂大围王宫,城门不守,禽夫差,戮吴相。残吴二年而霸,此先顺民心也。

齐庄子请攻越,问于和子。和子曰:"先君有遗令,曰无攻越。越,猛虎也。"庄子曰:"虽猛虎也,而今已死矣。"和子以告鸱子,鸱子曰:"已死矣,以为生。"故凡举事,必先审民心,然后可举。

[译文]　　先王治世,首先注重顺从民心,所以能够成就功名。以道德得民心而建立大功名的君王,上古之世多有;失民心而能建立功名的君王,从来不曾有。

要得到人民拥护,必有一定途径。不论是拥有万乘战车的大国,还是仅有百户人家的小邑,人民无不有自己的愿望和要求,如果能够满足人民的愿望和要求,那么就能得到人民的拥护。可是人民的愿望和要求,难道不是非常多吗?这里说的是要能满足人民普遍的最主要的愿望和要求。古时商汤推翻夏朝而统治天下,天下大旱,连续五年不收成。汤于是决定亲自舍身祈祷于桑林,说:"余一人有罪,不涉及万民;万民有罪,在余一人。不要因为余一人不才,就使上帝和祖宗鬼神降灾伤害万民的性命。"于是他剪掉自己的头发,捆绑自己的手,要以自身为祭祀的牺牲,请求上帝赐福给人民。人民甚为欢欣,天下起了大雨,然则商汤可称是通达鬼神变化、人事传承的君王。

周文王在岐地时,向殷纣王称臣。虽然殷纣王制造冤案,使他受到侮辱,他还是雅正谦顺,早早晚晚都不失其时地对殷纣王尽诸侯之礼,进贡必求适宜,祭祀恭恭敬敬。殷纣王很高兴,就册封他为诸侯,称他为西伯,赐给他千里之地。文王再拜稽首而推辞说:"愿为人民请求停止使用炮烙之刑。"文王并不是不希望得到千里之地,他所以要为人民请求去掉炮烙之刑,就是为了争取民心。能得民心,则树立贤名的好处远大于得到千里封地。因此说,文王可谓是有非凡智慧的人。

越王勾践深以会稽之耻为苦,欲深得民心,必以死战向吴国报仇,因此勤劳不停,休息不安于枕席,吃饭品不出味道,目不视美色,耳不听音乐。这样三年,身心劳瘁,口焦肺干,在朝亲近群臣,在外抚养百姓,以争取人心。有甘甜清脆的食物,不够分给大家,就不吃;有酒,倒在江里,表示与人民同饮也。自身亲自从事耕种,吃自己打的粮食;其妻亲自纺线织布,穿自己做的衣服。吃饭一概不用山珍海味,穿衣一概不用两层布做的夹衣,也不穿用两种颜色的布做的衣服。经常出巡,行于道路,跟随他的车子上都载着食物,用来去看望那些孤寡老弱而疾病困苦、颜色憔悴、无力赡养的人,并亲自给他们喂饭。于是他会集手下的官吏大夫们,告诉他们说："我愿决一死战,向吴国讨个公道。现在吴、越两国要互相攻杀,如果士大夫们情愿披肝沥胆和我同日赴死,我也甘愿和吴王接颈交臂肉搏一番,一同死去。这是我最大的心愿。如果这一心愿不能实现,想是我们国家的实力还不足以打败吴国,交结诸侯又不能对吴国构成威胁,那么我将放弃君主的地位权力,离开国家和群臣,背上一把剑,带上一把刀,毁坏面容,变易姓名,去为吴王执箕帚,服贱役,以争取有一天能行刺吴王,和他一同送命。我虽然知道我的计划不得要领,一旦失败,身首异处,四肢分裂,将成为天下死有余辜的人。但我的决心已经定了,一定要出兵伐吴。"此后果然与吴国战于五湖,吴军大败,越军遂进围吴王夫差的宫城,攻破城门,擒夫差,杀吴国丞相。越灭吴二年而称霸于诸侯,这就是先顺民心的效应。

齐庄子田伯请求攻打越国,以此事问于田和(后来为齐侯)。田和说:"先君有遗嘱,不许攻越国,越国是一只猛虎。"庄子说:"越国虽是一只猛虎,但现在已经死了。"田和说:"你去告诉一下相国鸮子。"鸮子听后说:"越国这只老虎虽说已死了,可是在人民心目中它还活着。"所以凡是要决定攻伐大事,必须首先慎重考虑民心,确知民心所向,然后才能兴兵。

仲 冬 纪

[原文] 仲冬之月,日在斗。昏东壁中,旦轸中。其日壬癸,其帝颛顼,其神玄冥。其虫介。其音羽,律中黄钟。其数六。其味咸,其臭朽。其祀行,祭先肾。

冰益壮,地始坼。鹖鸣不鸣,虎始交。

天子居玄堂太庙。乘玄辂,驾铁骊。载玄旂,衣黑衣,服玄玉。食黍与彘,其器宏以弇。命有司曰:"土事无作。无发盖藏,无起大众,以固而闭。"发盖藏,起大众,地气且泄,是谓发天地之房;诸蛰则死,民多疾疫,又随以丧。命之曰畅月。

是月也,命阉尹申宫令,审门闾,谨房室,必重闭。省妇事,毋得淫,虽有贵戚近习,无有不禁。乃命大酋秫稻必齐,麹糵必时,湛馈必洁,水泉必香,陶器必良,火齐必得。兼用六物,大酋监之,无有差忒。天子乃命有司祈祀四海大川名原渊泽井泉。

是月也,农有不收藏积聚者,牛马畜兽有放佚者,取之不诘。山林薮泽,有能取疏食、田猎禽兽者,野虞教导之。其有侵夺者,罪之不赦。

是月也,日短至。阴阳争,诸生荡。君子斋戒,处必弇。身欲宁,去声色,禁嗜欲,安形性。事欲静,以待阴阳之所定。芸始生,荔挺出。蚯蚓结,麋角解,水泉动。日短至,则伐林木,取竹箭。

是月也,可以罢官之无事者,去器之无用者。涂阙庭门闾。筑囹圄。此所以助天地之闭藏也。

仲冬行夏令,则其国乃旱,气雾冥冥,雷乃发声;行秋令,则天时雨汁,瓜瓠不成,国有大兵;行春令,则虫螟为败,水泉减竭,民多疾疠。

[译文] 仲冬十一月,太阳在天球上运行到斗宿的位置。黄昏时候东壁星在正南天,清晨时候轸星在正南天。本月的祭祀用壬癸之日,祭祀的古帝王是颛顼(水德之帝),配祭的神灵是玄冥(水神)。与时令和五行之水相应的动物是甲壳类。相应的音是五音中的羽音,乐律合于黄钟。数合于六。相应的味道是咸味,气味是朽味。祀路神,用牲畜的内脏作祭品,要把肾摆在前面。

这时水凝为冰更结实,土地开始被冻裂。鹖鴠停止鸣叫,老虎开始交配。

天子按时令居住在北向明堂的中央堂室太庙中。乘玄辂车,驾铁骊马。车上插黑色旗,穿黑衣服,佩黑色玉饰。行食黍礼,以猪为祭牲,所用器物都腹大而口小。命有司说:"土木工程不要兴起。不要动用已经储藏的粮食和财物,不要集中大批劳动力出徭役,以便固闭地气。"动用储藏之物,集中人力出徭役,将会使地气泄露,这叫做"发天地之房"(打开了天地的房屋);这样做,各种蛰居的动物会死去,人也多得疾疫,又随而丧亡。为此,名此月叫"畅月"。

是月命宫廷的主管官(阍尹)申明宫令,慎重地管理门户,周密地察看房屋,一定要重重关闭。检查(一说减省)宫内的女工事务,不得制作淫巧之物,即使贵族妇女和王所亲近的宫女,亦无不禁止。于时给主管酒务的官员下达指令,用以酿酒的秫、稻务必要均匀饱满,酒麯务必要按时化熟,浸泡和蒸煮务必要干净,用水务必要是甘甜可口的泉水,所用陶器务必精良,蒸酒时的火候要掌握得恰到好处。这六件事,都由大酋监督管理,不要出现差错。天子于是命有司祭祀四海大川名原渊泽井泉。

是月农民有不收藏和积聚好自己的庄稼或财物的,有不管好自己的牛马畜兽而跑掉了的,别人取去之后不问罪。有进入山林泽薮采集草籽为食或打猎的,主管山泽的官员可加以引导,如有人侵夺别人的收获,必罚之不赦。

是月冬至,白天变短。阴阳二气相争,各种生物都会受到不稳定的影响。这时君子斋戒修身,要尽量深居简出。要使身心安宁,一定要远离声色,断绝不正当的嗜欲,稳定和平静自己的身体活动和性情。要尽量减少各种事务而保持安静,以等待阴阳二气交合所形成的新气象。芸薇开始出生,马荔开始出土,蚯蚓在地表钻出弯弯曲曲的土道道,麋鹿开始蜕角,水泉开始涌动。冬至以后,可以砍伐木材,取用竹材。

是月可以罢去无用的官职,弃去无用的器物。修整阙庭门闾,涂泥使其坚固。筑监狱。这些都是为了适应天地之气的闭藏。

仲冬时节推行夏季的时令行政,其国就会发生旱灾,出现昏暗的雾气,还会听到雷声;推行秋季的时令行政,就会不时有雨雪交下,瓜瓠不成实,国家有大战事;推行春季的时令行政,就会出现螟虫灾害,泉水的流量减小或枯竭,人多生疥疮。

当　务

[原文]　辩而不当论，信而不当理，勇而不当义，法而不当务，惑而乘骥也，狂而操吴干将也。大乱天下者，必此四者也。

所贵辩者，为其由所论也；所贵信者，为其遵所理也；所贵勇者，为其行义也；所贵法者，为其当务也。跖之徒问于跖曰："盗有道乎？"跖曰："奚啻其有道也！夫妄意关内中藏，圣也；入先，勇也；出后，义也；知时，智也；分均，仁也。不通此五者，而能成大盗者，天下无有。"备说非六王五伯，以为尧有不慈之名，舜有不孝之行，禹有淫湎之意，汤、武有放杀之事，五伯有暴乱之谋，世皆誉之，人皆讳之，惑也。故死而操金椎以葬，曰："下见六王五伯，将敲其头矣。"辩若此，不如无辩。

楚有直躬者，其父窃羊，而谒之上。上执而将诛之，直躬者请代之。将诛矣，告吏曰："父窃羊而谒之，不亦信乎？父诛而代之，不亦孝乎？信且孝而诛之，国将有不诛者乎？"荆王闻之，乃不诛也。孔子闻之曰："异哉！直躬之为信也，一父而载取名焉。"故直躬之信，不若无信。

齐之好勇者，其一人居东郭，其一人居西郭。卒然相遇于涂，曰："姑相饮乎？"觞数行，曰："姑求肉乎？"一人曰："子，肉也；我，肉也。尚胡革求肉而为？"于是具染而已。因抽刀而相啖，至死而止。勇若此，不若无勇。

纣之同母三人，其长曰微子启，其次曰中衍，其次曰受德。受德乃纣也，甚少矣。纣母之生微子启与中衍也，尚为妾，已而为妻而生纣。纣之父、纣之母欲置微子启以为太子，太史据法而争之,曰:"有妻之子,而不可置妾之子,纣故为后。"用法若此,不若无法。

[译文] 善辩有口才而与所论道理不相当,守信用而与人情常理不相当,有勇武之风而与道义不相当,有治国之法而与实际事务不相当,这些都好比糊涂人骑骏马,疯子操干将宝剑。大乱天下的祸害,必由这四条引起。

人们之所以注重善辩,是因为善辩者多能讲出一番道理;之所以注重信用,是因为守信用者多能遵行人情常理;之所以注重勇敢,是因为勇敢者多能行道义;之所以注重法治,是因为法治适合于治国之务。盗跖的门徒曾问跖说:"盗有道吗?"跖说:"何止是有道!把一切盗窃计划都掩藏在内心深处(譬之儒家的内心修养),这是圣;行窃时身先徒众,这是勇;行窃成功撤出时以身殿后,这是义;率徒众行窃最知时机,这是智;行窃所得财物一律均分,这是仁。不懂得这五条而能成为大盗的,天下无有。"他还有一大套说法,用以否定六王(尧、舜、禹、汤、周文王、周武王)和五霸(齐桓公、晋文公、宋襄公、楚庄王、秦穆公),以为尧有不慈之名,舜有不孝之行,禹有沉湎于酒之意,商汤和周武王都有篡夺别人政权、放杀前代君主之事,五霸都有暴乱天下之谋;又说世人都称誉六王五霸,掩盖他们的过失,这是大糊涂。所以跖死后,手操金槌下葬,曾说:"到阴间见了六王五霸,我就敲碎他们的脑壳。"其人口才如此,还不如没有口才。

楚国有一位正直而躬行伦理道德的人,他父亲偷了人家的羊,他去报告了官府。官府把他的父亲抓住,将要处以死刑,他请求代替父亲去死。将要被处死时,他告诉狱吏说:"我父亲偷了人家的羊,我报告官府,这不是信吗?父亲要被处极刑,我来代替他,这不是孝吗?像我这样既信且孝的人还要被杀,那么国家还有不能杀的人吗?"楚王听说后,就没有杀他。孔子听说后,说:"这真是奇闻!这位直躬人的信,靠一个父亲竟得到两种名声。"所以像这样直躬者的信,还不如无信。

齐国有两个崇尚勇武的人,一个住在都城的东郭,一个住在都城的西郭。两人有一次突然在途中相遇,就说:"何不姑且喝几盅?"酒杯轮了几圈,又说:"何不弄点肉下酒?"一人说:"你是一团肉,我也是一团肉,何必更到别处找肉?"于是两人要了一盘豆酱,各抽刀割肉大嚼起来,至死而止。像这样的勇,还不如无勇。

殷纣王的同母兄弟有三人,老大叫微子启,老二叫中衍,老三叫受德。受德就是纣,年龄还很小。纣的母亲生微子启和中衍时,身份还是他们父亲的妾,不久成为正妻而生纣。纣的父母想立微子启为太子,太史根据王朝法规力争,说:"有正妻之子,不能立妾之子,纣是当然的王位继承人。"用法如此,还不如无法。

有 始 览

[原文] 天地有始,天微以成,地塞以形。天地合和,生之大经也。以寒暑日月昼夜知之,以殊形殊能异宜说之。夫物合而成,离而生。知合知成,知离知生,则天地平矣。平也者,皆当察其情、处其形。天有九野,地有九州;上有九山,山有九塞,泽有九薮,风有八等,水有六川。

何谓九野?中央曰钧天,其星角、亢、氐;东方曰苍天,其星房、心、尾;东北曰变天,其星箕、斗、牵牛;北方曰玄天,其星婺女、虚、危、营室;西北曰幽天,其星东壁、奎、娄;西方曰颢天,其星胃、昴、毕;西南曰朱天,其星觜嶲、参、东井;南方曰炎天,其星舆鬼、柳、七星;东南曰阳天,其星张、翼、轸。

何谓九州?河、汉之间为豫州,周也;两河之间为冀州,晋也;河、济之间为兖州,卫也;东方为青州,齐也;泗上为徐州,鲁也;东南为扬州,越也;南方为荆州,楚也;西方为雍州,秦也;北方为幽州,燕也。

何谓九山?会稽、太山、王屋、首山、太华、岐山、太行、羊肠、孟门。

何谓九塞？大汾、冥阸、荆阮、方城、殽、井陉、令疵、句注、居庸。

何谓九薮？吴之具区、楚之云梦、秦之阳华、晋之大陆、梁之圃田、宋之孟诸、齐之海隅、赵之巨鹿、燕之大昭。

何谓八风？东北曰炎风，东方曰滔风，东南曰熏风，南方曰巨风，西南曰凄风，西方曰飂风，西北曰厉风，北方曰寒风。

何谓六川？河水、赤水、辽水、黑水、江水、淮水。

凡四海之内，东西二万八千里，南北二万六千里。水道八千里，受水者亦八千里，通谷六，名川六百，陆注三千，小水万数。

凡四极之内，东西五亿有九万七千里，南北亦五亿有九万七千里。极星与天俱游，而天极不移。冬至日行远道，周行四极，命曰玄明；夏至日行近道，乃参于上，当枢之下，无昼夜。白民之南，建木之下，日中无影，呼而无响，盖天地之中也。

天地万物，一人之身也，此之谓大同。众耳目鼻口也，众五谷、寒暑也，此之谓众异。[众异]则万物备也。天斟万物，圣人览焉，以观其类。解在乎天地之所以形，雷电之所以生，阴阳材物之精，人民禽兽之所安平。

[译文] 天地有初始，天虚浮而形成，地沉滞而形成。天地合和，是万物生成的本源。此由季节变化、日月运行、昼夜更替可以知道，由万物形状、性能不同而各有所宜可以解释。万物合和而成，分离而生（物生物则离）。能合能成，能离能生，故天地井然有序。这种井然有序，皆因万物的生成当其性情，所处的位置当其形状。天有九野（分野），地有九州；地上有九大名山，山有九大名塞（关塞），水泽有九大名薮，风有八种，水道有六大名川。

什么是"九野"？天的中央区叫钧天，其星有角宿、亢宿、氐宿；东方区叫苍天，其星有房宿、心宿、尾宿；东北区叫变天，其星有箕宿、斗宿、牵牛星；北方区叫玄天，其星有婺女星、虚宿、危宿、营室；西北区叫幽天，其星有东壁、奎宿、娄宿；西方区叫颢天，其星有胃宿、昴宿、毕宿；西南区叫朱天，其星有觜嶲、参宿、井宿；南方区叫炎天，其星有鬼宿、柳宿、七星宿（鹑火星）；东南区叫阳天，其星有张宿、翼宿、轸宿。

什么是"九州"？黄河、汉水之间为豫州，即今之周地；黄河、清河之间为冀州，即今之晋地；黄河、济水之间为兖州，即今之卫地；东方为青州，即今之齐地；泗水流域为徐州，即今之鲁地；东南为扬州，即今之越地；南方为荆州，即今之楚地；西方为雍州，即今之秦地；北方为幽州，即今之燕地。

什么是"九山"？就是会稽山、太（泰）山、王屋山、首山（首阳山）、太华山（华山）、岐山、太行山、羊肠山、孟门山。

什么是"九塞"？就是大汾关、冥阨关、荆阮关、方城关、殽关、井陉关、令疵关、句注关、居庸关。

什么是"九薮"？就是吴地的具区泽、楚地的云梦泽、秦地的阳华泽、晋地的大陆泽、魏地的圃田泽、宋地的孟诸泽、齐地的海隅泽、赵地的巨鹿泽、燕地的大昭泽。

什么是"八风"？东北风叫炎风，东风叫滔风，东南风叫熏风，南风叫巨风，西南风叫凄风，西风叫飂风，西北风叫厉风，北风叫寒风。

什么是"六川"？就是黄河、赤水、辽水、黑水、长江、淮河。

大凡四海之内的地域，东西二万八千里，南北二万六千里。最长水道八千里，海岸线亦长八千里。出水的巨大山谷地带有六处，名川有六百条，大支流有三千条，小支流有上万条。

大凡天地交接的东西南北四极之内，东西五亿九万七千里，南北亦五亿九万七千里。北极星和天一起运动，而天极不动。冬至时分，太阳运行在最远的轨道上，周行经过四极的极点，这叫"玄明"；夏至时分，太阳运行在最近的轨道上，距地面的高度三倍于在极点时的高度，当它正在枢星之下时，地面没有昼夜之分。在白民国之南，建木之下，正中午时没有影，呼喊也没有回声，这大概就是天地的中心位置。

天地万物，好比一人之身，这就叫"大同"。人有耳目鼻口，谷有五谷，季节有寒暑变化,这些都是"大同"中有"众"。"众"各有异而使万物毕备。天地协和万物,圣人总览之,以察其类别。对这一问题的解说,在于天地之所以形成,雷电现象之所以发生,阴阳二气裁成万物的根本机制,人类与动物界之所以相安共处。

务　本

[原文]　　尝试观上古记,三王之佐,其名无不荣者,其实无不安者,功大也。《诗》云:"有渰凄凄,兴云祁祁,雨我公田,遂及我私。"三王之佐,皆能以公及其私矣。俗主之佐,其欲名实也与三王之佐同,而其名无不辱者,其实无不危者,无公故也。皆患其身不贵于国也,而不患其主之不贵于天下也;皆患其家之不富也,而不患其国之不大也。此所以欲荣而愈辱,欲安而益危。

安危荣辱之本在于主,主之本在于宗庙,宗庙之本在于民,民之治乱在于有司。《易》曰:"复自道,何其咎?吉。"以言本无异,则动卒有喜。今处官则荒乱,临财则贪得,列近则持谀,将众则罢怯,以此厚望于主,岂不难哉?今有人于此,修身会计则可耻,临财物资尽则为己,若此而富者,非盗则无所取。故荣富非自至也,缘功伐也。今功伐甚薄,而所望厚,诬也;无功伐而求荣富,诈也。诈诬之道,君子不由。

人之议多曰:"上用我,则国必无患。"用己者未必是也,而莫若其身自贤。而己犹有患,用己于国,恶得无患乎?己所制也,释其所制而夺乎其所不制,谆。未得治国,治官可也。若夫内事亲,外交友,必可得也;苟事亲未孝,交友未笃,是所未得,恶能善之矣?故论人无以其所未得,而用其所已得,可以知其所未得矣。古之事君者,必先服能然后任,必反情然后受。主虽过与,臣不徒取。《大雅》曰:"上帝临汝,无贰尔心。"以言忠臣之行也。解在郑君之问被瞻之义也,薄疑应卫嗣君以无重税。此二士者,皆近知本矣。

[译文] 曾经观阅上古史记,三代贤王的辅佐之臣,其名位无不显荣,其职权无不稳固,皆因对国家有大功。《诗经》上说:"浓浓的云,密密的雨,下到公田里,也下到我的私田里。"三王的贤佐,皆能因公而及私。俗主的佐臣,他们欲获取名位权力之心与三王的佐臣无不同,但往往名位无不辱没,权力无不危殆,都是因为不知为公。他们总是担心自己的身份不尊贵于国家,而不担心君主的声望不尊贵于天下;总是担心自己的家财不丰厚,而不担心国家不强大。这就是所以欲取荣耀而愈得辱,欲求身安而愈危殆的原因。

人臣安危荣辱的根本在于人主,人主的根本在于社稷国家,社稷国家的根本在于人民,人民的治理在于官府。《易经》上说:"不能进而返回本位,自走本来途径,又有何咎?这是吉。"此言根本不动摇,动而返回本位,终无祸。假如做官而职事荒乱,临财而贪得无厌,列侍人主左右而不敢正谏,率领卒众出征而怯懦无勇,如此而奢望人主给以高官厚禄,不是难事吗?现在假设有人以谨慎清廉地管理财物为可耻,见财物资货就想据为己有,像这样而致富的人,非盗窃国家财产则别无途径。所以尊荣富贵不是无故而来的,而是因功劳而得到的。假如功劳甚少,而期望甚多,这是虚伪;无功劳而求尊荣富贵,这是欺诈。虚伪欺诈的手段,君子不用。

人臣议论多自称:"上上不用我,用我则国事必无忧患。"其实这样自诩的人未必如所说,要想被任用莫若先自身修贤。自己尚患得患失,以自诩之心用于国事,又怎能使国事无忧患?自己要能约束自己,放弃约束而失之于不自约束,这本身就是悖谬的。未得为大臣,做下官亦未尝不可。像那些内则事亲谨孝、外则交友笃诚的人,必可得为高官;倘若事亲未孝,交友未诚,因此不得为高官,这样的人又有何值得称道的呢?所以论人不是看他未得何官;由其已任职事,便可知其可为何官。古时事君之臣,必先知己所不能然后受任,必常自反省然后受禄。人主虽破格提拔,臣下不无功受取。《大雅》说:"上帝监视着你,你不可有二心。"这是用来要求忠臣之行的。其解说在郑君问被瞻"义不死君、不亡君"事(见《务大》篇),及薄疑应对卫嗣君欲重税于民事(见《审应览》)。此二士之言,皆近乎知本之论。

孝 行 览

[原文] 凡为天下、治国家,必务本而后末。所谓本者,非耕耘种植之谓,务其人也。务其人,非贫而富之、寡而众之,务其本也。务本莫贵于孝。人主孝,则名章荣,下服听,天下誉;人臣孝,则事君忠,处官廉,临难死;士民孝,则耕芸疾,守战固,不罢北。

夫孝,三皇五帝之本务,而万事之纪也。夫执一术而百善至、百邪去、天下从者,其惟孝也。故论人必先以所亲,而后及所疏;必先以所重,而后及所轻。今有人于此,行于亲重而不简慢于轻疏,则是笃谨孝道。先王之所以治天下也,故爱其亲不敢恶人,敬其亲不敢慢人。爱敬尽于事亲,光耀加于百姓,究于四海,此天子之孝也。

曾子曰:"身者,父母之遗体也。行父母之遗体,敢不敬乎!居处不庄,非孝也;事君不忠,非孝也;莅官不敬,非孝也;朋友不笃,非孝也;战陈(阵)无勇,非孝也。五行不遂,灾及乎亲,敢不敬乎!"《商书》曰:"刑三百,罪莫重于不孝。"

曾子曰:"先王之所以治天下者五:贵德,贵贵,贵老,敬长,慈幼。此五者,先王之所以定天下也。所谓贵德,为其近于圣也;所谓贵贵,为其近于君也;所谓贵老,为其近于亲也;所谓敬长,为其近于兄也;所谓慈幼,为其近于弟也。"

曾子曰："父母生之，子弗敢杀；父母置之，子弗敢废；父母全之，子弗敢阙。故舟而不游，道而不径，能全支体以守宗庙，可谓孝矣。养有五道：修宫室，安床第，节饮食，养体之道也；树五色，施五采，列文章，养目之道也；正六律，和五声，杂八音，养耳之道也；熟五谷，烹六畜，和煎调，养口之道也；和颜色，说言语，敬进退，养志之道也。此五者代进而厚用之，可谓善养矣。"

乐正子春下堂而伤足，瘳而数月不出，犹有忧色。门人问之曰："夫子下堂而伤足，瘳而数月不出，犹有忧色，敢问其故。"乐正子春曰："善乎，而问之！吾闻之曾子，曾子闻之仲尼：父母全而生之，子全而归之，不亏其身，不损其形，可谓孝矣。君子无行咫步而忘之，余忘孝道，是以忧。"故曰：身者，非其私有也，严亲之遗躬也。民之本教曰孝，其行孝曰养。养可能也，敬为难；敬可能也，安为难；安可能也，卒为难。父母既没，敬行其身，无遗父母恶名，可谓能终矣。仁者，仁此者也；礼者，履此者也；义者，宜此者也；信者，信此者也；强者，强此者也。乐自顺此生也，刑自逆此作也。

[译文]　凡是统治天下、治理国家，必须首先致力于根本而后及于各种具体事务。这里所谓根本，不是指通常所称的农耕生产本业，而是说为政要致力于治人。致力于治人，也不单是指人民贫困而使之致富、人口稀少而使之增加，而是说要致力于教化之本。教化之本，没有比推行孝道更重要的。人主孝，则功名显耀，臣下服从，天下欢心；人臣孝，则事君忠诚，为官清廉，临难能死节；兵民孝，则农耕尽力，守必固，战必克，不败北。

孝是三皇五帝治天下的本务，是大大小小各种事务的纲领。为政之术能执持一端而使百善皆至、百邪尽去、天下服从者，大概只有孝道。所以论人要先看他与亲属的关系，然后再看他与宗亲关系较为疏远的人的关系；要先看他所亲重的有哪些人，然后才看他不怎么亲重的有哪些人。假如有人在这方面，既与亲重之人关系密切，又不怠慢关系轻浅疏远之人，那就是忠实地恭行孝道。而孝道正是先王用来治天下的，所以爱其亲人而不敢厌恶他人，敬其亲人而不敢怠慢他人。爱敬之道尽于奉养父母，而其德行的光耀施及于百姓，极于四海之内，这就是天子的孝。

曾子说："身体是父母遗传下来的，因父母遗传下来的身体从事活动，敢不畏敬谨慎吗？日常起居不端庄，不是孝；事君不忠心，不是孝；为官不恭敬，不是孝；交友不忠实，不是孝；作战不勇敢，不是孝。这五种道德不能养成，会给亲人带来灾祸，敢不畏敬谨慎吗？"《商书》中说："刑律几百条，判罪没有比不孝更重的。"

曾子说："先王用来治天下的有五条：尊崇有道德的人，尊崇地位高贵的人，尊崇老年人，尊敬比自己年龄大的人，爱护年幼者。这五条，是先王用以安定天下的行为标准。所以要尊崇有道德的人，是因为有德则近于圣道；所以要尊崇地位高贵的人，是因为地位高贵则接近君主；所以要尊崇老年人，是因为老年人有如父母；所以要尊敬比自己年龄大的人，是因为年龄大有如兄长；所以要爱护年幼者，是因为年幼者有如自己的子弟。"

曾子说："身为父母所生养，做子女的不敢伤害；身为父母所立，做子女的不敢废殆；为父母的保全子女之身，做子女的不敢损毁。所以渡水则乘舟船而不游涉，陆行则走道路而不取荒径，能保全自身肢体以守宗庙、祭父母，这就可以说是孝。奉养父母之道有五条：修治好房屋，安排好床铺，有规律地供给饮食，这是使父母养身之道；器物用各种颜色的，装饰用各种彩绘的，有分别地罗列各种花纹，这是使父母养目之道；调正乐律，协和声音，用不同的乐器演奏各种乐曲，这是使父母养耳之道；种好田使五谷收成，养好六畜有各种肉食，调和五味，仔细烹制食物，这是使父母养口之道；和颜悦色，说话让父母愉快，出入伺候恭恭敬敬，这是使父母养心意之道。经常用这五条交替侍奉而使之丰厚，就可以说是善养父母了。"

乐正子春有一次下堂阶而扭伤了脚，已痊愈数月而不出门，并且还有忧色。门人问他说:"老师您下堂伤脚,已痊愈数月而不出门,并且还有忧色,请问是何缘故?"乐正子春说:"你问这事,问得好。我听曾子讲过,曾子又是听孔子讲的:父母保全而生养子女之身,子女要保全自身而归报父母,不伤身体,不损形表,就可说是孝。君子哪怕走几尺几步路都不应忘记这一点,而我下堂伤脚就是忘了孝道,因此有忧虑。"所以说,身体并不仅仅是属于自己的,它是父母遗传下来的躯体。对人民的教化始于孝,人民行孝道就要侍养父母。侍养是可做到的,恭敬地侍养却难;恭敬地侍养也可做到,使父母生活得舒适却难;使父母生活得舒适还可做到,终身行孝却难。父母谢世之后,敬畏谨慎地自处其身,不致留下有辱父母生养之恩的不好的名声,这就可以说是能终身行孝了。行仁要以行此为仁,行礼要以体此为礼,行义要以合此为义,行信要以守此为信,自强要以善此为强。人生的欢乐都因为顺从这一个"孝"字而生,一切罪过刑罚也都由于违反这一个"孝"字而起。

下　　贤

[原文]　　有道之士固骄人主,人主之不肖者亦骄有道之士。日以相骄,奚时相得?若儒、墨之议与齐、荆之服矣。

贤主则不然:士虽骄之,而己愈礼之,士安得不归之？士所归,天下从之帝。帝也者,天下之适也；王也者,天下之往也。得道之人,贵为天子而不骄倨,富有天下而不骋夸,卑为布衣而不瘁摄,贫无衣食而不忧慑；豤乎其诚自有也,觉乎其不疑有以也,桀乎其必不渝移也,循乎其与阴阳化也,匆匆乎其心之坚固也,空空乎其不为巧故也,迷乎其志气之远也,昏乎其深而不测也,确乎其节之不庳也,就就乎其不肯自是,鹄乎其羞用智虑也,假乎其轻俗诽誉也。以天为法,以德为行,以道为宗,与物变化,而无所终穷。精充天地而不竭,神覆宇宙而无望,莫知其始,莫知其终,莫知其门,莫知其端,莫知其源。其大无外,其小无内,此之谓至贵。士有若此者,五帝弗得而友,三王弗得而师;去其帝王之色,则近可得之矣。

尧不以帝见善绻,北面而问焉。尧,天子也,善绻,布衣也,何故礼之若此其甚也?善绻,得道之士也。得道之人,不可骄也。尧论其德行达智而弗若,故北面而问焉,此之谓至公。非至公,其孰能礼贤?

周公旦,文王之子也、武王之弟也、成王之叔父也,所朝于穷巷之中、瓮牖之下者七十人。文王造之而未遂,武王遂之而未成,周公旦抱少主而成之。故曰:成王不唯以身下士邪?

齐桓公见小臣稷,一日三至,弗得见。从者曰:"万乘之主,见布衣之士,一日三至而弗得见,亦可以止矣。"桓公曰:"不然。士骜禄爵者,固轻其主;其主骜霸王者,亦轻其士。纵夫子骜禄爵,吾庸敢骜霸王乎?"遂见之,不可止。世多举桓公之内行,内行虽不修,霸亦可矣。诚行之此论而内行修,王犹少。

子产相郑,往见壶丘子林,与其弟子坐,必以年,是倚其相于门也。夫相万乘之国,而能遗之,谋志论行,而以心与人相索,其唯子产乎!故相郑十八年,刑三人,杀二人;桃李之垂于行者莫之援也,锥刀之遗于道者莫之举也。

魏文侯见段干木,立倦而不敢息。反见翟黄,踞于堂而与之言,翟黄不说。文侯曰:"段干木,官之则不肯,禄之则不受。今女欲官则相位,欲禄则上卿,既受吾实,又责吾礼,无乃难乎?"故贤主之畜人也,不肯受实者其礼之。礼士莫高乎节欲,欲节则令行矣,文侯可谓好礼士矣。好礼士,故南胜荆于连隄(堤),东胜齐于长城,虏齐侯献诸天子,天子赏文侯以上闻。

[译文] 有道之士固然傲慢无礼于人主,而那些不肖之主亦傲慢

无礼于有道之士。日日相互傲慢无礼,什么时候才能相安共融为一体呢?这犹如儒、墨两家互相批评对方的学说及齐、楚两个大国互相使对方屈服。

贤明的人主则不是这样:有道之士虽然在他们面前傲慢无礼,他们却对有道之士愈加礼敬,如此,有道之士怎么会不归附他们呢?士所归附的人,天下之人便从而拥立他为帝王。所谓"帝",就是天下之主长;所谓"王",就是天下所归往。得道之人,贵为天子而不骄傲自满,富有天下而不矜夸自大,卑微为平民而不病困屈敛,贫穷无衣食而不忧愁恐惧;恳切坦然于心地诚实而自有道,先知先觉于行事不疑而自有依据,特立独行则虽沧海横流亦不改变,因循自然之数则与阴阳二气同其更化,耳聪目明基于心志坚定不移,磊磊落落不为虚伪巧诈之事,迷离恍惚志在江湖之高远,混混冥冥言如渊深之不可测,确然挺拔见其节概之不卑下,优柔顺从显其识见之不自是,浩然博大而羞用智虑小计,处世为人凭借绝俗去污、不以毁誉为心。效法天地自然之运行,以尚德为行为准则,以大道为修身根本,随万事万物与时变化,循环往复而无有终极。精神充满天地而不枯竭,包覆宇宙而无边际,不知其始,不知其终,不知其门径,不知其端绪,不知其本源。言其大则无大能出其外,言其小则无小能纳其里,这就叫做至为高贵的"道"。士之修养如果能达到这样的境地,那么尊如五帝也不能轻以为友,贵如三王也不能便尔为师;如果为帝王者除去自以为至高无上的态度,那就可以接近他们得为师友。

尧曾经不以帝王的身份去见隐士善绻,屈身北面向他请教。尧是天子,善绻只是一位平民,为什么尧礼敬他却这样过头呢?因为善绻是得道之士。得道之人,是不可以对他傲慢无礼的。尧以为善绻的道德行为、胸怀智术,自己都不如,故北面而向他请教,这就叫做至公无私心。如果不是大公无私,为人主者又有谁能真正做到礼贤下士?

周公旦是文王之子、武王之弟、成王之叔父,他到穷闾陋巷之中、瓮牖瓦灶之下屈驾拜访的有道之士多至七十人。文王始欲造访这些士人而未能如愿,武王如愿造访而未能周遍,至周公旦摄政时,才怀抱年幼的成王而毕成其事。所以说:周成王不也是以身下士的君王吗?

齐桓公往见贤人小臣稷,一日之中去了三次而不得见,随从的人都说:"以万乘大国之主,往见一位布衣之士,一日三至而不得见,也可以不再去见他了。"桓公说:"这话不对。有道之士高傲不受禄爵,固然是对国君的轻视;可是国君以霸主的地位自傲,也是对有道之士的轻视。虽然这位先生高傲不受禄爵,我哪敢以霸主的地位自傲?"于是桓公仍去造访小臣稷,不可阻止。世人多称桓公内行不修(与宫女及姑姊妹淫乱),可是他内行虽不修,称霸诸侯却也并非没有缘由。如果以礼贤下士言之,桓公诚能既礼贤下士又谨修内行,那么即使他称王天下,地位也不算高。

　　子产为郑国的相国,往见私学先生壶丘子林,每与壶丘子林的弟子一起就座,必定按年龄的长少排位置,这是把相国的地位倚从于私门了。身为大国的国相,而能不计较相国的地位,但求适其志趣,以德行年齿为尚,与人推心置腹,大概只有子产可以做到吧! 所以他为郑之相国十八年,郑国大治,刑措不用,仅仅判过三人的罪,处死过二人;民风大化,桃李满枝垂于道路而无人攀摘,锥刀之物遗失于途中而无人拣拾。

　　魏文侯造访段干木,站立既久,疲倦了也不敢坐下。回来后接见大臣翟黄,踞坐于堂上与翟黄说话,翟黄不高兴。文侯说:"段干木,要他做官他不肯做,给他俸禄他不受。现在你既已做官则想官至相位,既已受禄则想禄至上卿。已经接受我的爵禄,又要求我像对段干木那样礼敬你,不是太难了吗?"所以贤明的君主养用人才,对那些不肯接受爵禄的人才加以礼敬。礼贤下士最崇尚的是士人欲望有节制,士人欲望有节制则政令可以通行,魏文侯就可说是好礼贤下士的君主。因为他好礼贤下士,所以能够南向扩张在连隁地方打败楚国,东向扩张在齐长城一带打败齐国,俘虏了齐国的国君献于周天子,周天子赏给文侯以高等的爵位和名义。

贵　　因

[原文]　　三代所宝莫如因,因则无敌。禹通三江五湖,决伊阙,沟迴陆,注之东海,因水之力也。舜一徙成邑,再徙成

都,三徙成国,而尧授之,禅位,因人之心也。汤、武以千乘制夏、商,因民之欲也。如秦者,立而至,有车也;适越者,坐而至,有舟也。秦、越远涂也,骍立安坐而至者,因其械也。

武王使人候殷,反报岐周曰:"殷其乱矣。"武王曰:"其乱焉至?"对曰:"谗慝胜良。"武王曰:"尚未也。"又复往,反报曰:"其乱加矣。"武王曰:"焉至?"对曰:"贤者出走矣。"武王曰:"尚未也。"又往,反报曰:"其乱甚矣。"武王曰:"焉至?"对曰:"百姓不敢诽怨矣。"武王曰:"嘻!"遽告太公。太公对曰:"谗慝胜良,命曰戮;贤者出走,命曰崩;百姓不敢诽怨,命曰刑胜。其乱至矣,不可以驾矣。"故选车三百,虎贲三千,朝要甲子之期,而纣为禽,则武王固知其无与为敌也。因其所用,何敌之有矣!

武王至鲔水,殷使胶鬲候周师。武王见之,胶鬲曰:"西伯将何之?无欺我也。"武王曰:"不子欺,将之殷也。"胶鬲曰:"曷至?"武王曰:"将以甲子至殷郊,子以是报矣。"胶鬲行。天雨,日夜不休,武王疾行不辍。军师皆谏曰:"卒病,请休之。"武王曰:"吾已令胶鬲以甲子之期报其主矣,今甲子不至,是令胶鬲不信也。胶鬲不信也,其主必杀之,吾疾行以救胶鬲之死也。"武王果以甲子至殷郊,殷已先陈矣。至殷,因战,大克之,此武王之义也。人为人之所欲,己为人之所恶,先陈何益?适令武王不耕而获。

武王入殷,闻殷有长者。武王往见之,而问殷之所以亡,殷长者对曰:"王欲知之,则请以日中为期。"武王与周公旦明日早要期,则弗得也。武王怪之,周公曰:"吾已知之矣,此君子也。取不能其主,有以其恶告王,不忍为也。若夫期而不当,言而不信,此殷之所以亡也。已以此告王矣。"

夫审天者,察列星而知四时,因也;推历者,视月行而知晦朔，因也。禹之裸国，裸入衣出，因也；墨子见荆王，锦衣吹笙，因也。孔子道弥子瑕见厘夫人，因也；汤、武遭乱世，临苦民，扬其义，成其功，因也。故因则功，专则拙，因者无敌。国虽大，民虽众，何益？

[译文]　三代政治所推重的措施，莫如因循之道，因循则无敌。(《慎子·因循》篇："因也者，因人之情也。"——引者)大禹治水，通三江五湖，在伊阙(地名)决开黄河，在迴陆(地名)开沟渠，使之注入东海，这是因水之力而成其功。大舜聚民，一次迁徙而成邑落，再次迁徙而成都邑，三次迁徙而成城邦国家，尧于是授之以土地人民，禅位给他，这是因人心所向而为之。商汤、周武王以千辆兵车的实力灭亡夏、商，都是因为顺从了万民的愿望。到秦国去的，站立着到达，是因为有车可乘；到越国去的，坐着到达，是因为有船可坐。中原到秦、越都是远途，而有站着到的，有坐着到的，皆因交通工具而不同。

周武王使人侦察殷王朝的情况，被派去的人返回岐周报告说："殷将乱。"武王说："其乱有哪些表现？"回答说："殷纣王任用奸邪之人，良臣受压制。"武王说："殷尚未乱。"使者再次去侦察，又还报说："其乱更严重了。"武王说："有哪些表现？"回答说："殷纣王的贤臣都出走了。"武王说："殷尚未乱。"使者又去侦察，还报说："其乱已极其严重。"武王说："有哪些表现？"回答说："百姓都不敢出怨言也。"武王说："好了，赶快去告诉军师姜太公。"太公来见，回答说："奸邪高张，良臣受压，表明殷政已使正直受辱；贤臣出走，表明殷政已趋向崩溃；百姓不敢出怨言，表明殷政刑气大盛。其乱已到顶点，无以复加了。"因此武王选集兵车三百辆，勇士三千人，会朝约定甲子这一天为灭殷之期，结果殷纣王被擒杀，可见武王本已知道无人能与自己为敌。顺从他所驱用的士民的愿望，又有谁能与他为敌呢？

周武王伐纣，行至鲔水，殷纣王使臣下胶鬲去侦察周人的军兵。周武王接见了胶鬲，胶鬲说："请问西伯您将领兵去哪里？不要骗我。"武王说："我不骗你，要开到殷都朝歌去。"胶鬲说："何时开到？"武王说："将在甲子这一天到朝歌城郊,你就以这个日子去报告纣王。"胶鬲回去了。其时正碰上天下雨,昼夜不停,武王下令急行军,奔行不停,军中将领都进谏说:"士兵困顿,请休整一下。"武王说:"我已让胶鬲以甲子这一天去报告其主,假如甲子这一天我们到不了,就会使胶鬲失信。胶鬲失信,殷纣王必定会杀掉他,我们现在急行军,是为了救胶鬲的命。"武王果然在甲子这一天到达殷都郊外,而殷军已先列阵待战。周军到殷,随即接战,大败殷军,这是由于武王的军队是正义之师。对殷纣王而言,别人(指周武王)所为乃人人所欲为,自己所为乃人人所反对,虽预先列阵又有何用?这恰好使周武王不耕而收获(指殷士卒倒戈降周而反为武王所用)。

武王入殷,闻知殷有一位长者。武王往见这位长者,问他殷王朝何以会灭亡,他回答说:"大王若想知道这一点,那么请约定在明日中午见面,到时我会回答您。"第二天,武王与周公旦在约定时间之前就来造访,但却没有见到这位长者。武王觉得奇怪,周公说:"我已经知道了,这是一位君子。大王的访问是要听取其主之不善,他若答对则不免以其主之恶行诉于大王,这是他不忍做的。像今天这样,已约期见面而不对客,已出诺言而不信守,这就是殷所以灭亡的原因了。这位长者已以此回答大王。"

审定天文的专家,观察列星的运动而知四时变化,这是"因";推算历法的专家,观察月亮的运行而知晦朔日期,这也是"因"。禹至裸国,裸体而入,穿衣而出,这是"因";墨子见楚王,(一改非乐主张)锦衣吹笙而至,这也是"因"。孔子通过卫灵公的佞臣弥子瑕见厘夫人,这是"因";商汤、周武王遭逢乱世,面对苦民,高扬正义,成其大功,这也是"因"。是以因人之情、从民之欲则有功,专行己欲、违背民心则败亡,能行因循之道者无敌于天下。违之者,国虽大、民虽众,又有何益?

察　今

[原文]　　上胡不法先王之法?非不贤也,为其不可得而法。先王之法,经乎上世而来者也,人或益之,人或损之,胡可

得而法？虽人弗损益，犹若不可得而法。东夏之命，古今之法，言异而典殊，故古之命多不通乎今之言者，今之法多不合乎古之法者。殊俗之民有似于此，其所为欲同，其所为异。口惽之命不愉，若舟车衣冠、滋味声色之不同，人以自是，反以相诽。天下之学者，多辩言利辞，倒不求其实，务以相毁，以胜为故，先王之法胡可得而法？虽可得，犹若不可法。

凡先王之法，有要于时也。时不与法俱至，法虽今而至，犹若不可法。故择先王之成法，而法其所以为法。先王之所以为法者何也？先王之所以为法者人也，而己亦人也。故察己则可以知人，察今则可以知古，古今一也，人与我同耳。有道之士，贵以近知远，以今知古，以益所见知所不见。故审堂下之阴，而知日月之行、阴阳之变；见瓶水之冰，而知天下之寒、鱼鳖之藏也；尝一脔肉，而知一镬之味、一鼎之调。荆人欲袭宋，使人先表澭水；澭水暴益，荆人弗知，循表而夜涉，溺死者千有余人，军惊而坏都舍。向其先表之时，可导也；今水已变而益多矣，荆人尚犹循表而导之，此其所以败也。今世之主法先王之法也，有似于此。其时已与先王之法亏矣，而曰此先王之法也而法之，以此为治，岂不悲哉！故治国无法则乱，守法而弗变则悖。悖乱不可以持国，世易时移，变法宜矣。譬之若良医，病万变，药亦万变；病变而药不变，向之寿民，今为殇子矣。故凡举事，必循法以动；变法者，因时而化。若此论，则无过务矣。

夫不敢议法者，众庶也；以死守者，有司也；因时变法者，贤主也。是故有天下七十一圣，其法皆不同，非务相反也，时势异也。故曰：良剑期乎断，不期乎莫邪；良马期乎千里，不期乎骥骜。夫成功名者，此先王之千里也。楚人有涉江者，其剑自舟中坠于水，遽契其舟，曰："是吾剑之所从坠。"舟止，从其所契者入水求之。舟已行矣,而剑不行,求剑若此,不亦惑乎?以此故法为其国,与此同。时已徙矣,而法不徙,以此为治,岂不难哉!有过于江上者,见人方引婴儿而欲投之江中,婴儿啼。人问其故,曰:"此其父善游。"其父虽善游,其子岂遽善游哉?此任物亦必悖矣。荆国之为政,有似于此。

[译文]　　君上为何不效法先王之制度?先王之制度并非不善,只是因为它不可得而效法。先王之制度是从前世流传下来的,后人或有所增补,或有所减损,又怎么能得而效法?即使后人没有增减,犹或不可得而效法。东夷西夏之政令,古往今来之制度,文词异称而典故殊别,因此古之政令多不通乎今之文词,今之制度多不合于古之制度。偏远地区风俗迥殊的民情与此相似,他们所约定的习惯法规虽欲统一,而各自所约定者却相异。众口议定的政令不可能适合所有人的意愿,譬如舟车之用、衣冠之饰、口味声色之嗜好,各地皆不同,人或自以为是,而反以相非。天下之学者多以辩言利辞相驳难,反而不求其实,务相诋毁,惟以胜过对方为事,先王之制度又怎可得而效法?即使可以得知,犹或不可效法。

大凡先王之制度,都是根据当下时势的要求制定的。时势不可能与制度一起流传下来,而古之制度即使流传至今,犹或不可效法。因此要采择先王之成法,而效法其所以为法之故。先王之所以为法者是怎么一回事呢?先王之所以为法者取决于人,而自己也是人。因此察己可以知人,察今可以知古,古今情势如一,人与我亦等同。有道之士,贵在以近知远,以今知古,以增益所见而知所不见。因此审知堂下之晷影,就可知道日月之运行、阴阳之变化;察见瓶水之结冰,就可知道天下之寒凝、鱼鳖之潜藏;尝食一小块肉,就可知道一锅肉的味道、一鼎食物的调和情况。楚人欲袭击宋国,派人先到澭水测其深浅立上标杆;澭水暴涨,楚人不知,仍顺着标杆夜涉澭水,结果淹死一千多人,士卒惊骇的声音如同大房屋崩塌一样。先前楚人立标杆时,这些标杆尚可引导涉河;现在水位变化而上涨很多,楚人仍顺着标杆引军前进,这就是楚军所以败乱的原因。今世之人主,效法先王制度,有似于此。当今时势已与先王之制度抵触不合,而仍开口闭口说这是先王之制度,硬要效法之以为治国之法,岂不可悲!因此,治国无法度则乱,株守法度而不知变更则悖。悖乱不可以保国,世事改换,时势迁移,因时变法正是治世保国应有之义。譬之如良医,要看的病症千变万化,所开的药方亦千变万化;假如病症变化而药方不变,那么向来长寿之人,现在要都成为夭亡小儿了。因此凡是兴举政事,必须遵循法规行动;而变法之举,则求因时变化以制宜。顺此理为政治国,那就不会出现重大失误了。

不敢议论典章法制的是众庶百姓,严格按照典章法制办事的是行政部门,因时变法的是贤主明君。是以自古相传统治天下的七十一位圣君,他们的典章制度皆不相同,这并非是由于后起王朝务与前朝相反,而是由于时势变异的缘故。所以说:良剑但求其锋利能斩断,不必求其非是莫邪名剑不可;良马但求其日行千里,不必求其非是骥骜名马不可。讲求实效而能成功名,这一观念本身就是先王治世的"千里马"。有位楚人渡江,他的剑从船上掉落到水中,于是当即在船体上刻上个记号,说:"这是我的剑掉下去的地方。"船停靠岸以后,他便从刻记号的地方下水寻找他的剑。船已在江上航行很远,而他掉在水中的剑却不曾移动,像这样子去寻找失落的剑,不是糊涂透顶吗?人主以先王故法治国,与这一事例并无两样。时势已迁移,而故法却不曾变迁,以此治国,岂不难以做到!有人过江,见江上有个人正拉着一个幼儿,要把他投到江中,幼儿啼哭不止。人们问这人想干什么,他说:"这孩子的父亲善于游水。"孩子的父亲虽善于游水,他的儿子难道就善于游水吗?用这种办法处理事情,也必然荒唐悖谬。楚国的政治,就与这寓言相似。

审 分 览

[原文] 凡人主必审分,然后治可以至,奸伪邪辟之涂可以息,恶气苛疾无自至。夫治身与治国,一理之术也。今以众地者公作则迟,有所匿其力也;分地则速,无所匿迟也。主亦有

地；臣主同地，则臣有所匿其邪矣，主无所避其累矣。

凡为善难，任善易。奚以知之？人与骥俱走，则人不胜骥矣；居于车上而任骥，则骥不胜人矣。人主好治人官之事，则是与骥俱走也，必多所不及矣。夫人主亦有车，居无去车，则众善皆尽力竭能矣，诡谀诐贼巧佞之人无所窜其奸矣，坚穷廉直忠敦之士毕竟劝骋骛矣。人主之车所以乘物也，察乘物之理，则四极可有。不知乘物而自怙恃，夺其智能，多其教诏，而好自以，若此，则百官恫扰，少长相越，万邪并起，权威分移，不可以卒，不可以教，此亡国之风也。

王良之所以使马者，约审之以控其辔，而四马莫敢不尽力。有道之主，其所以使群臣者亦有辔。其辔何如？正名审分，是治之辔已。故按其实而审其名，以求其情；听其言而察其类，无使放悖。夫名多不当其实，而事多不当其用者，故人主不可以不审名分也；不审名分，是恶壅而愈塞也。壅塞之任，不在臣下，在于人主。尧、舜之臣不独义，汤、禹之臣不独忠，得其数也；桀、纣之臣不独鄙，幽、厉之臣不独辟，失其理也。今有人于此，求牛则名马，求马则名牛，所求必不得矣；而因用威怒，有司必诽怨矣，牛马必扰乱矣。百官，众有司也；万物，群牛马也。不正其名，不分其职，而数用刑罚，乱莫大焉。

夫说以智通而实以过悗，誉以高贤而充以卑下，赞以洁白而随以汙德，任以公法而处以贪枉，用以勇敢而堙以罢怯，此五者皆以牛为马、以马为牛，名不正也。故名不正，则人主忧劳勤苦，而官职烦乱悖逆矣，国之亡也、名之伤也，从此生矣。白之顾益黑，求之愈不得者，其此义邪？故至治之务，在于正名。名正，则人主不忧劳矣；不忧劳，则不伤其耳目之主。

问而不诏，知而不为，和而不矜，成而不处；止者不行，行者不止，因刑而任之，不制于物，无肯为使；清静以公，神通乎六合，德耀乎海外，意观乎无穷，誉流乎无止：此之谓定性于大湫，命之曰无有。故得道忘人，乃大得人也，夫其非道也；知德忘知，乃大得知也，夫其非德也；至知不几，静乃明几也，夫其不明也；大明不小事，假乃理事也，夫其不假也；莫人不能，全乃备能也，夫其不全也。是故于全乎去能，于假乎去事，于知乎去几，所知者妙矣。若此，则能顺其天，意气得游乎寂寞之宇矣，形性得安乎自然之所矣，全乎万物而不宰，泽被天下而莫知其所自始。虽不备五者，其好之者是也。

[译文] 凡为人主，必审察名分，然后可以致治，使奸伪邪辟侵入的途径堵塞，毒气恶疾无由至。治身与治国的办法包含着同样的道理。假如在许多土地上共同耕作，那么耕作之功就完成得迟，因为耕作者往往不能尽其全力而有所保留；假如把土地分给众人而个别耕作，那么耕作之功就完成得快，因为耕作者用力无保留而不愿拖拉推迟。人主也有这样的"地"；君臣共耕这块"地"，那么臣下往往有私邪藏而不露，人主就无从躲避辛苦劳累了。

无论做何事，通常是掌握专长不容易，但利用他人专长也不难。何以知道这一点呢？比如人和良马一起跑，那么人是无法胜过良马的；但是人坐在车上而用马拉车，那么良马也不能胜过人了。人主有好亲自去办人臣官职分内之事的，这就好比人和良马一起跑，必定是多所不及的。人主也有"车"，端坐其中，不要把车扔掉，那么各有专长的臣下都尽力竭能来拉这辆"车"，那些谄媚奉承、邪避不正、贼忍巧佞之人无所容其奸，而刚正有节、廉洁正直、忠厚敦悫之士也就都竞相激劝而趋至了。人主的"车"也是用来载物的，明察车之为车所以载物之理，那么四面八方之物都可为人主所有。不知此理而专靠自身之力，夺臣下智能，频出诏令，指手画脚，好自以为是，像这样子，那么百官扰乱，等级凌越，各种奸邪行为并兴，人主威权被分割转移，不但不可以成事，而且不可以挽救，这正是亡国之风。

古时善驾车的王良（相传为春秋时晋大夫）所以使马的办法，就是谨慎地套马而牢牢控制着缰绳，驾车的四马没有敢不尽力的。有道之主，其所赖以控制和驱使群臣的，也有这样一条"缰绳"。这"缰绳"是什么呢？正名义、审职分，就是致治的"缰绳"。因此对于臣下，要考核其实际而审察其名分，以求得其真情；听其所言而察其同类，使他不得放纵悖乱。人臣的名分往往多不当其实际，人臣的行事往往多不当其功效，因此人主不可以不审察名分；不审察名分，便是反对壅塞而更加壅塞。壅塞的责任不在臣下而在人主。并非是只有尧、舜之臣才懂得义，只有汤、禹之臣才知道忠，他们为臣之忠义都是由于君主驾驭有术；也并非是只有桀、纣之臣才显得卑鄙，只有周幽王、厉王之臣才特别便辟，他们为臣之卑鄙便辟都是由于君主丧失用人之理。假如有人求牛而名之为马，求马而名之为牛，那么所求必然是得不到的；而因此动怒，大耍威风，具体办事的人必然会怨恨，所要求的牛马也扰乱了。国家百官，便是具体办事的机构和人员；万事万物，便好比牛马。不正其名分，不分其职能，而频用刑罚惩处，闹乱子没有比这更大的。

论说以其智慧通达明了而实行却以过误造成惑乱，有高贤之称誉而实际却是内里卑下，既被称赞有廉洁之行而随后却屡见污秽事为，本以公法被委任而处官却贪赃枉法，号称有勇敢之用而临阵却以疲怯冒充，这五种情况都是以牛为马、以马为牛之类，名分皆不正。因此人臣名分不正，人主便忧劳勤苦，而官府职事烦杂混乱、悖谬颠倒，国家灭亡之征、主名大伤之兆皆从此生。所谓欲使其白反而愈黑（欲盖弥彰）、欲求之反而愈不得（欲速则不达）之类成语，难道不是说的这个意思吗？因此要达到理想政治的根本事务，在于正名。名分端正，则人主无须忧劳勤苦；无须忧劳勤苦，则不致伤害耳目聪明之天性。

凡事过问而不指令，知悉而不亲做，协调而不矜夸，有成而不居功；令止者不得行，令行者不得止，因事物之"形"（外在形态、表现）而用之，不为物所制，亦不为人所使；清静无为，保持公正，精神通乎六合之内，道德显于四海之外，意气扬示于无穷之境，声誉流传于无止之时：这就叫做定天性于"大湫"一般的深邃空明，而名之曰"无有"（无形之道）。因此，得

"道"而忘"人",才能"大得人",而这"大得人"又不是"道";知"德"而忘"知",才能"大得知",而这"大得知"又不是"德";"知"之极至而显得不知"机",虚静清素乃能"明机",而这"明机"又表现为"不明";"大明"不形于细事,惟借"道"之"理"而形于事,而这"理事"又表现为不假借;没有人所能者己所不能,因"道"之"全"而备一切能,而这"备能"又表现为"不全"。所以,欲求"全乃备能"要去掉一切能,欲求"假乃理事"要去掉一切事,欲求"静乃明机"要去掉一切知机,这样,所知者便微妙不可测度。达到此种境地,也就能够顺其天性,意气得游于寂寞空虚之宇宙,形体、性情得安于自然无碍之处所,万物皆备于一身之"全"而不主宰万物,光耀恩泽广被于天下而莫知其所从来。为人主者虽不具备这五端,其慕从此道者亦庶几可以肯定。

任　　数

[原文]　凡官者,以治为任,以乱为罪。今乱而无责,则乱愈长矣。人主以好暴示能、以好唱自奋,人臣以不争持位、以听从取容,是君代有司为有司也,是臣得后随以进其业。君臣不定,耳虽闻不可以听,目虽见不可以视,心虽知不可以举,势使之也。凡耳之闻也藉于静,目之见也藉于昭,心之知也藉于理。君臣易操,则上之三官者废矣。亡国之主,其耳非不可以闻也,其目非不可以见也,其心非不可以知也;君臣扰乱,上下不分,别虽闻曷闻,虽见曷见,虽知曷知!驰骋而因耳矣,此愚者之所不至也。不至则不知,不知则不信,无骨者不可令知冰。有土之君能察此言也,则灾无由至矣。

且夫耳目知巧固不足恃,惟修其数、行其理为可。韩昭厘侯视所以祠庙之牲,其豕小,昭厘侯令官更之。官以是豕来也,昭厘侯曰:"是非向者之豕邪?"官无以对,命吏罪之。从者曰:

"君王何以知之？"君曰："吾以其耳也。"申不害闻之，曰："何以知其聋？以其耳之聪也；何以知其盲，以其目之明也；何以知其狂，以其言之当也。"故曰：去听无以闻则聪，去视无以见则明，去智无以知则公。去三者不任则治，三者任则乱，以此言耳目心智之不足恃也。耳目心智，其所以知识甚阙，甚所以闻见甚浅，以浅阙博居天下，安殊俗，治万民，其说固不行。十里之间而耳不能闻，帷墙之外而目不能见，三亩之宫而心不能知，其以东至开梧、南抚多颢、西服寿靡、北怀儋耳，若之何哉？故君人者，不可不察此言也。

治乱、安危、存亡，其道固无二也。故至智弃智，至仁忘仁，至德不德。无言无思，静以待时，时至而应，心暇者胜。凡应之理，清净公素，而正始卒焉。此治纪，无唱有和，无先有随。古之王者，其所为少，其所因多。因者，君术也；为者，臣道也。为则扰矣，因则静矣。因冬为寒，因夏为暑，君奚事哉？故曰：君道无知无为。而贤于有知有为，则得之矣。有司请事于齐桓公，桓公曰："以告仲父。"有司又请，公曰："告仲父。"若是三，习者曰："一则仲父，二则仲父，易哉为君！"桓公曰："吾未得仲父，则难已。得仲父之后，曷为其不易也？"桓公得管子，事犹大易，又况于得道术乎！孔子穷乎陈蔡之间，藜羹不斟，七日不尝粒。昼寝，颜回索米，得而爨之，几熟，孔子望见颜回攫其甑中而食之。选间食熟，谒孔子而进食，孔子佯为不见之。孔子起曰："今者梦见先君，食洁而后馈。"颜回对曰："不可。向者煤炱入甑中，弃食不祥，回攫而饮（饭）之。"孔子叹曰："所信者目也，而目犹不可信；所恃者心也，而心犹不足恃。弟子记之，知人固不易矣。"故知非难也，孔子之所以知人难也。

[译文] 凡为官者，以治事有序为职任，以治事混乱为罪罚。假如

治事混乱而无责罚,则混乱状态将日甚一日。人主以好显露而自示有能、以好提倡而自求奋发,人臣以不争而保持禄位、以听从而苟合取容,这是君主代替有司而自行其职事,也使臣下得以追随行事而谋取私利以进身。君臣职分不定,人主耳虽有闻而不可以听,目虽有见而不可以视,心虽有知而不可以行,势位使之如此。凡耳闻要凭借于静,目见要凭借于明,心知要凭借于理。君臣职守颠倒,则人主耳目心三官的功能皆废。亡国之主,其耳非不可以闻,其目非不可以见,其心非不可以知;然君臣扰乱,上下不分,其余虽闻而何所闻,虽见而何所见,虽知而何所知!犹如驰骋而靠耳朵,这是连最愚蠢的人也不至于做出来的。做不出来的事则不知,不知则不相信,有如无骨之虫春生秋死,不可能让它们知道冬寒而有冰雪。信用士人的君主能察此言,则灾祸无由至。

况且耳目智巧本来就不足依靠,只有循其规律、行其理数才能发挥其功用。韩昭侯察看用来祭祀祖庙的牺牲,见一头猪牲太小,就叫主管官换一头。主管官换了回来,昭侯说:这不还是刚才那一头吗?主管官无以对,昭侯便命法吏治他的罪。昭侯的侍从问:"君王何以知道这头猪还是刚才的那一头?"昭侯说:"我由这头猪的耳朵知道。"国相申不害听到这件事,就发挥说:"何以知其聋?以其耳之聪;何以知其盲?以其目之明;何以知其狂?以其言之当。"(意谓祠庙官阳奉阴违事,昭侯随从亲见而不知,是耳朵虽聪而聋,眼睛虽明而盲,话虽说得不错而撒谎)因此说,去听而无以闻则聪,去视而无以见则明,去智而无以知则公。去掉这三者不用便可致治,用此三者则致乱,是可见耳目心智之不足依靠。凭耳目心智而能了解和记忆的东西甚少,所以闻见的东西甚浅,以浅少的知识旷居统治天下之位,欲安定殊俗远方,治理万民,其说必不能通行。十里之外的声音耳朵就听不到,帷墙之外的事物眼睛就看不见,三亩大小的宫殿建筑心里头就不能全知道,而对于东至开梧、南抚多颗、西服寿靡、北怀儋耳的四极疆域(开梧等皆为传说的四极之国),又将如何呢?所以君人者不可不察此言。

治乱、安危、存亡之道,本无二致。因此最上等的智离乎智,最上等的仁忘乎仁,最上等的德不显德。无言语,无思虑,寂静清虚,以待时会,时至而应之,身心闲暇者取胜。凡应时之理,在于清净无为,纯洁朴素,而端正始终。此为致治之纲领,万事无唱而人和之,百行不先而人随之。古之王者治天下,其所为少,其所因多。"因"是君术,"为"是臣道,为则扰攘,因则宁静。如天地因冬而为寒,因夏而为暑,为人君者顺从自然,于寒暑又何所事?因此说,君道无知无为。为人君者用此道,更贤于有知有为,则为得之。齐国有司因事请示齐桓公,桓公说:"去告诉仲父。"有司又请示,桓公又说:"告诉仲父。"如此者三次,近臣说:"一则仲父,二则仲父,这样做君主也真是容易!"桓公说:"我未得仲父为相时,已经难为过了。得了仲父之后,为何还要做个不易做的君主?"桓公得管仲,处理国事尚且大容易,又何况桓公能得无为道术呢? 孔子周游列国时被困于陈、蔡之间,连煮汤食也无米下锅,只有野菜,接连七天未吃到一粒粮。他大白天躺在床上,弟子颜回借到一些米回来做饭。饭快熟的时候,却见颜回把手伸进炊甑里,抓饭吃起来。不一会饭熟了,颜回拜请孔子进食而端上来,孔子装作没有看见他抓饭。孔子起来后说:"我今天梦见了鲁先君,要是食物洁净的话,就先祭祀一下,让先君歆享。"颜回回答说:"不可。刚才有煤灰(烟尘)掉进了饭甑里,把脏饭扔掉不吉利,我就伸手抓出来,连煤灰一块吃掉了。"孔子听后慨叹说:"人都相信自己的眼睛,可眼睛有时还是不可信;人都依赖自己的心,可心有时还是不足依赖。弟子们记下来,了解一个人固然不容易。"所以"知"不是难事,像孔子这故事所反映的,知人才是难事。

用　　民

[原文]　　凡用民,太上以义,其次以赏罚。其义则不足死,赏罚则不足去就,若是而能用其民者,古今无有。民无常用也,无常不用也,唯得其道为可。阖庐之用兵也不过三万,吴起之用兵也不过五万,万乘之国,其为三万、五万尚多。今外之则不可以拒敌,内之则不可以守国,其民非不可用也,不得所以

用之也。不得所以用之，国虽大，势虽便，卒虽众，何益？

古者多有天下而亡者矣，其民不为用也。用民之论，不可不熟。剑不徒断，车不自行，或使之也。夫种麦而得麦，种稷而得稷，人不怪也。用民亦有种，不审其种而祈民之用，惑莫大焉。当禹之时，天下万国，至于汤而三千余国，今无存者矣，皆不能用其民也。民之不用，赏罚不充也。汤、武因夏、商之民也，得所以用之也；管、商亦因齐、秦之民也，得所以用之也。民之用也有故，得其故，民无所不用。用民有纪有纲：壹引其纪，万目皆起；壹引其纲，万目皆张。为民纪纲者何也？欲也，恶也。何欲，何恶？欲荣利，恶辱害。辱害所以为罚，充也；荣利所以为赏，实也。赏罚皆有充实，则民无不用矣。阖庐试其民于五湖，剑皆加于肩，地流血几不可止；勾践试其民于寝宫，民争入水火，死者千余矣，遽击金而却之，赏罚有充也。莫邪不为勇者兴、惧者变，勇者以工，惧者以拙，能与不能也。凤沙之民自攻其君而归神农，密须之民自缚其主而与文王。汤、武非徒能用其民也，又能用非己之民。能用非己之民，国虽小，卒虽少，功名犹可立。古者多由布衣定一世者矣，皆能用其非有也。用其非有之心，不可[不]察之本。

三代之道无二，以信为管。宋人有取道者，其马不进，倒而投之鸂水；又复取道，其马不进，又倒而投之鸂水。如此者三，虽造父之所以威马不过此矣。不得造父之道而徒得其威，无益于御。人主之不肖者有似于此，不得其道而徒多其威，威愈多，民愈不用。亡国之主，多以多威使其民矣。故威不可无有，而不足专恃。譬之若盐之于味：凡盐之用，有所托也；不适，则败托而不可食。威亦然，必有所托，然后可行。恶乎托？托于爱利：爱利之心谕，威乃可行。威太甚，则爱利之心息；爱利之心息而徒疾行威,身必咎矣,此殷、夏之所以绝也。君利势也,次官也；处次官,执利势,不可而不察于此。夫不禁而禁者,其唯深见此论邪？

[译文]　　凡用民,最上等的做法是以义,其次才是以赏罚。假如以义用民而又不足以使民尽死力,以赏罚用民而又不足以使民避罚就赏,那么像这样子而能用民者,古今无有。民无常用,也无常不用,只有得用民之道,才能使民可用。吴王阖庐用兵不过三万,楚相吴起用兵不过五万,吴、楚皆万乘大国,而他们用三万、五万之兵已有余。现在的诸侯国,外则不可以拒敌国,内则不可以守本土,并非是其民不可用,而是不得其所以用。不得其所以用,国虽大,地理形势虽有利,士众虽多,又有何益？

自古以来多有统治天下而亡国者,皆因其民不得为用。因此用民之论,不能不详察。剑不能凭空断物,车不能自己行路,只是因为人有时用之,它们才能断能行。种麦得麦,种稷得稷,这是人们司空见惯而不怪的。用民也有如耕种,不审察这种"耕种"之理,而只求民为所用,则是莫大的糊涂。夏禹的时候天下有万国,到商汤时还有三千余国,至今这些方国都已无存,也都是因为不能用其民。民不为用,由于赏罚不当。商汤、周武王因夏、商之民而建王业,得所以用民之道；管仲、商鞅因齐、秦之民而使两国强大起来,亦得所以用民之道。民之为用是有原因的,能知其原因,则民无所不能用。用民有纪有纲:一提起它的纪,万目皆随之而顺起("纪"指丝的头绪,"目"指丝结);一提起它的纲,万目皆随之而开张("纲"指网的总绳,"目"指网眼)。什么是民纪民纲？就是欲望和厌恶。欲望什么,厌恶什么？欲望荣利,厌恶辱害。辱害之大者为罪罚,其所以为辱害,在于罚当其罪；荣利之大者为功赏,其所以为荣利,在于赏当其功。赏罚皆公正分明,合乎实际,则民无不可用。吴王阖庐试其民可用不可用,曾在五湖练兵,而剑皆加于肩头,民犹不肯向前,被杀者无数,地上血流成河,几乎止不住；越王勾践故意在宫中放火,试其民可用不可用,民皆争入水火,死者千有余人,勾践不得不赶快鸣金收兵而使民退下来,这是由于有严格的赏罚。莫邪宝剑不是专为勇敢者造的,也不会由于怯懦者变钝,勇敢者用之而武艺更精工,怯懦者用之而武艺更拙劣,只看能不能善用它。(赏罚亦是利剑,其功用的发挥尤在人主善用之)古大庭氏之末世,夙沙之民自攻其君而归附神农;商殷之末世,密须之民自缚其主而送与周西伯。商汤、周武王不仅是能用自己的人民,还能用本不属于自己的人民。能用本不属于自己的人民,国虽小,兵虽少,功业犹可成。古时多有由布衣之身而定一世者,皆能用本不属于自己国家的人民。用天下民众之心,不可不察。

夏、商、周三代治天下之道没有什么两样,皆以信为管钥(关键、要领)。有个宋人上道要赶路,其马不肯走,他便把马撂了个四蹄朝天,投之于溪水中;再次上道,马还是不肯走,他又把马倒投到水中。这样三次,虽古之善驾者造父(相传为周穆王御者)以威御马,也无过于此。不得造父驾御之道,而徒然得其驭马之威,无益于驾御。那些不肖之主用民有似于此,不得用民之道而徒然多树威福,威愈多而民愈不为用。历来的亡国之主,便多以繁杂的刑威使其民。因此威不可没有,但不足以专行依恃。譬如盐和味的关系:凡是用盐,要根据味的需要;用得不适量,则坏了本味而不可食。威也是这样,必有所依托,然后才能行得通。依托什么?依托于爱民利民:只有爱民利民之心明明白白地使人知道、使人相信,威才可行。威福过重,则爱民利民之心便息落下去;爱民利民之心息落而徒然力行其威福,则身必有祸殃,这就是殷、夏所以灭国绝祀的原因。为人君者利其势,序其官;序次百官,保持利势,不能不审察威势与爱利的关系。所谓不禁而禁者,不就是深见此论的概括吗?

为　　欲

[原文]　　使民无欲,上虽贤,犹不能用。夫无欲者,其视为天子也与为舆隶同,其视有天下也与无立锥之地同,其视为彭祖也与为殇子同。天子至贵也,天下至富也,彭祖至寿也,诚无欲,则是三者不足以劝;舆隶至贱也,无立锥之地至贫也,殇

子至天也,诚无欲,则三者不足以禁。会有一欲,则北至大夏,南至北户,西至三危,东至扶木,不敢乱矣;犯白刃,冒流矢,趣水火,不敢却也;晨寤兴,务耕疾庸,棋为烦辱,不敢休矣。故人之欲多者,其可得用亦多;人之欲少者,其可得用亦少;无欲者,不可得用也。

人之欲虽多,而上无以令之,人虽得其欲,人犹不可用也。令人得欲之道,不可不审矣。善为上者,能令人得欲无穷,故人之可得用亦无穷也。蛮夷反舌殊俗异习之国,其衣服冠带、宫室居处、舟车器械、声色滋味皆异,其为欲使一也。三王不能革,不能革而功成者,顺其天也;桀、纣不能离,不能离而国亡者,逆其天也。逆而不知其逆者,湛于俗也。久湛而不去,则若性。性异非性,不可不熟。不闻道者,何以去非性哉?无以去非性,则欲未尝正矣。欲不正,以治身则夭,以治国则亡。故古之圣王,审顺其天而以行欲,则民无不令矣,功无不立矣。圣王执一,四夷皆至者,其此之谓也。

执一者,至贵也,至贵者无敌。圣王讬于无敌,故民命敌焉。群狗相与居,皆静无争;投以炙鸡,则相与争矣。或折其骨,或绝其筋,争术存也。争术存因争,不争之术存因不争。取争之术而相与争,万国无一。凡治国,令其民争行义也;乱国,令其民争为不义也。强国,令其民争乐用也;弱国,令其民争竞不用也。夫争行义、乐用,与争为不义、竞不用,此其为祸福也,天不能覆,地不能载。晋文公伐原,与士期七日,七日而原不下,命去之。谋士言曰:"原将下矣,师吏请待之。"公曰:"信,国之宝也。得原失宝,吾不为也。"遂去之。明年,复伐之,与士期必得原然后反。原人闻之,乃下。卫人闻之,以文公之信为至矣,乃归文公。故曰:攻原得卫者,此之谓也。文公非不欲得原也,以不信得原，不若勿得也；必诚信以得之，归之者非独卫也。文公可谓知求欲矣。

[译文]　倘使民无欲求，人主虽贤，仍不能用之。无欲之人，其视为天子与为仆隶等同，视统治天下与无立锥之地等同，视长寿如彭祖与夭折小儿等同。天子至尊贵，天下至富有，彭祖至长寿，如果人诚无欲求，则此三者不足以劝勉；仆隶至低贱，无立锥之地至贫困，夭折小儿至短寿，如果人诚无欲求，则此三者不足以防范。如果人定有一强烈欲求，则北至大夏荒漠，南至北户之乡，西至三危山谷，东至扶桑日出之地，不敢乱其行止；犯白刃，冒流矢，赴水火，不敢退却；黎明即起，勤奋耕耘，尽力佣作，虽烦苛劳苦，不敢休息。因此民之欲求多，其可为人主所用亦多；民之欲求少，其可为人主所用亦少；无欲求者，则不可为人主所用了。

民之欲求虽多，若人主不能使他们服从号令，则民虽得其欲求，仍不可用。使民得欲之道，不可不审察。善为人主者，能使民得欲无穷尽，故民之可得为用亦无穷尽。那些少数民族居住的语言难晓、风俗殊异的地区，其服饰、居室、器物、声色味道的嗜好等皆不同，然皆为满足其欲求则一致。三王不能去人欲，不能去人欲而能成大功业，在于能顺其天性；桀、纣不能离人欲，不能离人欲而导致亡国，在于违反其天性。违反天性而不自知，在于沉湎于纵欲而成俗。沉湎既久而不能去，则习惯如天性。天性的东西不同于非天性的东西，这点不能不细辨。不知修身养性之道的人，又怎能去掉非天性的恶习呢？不能去掉非天性的恶习，是由于欲望不正。欲望不正，以之治身则身短寿，以之治国则国亡。因此古之圣王，谨慎地顺民之性而行民之欲，则民无不服从号令，功业无不树立。所谓"圣人执一，四夷皆至"，说的就是这个道理。

所谓"执一"的"一"（道），是至为尊贵的，至于尊贵者无敌。圣人依托于无敌的"道"，而"道"贵虚静无欲，故民欲为之敌。一群狗相与聚拢在一起，无事而静无争；假如投之以烧烤的鸡，则必相与争斗。或折断鸡骨，或咬断鸡筋，皆因有争斗之术在。有争斗之术在因而争斗，有不争之术在因而不争斗。取争斗之术而相与争斗，万国不能存一。凡治理有序的国家，能使其民争行正义之事；治理混乱的国家，则使其民争行不义之事。强盛的国家，能使其民因乐为国家所用而相争；衰落的国家，则使其民因竞不为国家所用而相争。争行义、争乐用与争不义、争竞不用，此为国家所带来的祸、福之大，天不能覆，地不能载。晋文公出兵进攻原邑，与将士约定七天攻下。七天而原邑未攻下，文公命撤兵。谋士进言说："原邑将被攻克，官兵请求再延迟几天。"文公说："信用是治国之宝。得原邑而失国宝，这样的事我不能做。"遂撤兵。第二年，又伐原，与将士约定必攻下原邑然后返回。原人听到文公之言，乃不再抵抗。卫人听到此事，以为文公至为讲信用，亦归附文公。因此说，攻原得卫之事反映的就是争行义、争乐用的道理。文公非不欲得原邑，以为不讲信用得之，不如不得；必以诚信得之，则归附晋国的又不只是卫国。文公可称是深知求欲之道的。

恃君览

[原文]　凡人之性，爪牙不足以自守卫，肌肤不足以扞寒暑，筋骨不足以从利辟害，勇敢不足以却猛禁悍，然且犹裁万物，制禽兽，服狡虫，寒暑燥湿弗能害，不唯先有其备而以群聚邪？群之可聚也，相与利之也。利之出于群也，君道立也。故君道立，则利出于群，而人备可完矣。昔太古尝无君矣，其民聚生群处，知母不知父，无亲戚兄弟夫妻男女之别，无上下长幼之道，无进退揖让之礼，无衣服履带宫室畜积之便，无器械舟车城郭险阻之备。此无君之患，故君臣之义，不可不明也。自上世以来，天下亡国多矣，而君道不废者，天下之利也。故废其非君，而立其行君道者。

君道何如利而物利章？非滨之东，夷秽之乡，大解陵鱼，其鹿野摇山扬岛，大人之居，多无君；扬汉之南，百越之际，敝凯诸夫风余靡之地，缚娄、阳禺、骥兜之国，多无君；氐羌呼唐、离水之西,樊人野人,篇笮之川,舟人送龙、突人之乡,多无君;雁门之北,鹰隼所鸷,须窥之国,饕餮、穷奇之地,叔逆之所,儋耳之居,多无君。此四方之无君者也。其民麋鹿禽兽,少者使长,长者畏壮,有力者贤,暴傲者尊,日夜相残,无时休息,以尽其类。圣人深见此患也,故为天下长虑,莫如置天子也;为一国长虑,莫如置君也。置君非以阿君也,置天子非以阿天子也,置官长非以阿官长也。德衰世乱,然后天子利天下,国君利国,官长利官。此国所以递兴递废也,乱难之所以时作也。

故忠臣廉士,内之则谏其君之过也,外之则死人臣之义也。豫让欲杀赵襄子,灭须去眉,自刑以变其容。为乞人而往乞于其妻之所,其妻曰:"状貌无似吾夫者,其音何类吾夫之甚也?"又吞炭以变其音。其友谓之曰:"子之所道甚难而无功。谓子有志则然矣,谓子智则不然。以子之材而索事襄子,襄子必近子。子得近而行所欲,此甚易而功必成。"豫让笑而应之曰:"是先知报后知也,为故君贼新君矣。大乱君臣之义者无此,失吾所为为之矣。凡吾所为为此者,所以明君臣之义也,非从易也。"

柱厉叔事莒敖公,自以为不知,而去居于海上,夏日则食菱芡,冬日则食橡栗。莒敖公有难,柱厉叔辞其友而往死之。其友曰:"子自以为不知,故去。今又往死之,是知与不知无异别也。"柱厉叔曰:"不然。自以为不知,故去。今死而弗往死,是果知我也。吾将死之,以丑后世人主之不知其臣者也,所以激君人者之行而厉人主之节也。行激节厉,忠臣幸于得察。忠臣察,则君道固矣。"

[译文] 人类的生性本能,和动物界相比,爪牙不足以防卫自身,肌肤不足以抵御寒暑,筋骨不足以趋利避害,勇力也不足以打退和消除

凶猛动物的攻击,然而犹能利用万物,制服野兽毒虫,大寒、大热、干燥、潮湿等恶劣气候亦不能加害,这不都是由于人类能够事先有备并采取群聚活动的方式吗?人群可以聚集到一起,是为了相互之间有利。利益出于群体,这就使君主制度逐渐产生并确立起来。所以君主制度确立以后,更有利于群体活动,人类对自然界的防备也趋向完善。远古时代,人类曾经没有君主。那时先民们群居野处,性生活还处在杂交阶段,人出生知母不知父,群体内部没有宗亲、兄弟、夫妻、男女的分别,没有上下、长幼的等级规定,没有进退揖让的礼仪习俗,没有衣服装束、宫室建筑、财物蓄积的便利,没有器械、舟车、城郭、地理形势的利用等守备设施。这些都显出没有君主的害处,所以立君置臣的道理不可不知。自上古以来,天下已灭亡的国家多矣,而君主制度流传不废,都是由于这一制度有利于组织社会。所以历代都是废掉那些为君而胡作非为的人,重新拥立能够奉行为君之道的人为君。

君人之道怎样显示其利而使天下众人、众物之利更加彰显呢?大东海滨之外的地域,东夷秽貊部族所居之乡,大蟹龙鱼出没,其麓野遥山及挺拔于大海的岛上,身材高大的人群居住在那里,多没有君主;扬子江、汉水之南,百越部族杂居的地区,敝凯诸夫风余靡之地,古时缚娄、阳禺、骧兜之国,多没有君主;氐羌族呼唐部落及离水以西,僰人野人和篇笮部族居住的川原,舟人送龙部落和突人散居之乡,多没有君主;雁门以北,鹰隼能够飞到的极远之处,古须窥之国,饕餮、穷奇被放逐的地方,叔逆之所,儋耳族所居,多没有君主。这些四方无君之地,他们的人民生活方式如同麋鹿禽兽,年少者可驱使年长者,年长者畏惧强壮者,有勇力者称贤豪,凶暴倨傲者被尊崇,日夜互相残杀,无时停止,往往导致种族灭绝。圣人深见此患,所以为天下之民从长远计虑,莫如置立天子;为一国之民从长远计虑,莫如置立国君。立国君不是为了使一国成为国君的私利,立天子不是为了使天下成为天子的私利,立官长不是为了使官职权力成为官长的私利。道德衰败,世道混乱,然后天子才以天下为私利,国君才以其国为私利,官长才以其官为私利。这就是国家所以相递兴废,祸乱国难所以时时兴起的原因。

因此，忠直廉正之士，在朝则敢于诤谏君主之过失，在外则能尽人臣死难之义。豫让欲刺杀赵襄子，为其故主智伯报仇，于是拔去自己的胡须和眉毛，自施苦刑以毁其面容。装作乞丐讨饭，讨到他妻子的住处，他妻子说："这人脸面不像我丈夫，怎么声音这么像我丈夫？"于是豫让又吞火炭以改变自己的声音。他的朋友对他说："你办法太难了，也不容易成功。说你有志气是可以的，要说你有智谋却不是那么一回事。以你的才能，要寻求做赵襄子的手下人，襄子必定会用你做他的近臣。能够接近他而施展你想用的刺杀手段，这很容易，而且一定能够成功。"豫让笑了笑，回答说："你说的这办法，等于是为先知遇自己的人报复后知遇自己的人，为旧主子而杀新主子，大乱君臣之义的行为无过于此，这样做就失去了我现在所为的意义了。我所以要毁面行刺，是为了表明君臣大义，并非是觉得这办法容易。"

莒大夫柱厉叔事莒敖公（《说苑》作莒穆公），自以为不被知遇，于是离去而居于海岛上，夏天靠采集菱芡等水草根实为食，冬天则拾橡树的果实为食。莒敖公遭祸难（史载公元前542年莒国国君密州被国人攻杀），柱厉叔向他的朋友道别，要去为敖公死难。他的朋友说："当初你自以为不被国君知遇，所以要离去。现在又要赴国君之难，不是被知遇和不被知遇没什么两样了吗？"柱厉叔说："不是这样。我因为不被知遇，所以去国。现在当赴国难而不赴，那就是让国君知道我果然不是忠臣。我现在要去赴死，是为了使后世那些不知忠臣的人主有愧，用以激发君人者的贤行，矫励人主的风节。人主的行为风节得以激励，忠臣或冀可以被知遇。忠臣被知遇，则君人之道可得稳固无危殆。"

长　利

[原文]　天下之士也者，虑天下之长利，而固处之以身若也。利虽倍于今而不便于后，弗为也；安虽长久而以私其子孙，弗行也。自此观之，陈无宇之可丑亦重矣。其与伯成子高、

周公旦、戎夷也形虽同,取舍之殊岂不远哉?

尧治天下,伯成子高立为诸侯。尧授舜,舜授禹,伯成子高辞诸侯而耕。禹往见之,则耕在野。禹趋就下风而问曰:"尧理天下,吾子立为诸侯,今至于我而辞之,故何也?"伯成子高曰:"当尧之时,未赏而民劝,未罚而民畏,民不知怨,不知说,愉愉其如赤子。今赏罚甚数,而民争利,且不服。德自此衰,利自此作,后世之乱自此始。夫子盍行乎?无虑吾农事。"协而耰,遂不顾。夫为诸侯,名显荣,实佚乐,继嗣皆得其泽,伯成子高不待问而知之。然而辞为诸侯者,以禁后世之乱也。

辛宽见鲁缪公,曰:"臣而今而后知吾先君周公之不若太公望封之知也。昔者太公望封于营丘之渚,海阻山高,险固之地也,是故地日广,子孙弥隆。吾先君周公封于鲁,无山林谿谷之险,诸侯四面以达,是故地日削,子孙弥杀。"辛宽出,南宫括入见,公曰:"今者宽也非周公,其辞若是也。"南宫括对曰:"宽少者,弗识也。君独不闻成王之定成周之说乎?其辞曰:'惟余一人营居于成周。惟余一人有善,易得而见也;有不善,易得而诛也。'故曰:善者得之,不善者失之,古之道也。夫贤者岂欲其子孙之阻山林之险以长为无道哉?小人哉,宽也!今使燕爵为鸿鹄凤皇虑,则必不得矣。其所求者,瓦之间隙、屋之翳蔚也,与一举则有千里之志,德不盛,义不大,则不至其郊。愚陋之民,其为贤者虑,亦犹此也。固妄诽訾,岂不悲哉!"

戎夷违齐如鲁,天大寒而后门,与弟子一人宿于郭外。寒愈甚,谓其弟子曰:"子与我衣,我活也;我与子衣,子活也。我国士也,为天下惜死;子不肖人也,不足爱也。子与我子之衣。"弟子曰:"夫不肖人也,又恶能与国士之衣哉?"戎夷太息叹曰:"嗟乎,道其不济夫!"解衣与弟子,夜半而死,弟子遂活。谓戎夷其能必定一世，则未之识；若夫欲利人之心，不可以加矣。达乎分仁爱之心识也，故能以必死见其义。

[译文]　胸怀天下之士，总是计虑着天下的长远利益，并且做为天下长远利益着想的事总是心安理得而自若。这样的人，对于有些事，其利虽倍于目前而不利于后人，是不做的；其安身之计虽长久而只传给子孙，是不为的。由此观之，陈无宇夺齐政之可耻可说是深重的。他的行为与伯成子高、周公旦、戎夷的行事看上去一样，而取舍标准的差异相去岂不远哉！

尧治天下时，伯成子高得立为诸侯。尧传位给舜，舜传位给禹，伯成子高辞去诸侯地位而去务农。禹前去见他，则伯成子高已到野外干活。禹赶到野外，立在下风的位置恭敬地问他："尧治天下，先生您立为诸侯。现在天子之位传到我，而您辞去诸侯不做，是何缘故？"伯成子高说："当尧治天下时，不用奖赏而人民皆勤勉，不用刑罚而人民皆畏服，民不知怨恨，也不知取悦于上，都快乐得像孩子。现在赏罚甚多，而人民仍然争利，而且不服从统治。道德从此衰落，自私自利从此兴起，后世君民之乱将从此开始。先生何不赶快离开？不要妨碍我干活。"说完，伯成子高又和众人一起去整他的地，连头也不回。说起来，为诸侯而名位显荣，处身逸乐，其后世子孙也皆可得其恩泽，伯成子高对此当然是不用问也知道。可是他偏偏辞去诸侯不做，就是要以此防范后世私天下之乱。（按：此例意在批判夏王朝的"家天下"王位继承制）

鲁大夫辛宽见鲁缪公，说："我从今以后，知道我们先君周公之受封，不如姜太公聪明了。太公望封在海滨营丘，有大海屏障，有泰山遮拦，是险要之地，所以能够使国土日益增广，子孙越来越昌盛。我们先君周公封在鲁地，没有山林溪谷的险要，诸侯之兵可以从四面八方开到，所以国土日益减少，子孙也越来越衰落。"辛宽出去后，南宫括进来谒见，缪公说："刚才辛宽批评周公，如此如此说了一大套。"南宫括听罢回答说："辛宽是个毛孩子，无见识。君上您难道没听说成王建都成周（洛阳）时的话吗？其词说：'余一人建都在成周。建都在这里，余一人有善政，众民容易看得见；有不善之政，众民也容易发现而处罚我。'所以说：有善政者得国，政不善者失国，这是自古以来的规律。圣贤得地，难道是为了使其子孙依仗山林险阻长为无道吗？辛宽真是个小人！假如使燕雀为鸿鹄、凤凰计虑，必不行。燕雀所追求的，也不过是在房瓦之间、房檐的荫蔽下做个安乐窝，要使它有一举千里之志，它心不广，才大不，飞也飞不到郊外。愚暗卑下之人，其为贤者计虑，亦好比这种情况。固执妄说，乱加诽谤，岂不可悲！"

戎夷离开齐国到鲁国去，正碰上天气冷得厉害，到鲁城时城门已关闭了，就与随行的一个弟子露宿在城郭外。夜里越来越冷，他就对弟子说："你把衣服给我，我可以活；我把衣服给你，你可以活。我是国士，为天下着想得惜死；你是个无足轻重的人，不值得惜死。你还是把衣服给我吧。"弟子说："一个不足轻重无德行的人，又怎么会把衣服给国士？"戎夷叹了口气说道："嗟乎，士之道已不顶事了！"遂解衣给弟子，到半夜而冻死了，弟子竟得活。如果说戎夷的能力一定可定一世，这是不可知的；但像他这种利人之心，可说已无可复加。他达乎士之本分，有仁爱之心识，故能以必死见其义。

爱　类

[原文]　仁于他物，不仁于人，不得为仁；不仁于他物，独仁于人，犹若为仁。仁也者，仁乎其类者也。故仁人之于民也，可以便之，无不行也。神农之教曰：士有当年而不耕者，则天下或受其饥矣；女有当年而不绩者，则天下或受其寒矣。故身亲耕，妻亲绩，所以见致民利也。贤人之不远海内之路而时往来乎王公之朝，非以要利也，以民为务故也。人主有能以民为务者，则天下归之矣。王也者，非必坚甲利兵、选卒练士也，非必堕人之城郭、杀人之士民也。上世之王者众矣，而事皆不

同,其当世之急、忧民之利、除民之害同。公输般为高云梯,欲以攻宋。墨子闻之,自鲁往,裂裳裹足,日夜不休,十日十夜而至于郢。见荆王,曰:"臣北方之鄙人也,闻大王将攻宋,信有之乎?"王曰:"然。"墨子曰:"必得宋,乃攻之乎?亡其不得宋且不义,犹攻之乎?"王曰:"必不得宋,且有不义,则曷为攻之?"墨子曰:"甚善。臣以宋必不可得。"王曰:"公输般,天下之巧工也,已为攻宋之械矣。"墨子曰:"请令公输般试攻之,臣请试守之。"于是公输般设攻宋之械,墨子设守宋之备。公输般九攻之,墨子九却之,不能入,故荆辍不攻宋。墨子能以术御荆免宋之难者,此之谓也。

圣王通士,不出于利民者无有。昔上古龙门未开,吕梁未发,河出孟门,大溢逆流,无有丘陵、沃衍、平原、高阜,尽皆灭之,名曰鸿水。禹于是疏河决江,为彭蠡之障,干东土,所活者千八百国。此禹之功也,勤劳为民,无苦乎禹者矣。

匡章谓惠子曰:"公之学去尊,今又王齐王,何其到也?"惠子曰:"今有人于此,欲必击其爱子之头,石可以代之。"匡章曰:"公取之代乎?其不与?""施取代之。子头所重也,石所轻也,击其所轻,以免其所重,岂不可哉?"匡章曰:"齐王之所以用兵而不休、攻击人而不止者,其故何也?"惠子曰:"大者可以王,其次可以霸也。今可以王齐王,而寿黔首之命、免民之死,是以石代爱子头也,何为不为?"民寒则欲火,暑则欲冰,燥则欲湿,湿则欲燥,寒暑、燥湿相反,其于利民一也,利民岂一道哉?当其时而已矣。

[译文]　对人以外的事物有仁慈之心,而对人没有仁慈之心,不能算是仁;对人以外的事物没有仁慈之心,独对人有仁慈之心,犹或可以算是仁。所谓仁,是说对同类有仁慈之心。所以仁人对于民众,只要是对

他们有利的事，无不做。神农曾教人说：男子有当丁壮年龄而不耕田的，天下就有人因之受饥饿；女子有当成家年龄而不绩麻织布的，天下就有人因之挨冻。所以神农亲身种田，其妻亲自织布，以此表示要为民众谋利益。贤人不计海内路途遥远，时时往来于王朝和诸侯国之间，并非是为了给自己求利，而是由于以利民为务的缘故。人主有能以利民为务的，那么天下之民都会归附他。称王天下的人，不是一定要有坚甲利兵、精卒勇士，也不是一定要摧毁别人的城郭、攻杀别地的士民。上古之世称王者很多，而他们的行事都各不相同，但把救急之急、忧民之利、除民之害看做当世之急是一样的。公输般（鲁班）在楚国制造高大的云梯，欲帮助楚国攻打宋国。墨子听说后，从鲁国赶往楚国，走坏了鞋子就撕破衣裳裹脚，日夜不停，十日十夜而赶到了楚都郢城。见到楚王，墨子说："臣乃北方乡下人，听说大王将要攻宋，果有其事吗？"楚王说："是的。"墨子说："如果一定能攻下宋国，您就去攻吗？或者一定攻不下来而且出兵不义，您还去攻吗？"楚王说："必不能攻下宋国，且有不义之名，那又何必去攻？"墨子说："很好。臣以为宋国必定攻不下来。"楚王说："公输般是天下著名的能工巧匠，已为我制造了攻宋的器械。"墨子说："请令公输般来试攻，臣请试守。"于是二人演练，公输般陈设攻宋的器械，墨子也摆好守宋的战具。公输般九次攻打假设的"宋城"，被墨子九次击退，不能入城，因此楚国停止用兵而不攻宋。墨子能以其战术抵抗楚军，使宋国免于一场战祸，这例子说的就是忧民之利、除民之害。

凡是圣王明君、通达贤士，他们的功业没有不出于利民的。上古时代，黄河上的龙门山还没有被冲开，吕梁山一带也不畅通，黄河水流经孟门以后，四处横溢，倒流而上，所有的丘陵、低地、平原、高阜都被淹没了，后人称那时的大水叫"鸿（洪）水"。禹于是疏导河水，决通长江，造彭蠡大堤防，使东部地区的大水退去，露出干地，救活了一千八百个方国的灾民。这是禹的大功劳，自古勤劳为民，没有比禹更苦的。

匡章（战国学者）曾对惠施说："您的学说本来反对尊君论，现在您却又拥护齐王称王，怎么会倒过来了呢？"惠施说："现在假设有人要击他爱子的头，那么可以用石头来代替他爱子的头。"匡章说："要是您，您会用石头代替吗？或者是不代替？"惠施说："我要用石头代替。爱子的头是人人所重的，石头是人人所轻的，击其所轻，使所重免受打击，难道不可以吗？"匡章说："齐王用兵不休，攻人之国不止，这其中的缘由您怎么解释？"惠施说："诸侯国强大的可以称王，其次可以称霸。现在拥护齐王称王，可以使百姓活命免于死，这好比以石头代替爱子的头，为何不能为？"民众冷了想火，热了想冰，太干了想湿，太湿了想干，冷热、干湿都是相反的，但有时都对人有利是一致的，利民难道只有一条途径吗？利民之举但求当其时而已。

贵 直 论

[原文]　贤主所贵莫如士。所以贵士，为其直言也，言直则枉者见矣。人主之患，欲闻枉而恶直言。是障其源而欲其水也，水奚自至？是贱其所欲而贵其所恶也，所欲奚自来？能意见齐宣王，宣王曰："寡人闻子好直，有之乎？"对曰："意恶能直？意闻好直之士，家不处乱国，身不见污君。身今得见王而家宅乎齐，意恶能直？"宣王怒曰："野士也！"将罪之。能意曰："臣少而好事，长而行之，王胡不能与野士乎？将以彰其所好耶？"王乃舍之。能意者，使谨乎论于主之侧，亦必不阿主。不阿主之所得岂少哉？此贤主之所求，而不肖主之所恶也。

狐援说齐湣王曰："殷之鼎陈于周之廷，其社盖于周之屏，其干戚之音在人之游。亡国之音不得至于庙，亡国之社不得见于天，亡国之器陈于廷，所以为戒。王必勉之，其无使齐之大吕陈之廷，无使太公之社盖之屏，无使齐音充人之游。"齐王不受，狐援出而哭国三日。其辞曰："先出也，衣绨纻；后出也，满囹圄。吾今见民之洋洋然，东走而不知所处。"齐王问吏曰："哭国之法若何？"吏曰："斮。"王曰："行法。"吏陈斧质于东闾，不欲杀之,而欲去之。狐援闻而蹶往,过之。吏曰:"哭国之法斮,先生之老欤、昏欤?"狐援曰:"曷为昏哉?"于是乃言曰:"有人自南方来,鲋入而鲵居,使人之朝为草而国为墟。殷有比干,吴有子胥。齐有狐援,已不用若言,又斮之东闾。每斮者,以吾参夫二子者乎?"狐援非乐斮也,国已乱矣,上已悖矣,哀社稷与民人,故出若言。出若言,非平论也,将以救败也,固嫌于危。此触子之所以去之也,达子之所以死之也。

赵简子攻卫,附郭,自将兵。及战,且远立,又居于犀蔽屏橹之下,鼓之而士不起。简子投桴而叹曰:"呜呼,士之遫弊一若此乎!"行人烛过免胄横戈而进曰:"亦有君不能耳,士何弊之有?"简子艴然作色曰:"寡人之无使,而身自将是众也。子亲谓寡人之无能,有说则可,无说则死。"对曰:"昔吾先君献公即位五年,兼国十九,用此士也。惠公即位二年,淫色暴慢,身好玉女,秦人袭我,遁去绛七十,用此士也。文公即位二年,底之以勇,故三年而士尽果敢,城濮之战五败荆人,围卫取曹拔石社,定天子之位,成尊名于天下,用此士也。亦有君不能取,士何弊之有?"简子乃去犀蔽屏橹,而立于矢石之所及,一鼓而士毕乘之。简子曰:"与吾得革车千乘也,不如闻行人烛过之一言。"行人烛过可谓能谏其君矣。战斗之上,枹鼓方用,赏不加厚,罚不加重,一言而士皆乐为其上死。

[译文]　贤主明君所重视的,没有哪一样能比得上士。他们所以重视士,为的是士能直言,其言正直不讳,则人主的种种偏差失误都可显见。人主的病患之一,就在于既欲闻知己过而又反感直言。这无异于是既塞其水源,而又要得到其水,那么水又从何而至？实则这种情况,往往是把欲闻己过看得无关紧要,而自身的感情和眼光都偏重在厌恶直言,那么欲闻己过之效又从何而来？齐国士人能意见齐宣王,宣王说:"我听说您好直,是这样吗?"能意说:"意哪里能直。意听说好直之士,家不住在政

治混乱之国，自身不见行为污秽之君。现在我来见大王您，家又住在齐国，意哪里能直？"宣王听后很生气，说："真是个鄙野之士！"因而要加罪于能意。能意说："臣自少好直来直去，招惹是非，长大后便形成习惯，改不了这直脾气。大王为什么不能和野士相处？您要加罪于我，是要表彰我的好直，使我更出名吗？"宣王就算了，没有加罪他。像能意这样的人，假如让他在人主身边恭谨地行使言论之责，也必定不会阿谀其主。对人主来说，人臣不阿私逢迎的好处难道会少吗？这正是贤主明君所希求，而不肖之主所忌恨的。

齐臣狐援谏齐湣王说："殷朝的宝鼎陈列在周朝的宫廷之上，殷人的国社被盖在周人的屏蔽之下，殷朝的干戚舞乐在庙堂之外供人们游赏。亡国的乐舞不能用于新朝的庙堂祭礼，亡国的社稷不能使之见天日，亡国的宝器陈列于新朝的宫廷，这些都是为了作为居安思危的鉴戒。大王必要黾勉从事，无使齐国的大钟陈列于他人之廷，无使太公的社稷遮盖于他人之屏，无使齐国的音乐供他人游赏。"齐王听不进他的话。狐援出城，悲国事而大哭三日。他的哭国之文说："早离去，穿绨绔（细葛布衣）；晚离去，进囹圄（监狱）。我将见吾民洋洋然（无所归的样子），东走海隅而不知所处。"齐王问法吏说："对哭国者的处罪有何法条？"法吏说："要处斩刑。"王说："就按此法办理。"法吏陈设行刑的大斧和砧板于东闾门外，而不欲杀狐援，希望他听到风声便逃走。狐援知道后，颠颠倒倒地前往东闾门而过行刑之处。吏人说："哭国之罪，按法当斩。先生您是老糊涂了，还是昏了头？"狐援说："我怎么是昏了头？"于是就说："有人从南方来到北方，来的时候还是条小鱼，现在却变成了一条大鱼，夺人之国而居之，使人之宫廷荒草没面，国家变成丘墟。殷时有净臣比干，吴国有忠士伍子胥。现在齐国有狐援，既不用其忠言，又将斩之于东闾。虽斩之，不是使我与比干、伍子胥并列而为古今三人吗？"狐援并不是乐于被杀，只是因为国事已乱，国主已荒悖不可谏，故出此言。所出此言，非是平淡之论，将以挽救国家的败亡，故必不避于自身之危。这也就是触子故意战败逃走，达子所以明知无胜机而战死的原因。

春秋末，赵简子率军攻卫，接近卫都城郭时，亲自将兵攻城。但到攻城开始时,他却站在远处,又在屏障和犀牛皮大盾牌的保护之下,所以擂鼓进攻而士兵皆不起。简子扔掉鼓槌,叹息道:"哎,士兵的疲弊怎么来得这么快?"行人烛过摔掉盔甲,把戈也扔到地上,牢骚满腹地说:"也是因为君上不能用,将士有何疲弊?"简子脸色骤变,发怒道:"我手下无人可用,今天亲自带这批兵攻城。你刚才开口说的,指责我不能带兵。要是能说出理由来,那就作罢;要是说不出理由来,那就军法从事。"烛过回答说:"早年我们先君献公即位五年,吞并十九国(或作十七国),用的就是这样的将士。惠公即位二年,荒淫暴慢,整天泡在美女堆里,等到秦人来袭击我们,惠公逃离绛都七十里,用的也还是这样的将士。文公即位二年,砥砺将士奋勇作战,因此三年之内将士皆果决勇敢,城濮之战五败楚人,围卫国,取曹国,拔除前代遗民社稷,送周天子返国复位,成霸主之名于天下,用的还是这样的兵。将士可用不可用,难道不是也看君上能不能用,怎么能只埋怨士兵疲弊不可用?"简子于是去掉屏障,撤除大盾牌,把指挥所前移,站到敌方箭矢礌石能够发射到的地方,战鼓一响,士众就尽皆发起攻击。简子说:"送给我战车千辆,也不如听行人烛过一言。"行人烛过可称是能谏其君的。当战斗之时,正擂鼓进攻,而赏不加厚,罚不加重,只此一言,士众便皆乐于为其君上死战。

贵　　当

[原文]　　名号大显,不可强求,必由其道。治物者不于物,于人;治人者不于事,于君;治君者不于君,于天子;治天子者不于天子,于欲;治欲者不于欲,于性。性者,万物之本也,不可长,不可短,因其固然而然之,此天地之数也。窥赤肉而乌鹊聚,狸处堂而众鼠散,衰绖陈而民知丧,竽瑟陈而民知乐,汤、武修其行而天下从,桀、纣慢其行而天下畔,岂待其言哉?君子审在己者而已矣。

荆有善相人者,所言无遗策。闻于国,庄王见而问焉。对曰："臣非能相人也,能观人之友也。观布衣也,其友皆孝悌纯谨畏令,如此者其家必日益,身必日荣矣,所谓吉人也。观事君者也,其友皆诚信有行好善,如此者事君日益,官职日进,此所谓吉臣。观人主也,其朝臣多贤,左右多忠,主有失皆交争证谏,如此者国日安,主日尊,天下日服,此所谓吉主也。臣非能相人也,能观人之友也。"庄王善之,于是疾收士,日夜不懈,遂霸天下。

故贤主之时见文艺之人也,非特具之而已也,所以就大务也。夫事无大小,固相与通。田猎驰骋,弋射走狗,贤者非不为也,为之而智日得焉;不肖主为之,而智日惑焉。《志》曰:"骄惑之事,不亡奚待?"齐人有好猎者,旷日持久而不得兽,入则愧其家室,出则愧其知友州里。惟其所以不得之故,则狗恶也,欲得良狗则家贫无以。于是还疾耕,疾耕则家富,家富则有以求良狗,狗良则数得兽矣,田猎之获常过人矣。非独猎也,百事也尽然。霸王有不先耕而成霸王者,古今无有,此贤者不肖之所以殊也。贤不肖之所欲与人同,尧、桀、幽、厉皆然,所以为之异。故贤主察之,以为不可,弗为;以为可,故为之。为之必由其道,物莫之能害,此功之所以相万也。

[译文]　要使功业名声大显于世,不可强求,必由适当途径。制作物品不能限于物品本身,而要着眼于人;治理人事不能限于事务本身,而要着眼于统治者;使统治者谨饬不能限于统治者本身,而要着眼于天子;使天子修身不能限于天子本身,而要着眼于欲望;节制欲望不能限于欲望本身,而要着眼于人的天性。天性是自然万物的根本,不可人为加长,也不可人为缩短,它本来是什么样子就是什么样子,这是天地自然的规律。乌鹊看到带血的肉就聚集而来,群鼠见到狸猫在堂上就散去,由衰绖丧服的制作而民知丧礼,由竽瑟琴笙的使用而民知音乐,商汤、周武王谨修其德行而天下归之,夏桀、殷纣王荒废其德行而天下背叛,这些难道还

待说明吗?君子审察自己的德性而已。

楚国有个善相人的先生,所言无不中。其名声传到国都,楚庄王也接见他而请他相面。他回答说:"臣并不能相人,只是善于观察人的交友。观察平民,如果他的知友都是孝悌纯谨而遵纪守法的,这样必能使家一天比一天富裕,自身一天比一天荣光,这样的人就是'吉人'。观察做官的人,如果他的知友都是诚信有德行而好善的,这样事君就不断长进,职官不断提升,这样的人就是'吉臣'。观察人主,如果朝中多贤臣,近侍多忠臣,人主有失误,都争着进谏,这样国家就越来越安定,君主越来越尊崇,天下越来越敬服,这样的君主就是'吉主'。臣并不能相人,只是善于观察人的交友。"楚庄王很赞赏他,于是尽力搜访任用贤能之士,日夜不懈,终于称霸天下。

因此,贤主明君时时访问通经博文之士,并不是只要博取一个空名声,而是为了用他们成就大事业。世上的事情无大无小,道理都是相通的。比如骑马打猎、弋射飞鸟、驱狗逐兽这类事,贤者并非不为,然为之而头脑更清醒;不肖之主为之,沉溺其中,则头脑越来越迷糊。古书记载说:"骄盈惑乱从事,不亡何待?"齐国有个好打猎的人,旷日持久而打不到野兽,回家则愧对家人,出门则愧对知友乡亲。他所以打不到野兽,只是因为猎狗不好,想买条好猎狗,又家贫没有钱。于是他还家力耕,力耕则家富,家富则有钱买好狗,狗好而频得猎兽,打猎的收获常常超过别人。不单打猎是这样,百事无不尽然。天下霸主王者若不先重农耕本业而能称霸称王的,古今无有,这就是贤主明君与不肖之主的区别所在。贤主明君与不肖之主,其所欲与人同,虽尧、桀、幽、厉都一样,只是所作所为不一路。所以贤主审察百事之为,以为可做的就做,以为不可做的就不做。做必由适当途径,事事物物都不能妨害它,这就是贤主功业所以超出凡主千万倍的原因。

士　容　论

[原文]　　士不偏不党,柔而坚,虚而实。其状貌然不偄,

若失其一。傲小物而志属于大,似无勇而未可恐,狼执固横敢而不可辱害,临患涉难而处义不越。南面称寡而不以侈大,今日君民而欲服海外,节物甚高而细利弗赖,耳目遗俗而可与定世。富贵弗就而贫贱弗竭,德行尊理而羞用巧卫,宽裕不訾而中心甚厉,难动以物而必不妄折。此国士之容也。

齐有善相狗者,其邻假以买取鼠之狗。暮年乃得之,曰:"是良狗也。"其邻畜之数年,而不取鼠。以告相者,相者曰:"此良狗也,其志在獐麋豕鹿,不在鼠。欲其取鼠也,则桎之。"其邻桎其后足,狗乃取鼠。

夫骥骜之气,鸿鹄之志,有谕乎人心者,诚也。人亦然。诚有之,则神应乎人矣,言岂足以谕之哉?此谓不言之言也。客有见田骈者,被服中法,进退中度,趋翔闲雅,辞令逊敏,田骈听之毕而辞之。客出,田骈送之以目。弟子谓田骈曰:"客,士欤!"田骈曰:"殆乎非士也。今者客所禀敛,士所术施也;士所禀敛,客所术施也。客殆乎非士也。"故火烛一隅,则室偏无光。骨节蚤成,空窍哭历,身必不长。众无谋方,乞谨视见,多故不良。

志必不公,不能立功。好得恶予,国虽大,不为王,祸灾日至。故君子之容,纯乎其若钟山之玉,桔乎其若陵上之木,淳淳乎慎谨畏化而不肯自足,乾乾乎取舍不悦而心甚素朴。唐尚敌年为史,其故人谓唐尚愿之,以谓唐尚。唐尚曰:"吾非不得为史也,羞而不为也。"其故人不信也。及魏围邯郸,唐尚说惠王而解之围,以与伯阳,其故人乃信其羞为史也。居有闲,其故人为其兄请。唐尚曰:"卫君死,吾将汝兄以代之。"其故人反兴再拜而信之。夫可信而不信,不可信而信,此愚者之患也。知人情不能自遗,以此为君,虽有天下,何益?故败莫大于愚,愚之患在必自用,自用则戆陋之人从而贺之。有国若此,不若无有,古之与贤从此生矣。非恶其子孙也,非徼而矜其名也,反其实也。

[译文] 士之为人,不偏私,不结党,外表柔顺而意志坚定,虚怀若谷而内心充实。其容貌开朗舒大而不轻薄,时时如畏失其道。轻忽小事而志向远大,看似无勇而不可使之恐惧,凶暴刚愎横行霸道之人不可辱害之,遭受患难困苦而坚持其义不失。纵使南面称寡为君亦不以放纵自大,当下君临臣民便欲以德望服化海外,行事风节甚高而不计较细小之利,视听超俗而可与之定一世之治。富贵不屈就而贫贱不能移,德行遵循理义而羞以巧媚防身,处世大度不说人坏话而自我约束甚为严格,遇事难为众议所动而决不轻妄屈从。这些就是国士的行为表现。齐国有个善相狗的人,其邻居请他给买一条能捕鼠的狗。他用了一年时间才买到一条,说:"这是条好狗。"其邻居养了几年,而这狗不抓老鼠,就以此告诉相狗的人。相狗的人说:"这是条好狗,它生性就是猎取獐鹿野猪的,兴趣不在抓老鼠。要想叫它抓老鼠,那就得给他上个枷锁。"其邻居把狗的后腿用枷锁给锁起来,这条好狗竟开始抓老鼠。

大凡骏马的灵气,鸿鹄的志向,有通乎人心的东西在,这就是"诚"。人也是这样。如果内心果然有"诚",那么其精神与众人之心相呼应,又哪里是仅靠言论而足以晓谕的呢?这叫做无声之言。有宾客见田骈,服饰谨饬合法度,揖让进退有规矩,举动闲雅端庄,言词谦逊敏捷,而田骈听完他的话却辞退了他。此客出去的时候,田骈一直注视着目送到门外。弟子对田骈说:"今天这客不算得上是个士吗?"田骈说:"近乎不是士。今天这客深自约束的,正是士所遵行的;而士所深自约束的,正是今天这客所遵行的。这客近乎不是士。"所以烛火只照一个角落,那么就有半室无光。人的骨节早长成,而气脉不通,身材就长不高。人身的众官能没有精神的协调,仅求谨饬外在的举动,就会多阻碍而不能做得好。

心志假如不公正,就不能建功立业。贪得厚敛,吝于赐予,国虽大而不成王霸,灾祸会一天天接近。因此君子的德行,纯洁如钟山之美玉,高大如陵山之树木,淳厚似谨慎畏变而不自满足,勤恳进取似常怀不乐而心甚朴素。与唐尚年龄相仿的人有被任为赵国史官的,唐尚的旧时知交以为唐尚亦羡慕此官,就告诉了唐尚。唐尚说:"我并不是不能得到这史官之任,只是不屑为之。"这位旧时知交不相信。及魏军围赵都邯郸,唐尚说服赵惠文王以伯阳之邑归还魏国,魏遂解邯郸之围,这位旧时知交才相信唐尚不屑为史官。时隔不久,这位故人又请唐尚为其兄谋个官职,唐尚说:"卫国国君死了以后,我将使汝兄取代卫君之位。"其人反身起立再拜而相信了这话。像这样可信者不信,不可信者反而相信,乃是愚者之病。可知人情不能自弃其贪欲,以此为人君,虽有天下,又有何益?因此败事之端莫大于愚蠢,愚蠢之病在于自以为是,自以为是则憨痴鄙陋之人又从而恭维之。有国如此,不如无有,古时选贤举能的禅让之举即因此而起。这并非是因为憎其子孙,也不是为求名而吝惜其位,而是要使君位的传承名副其实。

上　农

[原文]　古先圣王之所以导其民者,先务于农。民农非徒为地利也,贵其志也。民农则朴,朴则易用,易用则边境安,主位尊;民农则重,重则少私议,少私议则公法立,力专一;民农则其产复,其产复则重徙,重徙则死其处而无二虑。民舍本而事末则不令,不令则不可以守,不可以战;民舍本而事末则其产约,其产约则轻迁徙,轻迁徙则国家有患皆有远志,无有居心;民舍本而事末则好智,好智则多诈,多诈则巧法令,以是为非,以非为是。

后稷曰:所以务耕织者,以为本教也。是故天子亲率诸侯耕帝籍田,大夫士皆有功业。是故当时之务,农不见于国,以教民尊地产也。后妃率九嫔蚕于郊,桑于公田,是以春秋冬夏皆有麻枲丝茧之功,以力妇教也。是故丈夫不织而衣,妇人不耕而食,男女贸功以长生。此圣人之制也。故敬时爱日,非老不休,非疾不息,非死不舍。上田夫食九人,下田夫食五人,可以益,不可以损。一人治之,十人食之,六畜皆在其中矣。此大任地之道也。故当时之务,不兴土功,不作师徒;庶人不冠弁,娶妻、嫁女、享祀不酒醴聚众;农不上闻,不敢私籍于庸:为害于时也。然后制野禁。苟非同姓,农不出御,女不外嫁,以安农也。野禁有五:地未辟易,不操麻、不出粪;齿年未长,不敢为园囿;量力不足,不敢渠地而耕;农不敢行贾;不敢为异事:为害于时也。然后制四时之禁:山不敢伐材下木,泽人不敢灰僇,缳网置罦不敢出于门,罛罟不敢入于渊,泽非舟虞不敢缘名:为害其时也。若民不力田,墨乃家畜,国家难治,三疑乃极。是谓背本反则,失毁其国。凡民自七尺以上,属诸三官,农攻粟,工攻器,贾攻货。时事不共,是谓大凶。夺之以土功,是谓稽不绝忧,唯必丧其秕;夺之以水事,是谓籥丧以继乐;四邻来虚,夺之以兵事,是谓厉祸。因胥岁不举铚艾,数夺民时,大饥乃来。野有寝耒,或谈或歌,旦则有昏,丧粟甚多。皆知其末,莫知其本,真〔不敢也〕。

[**译文**]　　古代先圣王用以引导其民所致力的,首先是农业。使民务农并非仅是为了土地之利,更可重视的是务农的意识、习性和风气。务农则民风朴实,民风朴实则易为国家所用,易为国家所用则边境安宁,君主位尊;务农则民情厚重,民情厚重则私曲是非减少,私曲是非减少则公法可以通行,民力可以专一;务农则民产有积累,民产有积累则不轻易迁徙,不轻易迁徙则老死其处而无二虑。民舍本而事末(舍弃农耕本业而从事商贩等妨农的行业)则不听号令,不听号令则不可以守国,不可以攻战;民舍本而事末则家产轻便,家产轻便则容易迁徙,容易迁徙则国家一旦有战乱及天灾等,就都有远走之意而没有安居之心;民舍本而事末则好投机取巧,好投机取巧则多伪诈,多伪诈则想方设法逃避法令,以是为非,以非为是。

　　后稷之书说:所以要教民务耕织,是为了树立本业之教。因此天子亲率诸侯举行籍田礼,天子亲耕,大夫、士也都有一定课程的耕作之业。所以当开春时节,以尽力耕作为务,农事官不在国都居住,田舍于东郊,以教民改进耕作技术,提高土地产量。天子后妃率领九嫔和宫女在郊外养蚕,在公田上种桑,所以一年四季都有绩麻织布、抽茧缫丝等工作,以此提倡妇教。因而男子不织布而有衣穿,妇女不耕田而有饭吃,男耕女织,相资为业,互易其功而长养生息。这些都是古圣人创始的制度。因此农民勤勤恳恳地按季节劳作,爱惜时日,不到年老了不停止,不是有病不休息,不到死去就不放下。耕种上等的土地,一个男劳力养活九口人;耕种下等的土地,一个男劳力养活五口人。养活的人口可以增加,不许减少。一人耕田,供十人吃饭,六畜的喂养都包括在其中。这是充分利用地力的基本要求。所以当农忙季节时,不调动劳役兴起土木工程,不因征伐而兴师动众;平民百姓不举行加冠礼,娶妻、嫁女、祭祀都不聚众饮酒;农民不经官府批准,不准隐瞒户籍到私家去做佣工;作这些规定都是因为这些事项有害于农时。然后制定有关田野农事的禁令。农民只要不是同姓不能婚配,男子一律不准出外乡为赘婿,女子也不准嫁到外乡,这是为了稳定当地的农民群体。具体的野禁有五项:粮田还没有开辟和治理好的,不准种麻田,也不准弃掉粪土不施肥;不到一定的年龄,不准种园圃;估计自己的力量不足,不要开沟种畎田;农忙时不准外出做流动商贩;不外出的也不准做农活以外的事;禁止这些也都是因为它们有害于农时。然后制定一年四季利用山川水泽的禁令:入山不准砍伐已成材的大树下面的小树;草泽地区的居民不准用草木烧灰,猎捕鸟兽不准到处撒网;到河流池塘捕鱼不准撒大网;湖泊地区不经管舟船的官批准,不准随便入湖捕捞或采集;禁止这些为的是不违背山林川泽之物的时节生长规律。如果民不尽力耕田,阉割他们的家畜而妨碍繁殖,国家就难以治理好,三公要受惩罚。这样的情况是背离根本而违反自然法则的,会导致国家的损害和灭亡。凡为国家编民,自身高七尺以上就要归农、工、商三官管理,农民致力于种地打粮,工匠致力于制造器物,商人致力于货物流通。各种行业不能按时令供给国民所需,这就是大凶。倘若因土木之役而耽误农时,就会由于错过季节而造成接连不断的忧患,那惟一的结果是丧失收成,其至连不成实的秕子也得不到；倘若因官府或贵族豪强垄断水源而妨害农时，那就好比丧失了乐器而还要继续奏乐；倘若四邻之国乘虚来攻，因战事而荒废农时，那就是莫大的祸殃。因整年不举农具下地，频频侵夺农民生产季节，大饥馑灾荒就会到来。田野上有放在地上不用的耒耜，农民们或群集说笑或忍饥而歌，大清早该勤耕时却有如日落黄昏后的闲聚，这样便丧失收成甚是多多。假如人人皆知末业发财，而不知农耕是本，那就真无勤劳可言了。

附录二

主要参考书目

《吕氏春秋集释》　　许维遹著,文学古籍刊行社1955年版。
《吕氏春秋校释》　　陈奇猷著。
《周易正义》　　晋王弼注、唐孔颖达疏,《十三经注疏》本。
《尚书正义》　　汉孔安国注、唐孔颖达疏,《十三经注疏》本。
《礼记正义》　　汉郑元注、唐孔颖达疏,《十三经注疏》本。
《孝经正义》　　宋邢昺等注疏,《十三经注疏》本。
《论语集注》　　宋朱熹撰,《四书集注》本。
《论语正义》　　刘宝楠撰,《诸子集成》中华书局1986年重印本。
《墨子间诂》　　孙诒让撰,《诸子集成》中华书局1986年重印本。
《孟子正义》　　焦循撰,《诸子集成》中华书局1986年重印本。
《管子校正》　　戴望著,《诸子集成》中华书局1986年重印本。

《荀子集解》　王先谦著,《诸子集成》中华书局1986年重印本。
《老子本义》　魏源撰,《诸子集成》中华书局1986年重印本。
《庄子集解》　王先谦注,《诸子集成》中华书局1986年重印本。
《晏子春秋校注》　张纯一著,《诸子集成》中华书局1986年重印本。
《慎子》　钱熙祚校,《诸子集成》中华书局1986年重印本。
《商君书》　严可均校,《诸子集成》中华书局1986年重印本。
《韩非子集解》　王先慎集解,《诸子集成》中华书局1986年重印本。
《淮南子》　汉高诱注,《诸子集成》中华书局1986年重印本。
《公孙龙子》　周公孙龙撰、宋谢希深注,岳麓书社《百子全书》本。
《孙子兵法》　春秋孙武撰,岳麓书社《百子全书》本。
《国语集解》　徐元诰,中华书局1930年版。
《战国策》　上海古籍出版社1985年版。
《史记》　司马迁,上海古籍出版社《二十五史》影印本。
《汉书》　班固,上海古籍出版社《二十五史》影印本。
《后汉书》　范晔,上海古籍出版社《二十五史》影印本。
《晋书》　房玄龄等,上海古籍出版社《二十五史》影印本。
《朱子语类》　宋黄士毅、黎靖德编,《四库全书》本。
《路史》　宋罗泌撰,《四库全书》本。

《礼记集说》　　元陈澔撰，《四库全书》本。
《日知录》　　清顾炎武撰，《四库全书》本。
《文史通义》　　清章学诚撰，叶瑛校注，中华书局1985年版。
《十批判书》　　郭沫若著，人民出版社1954年版。
《士与中国文化》　　余英时著，上海人民出版社1987年版。
《中华元典精神》　　冯天瑜著，上海人民出版社1994年版。
《圣人箴言录——〈论语〉与中国文化》　　李振宏著，河南大学出版社1995年版。

图书在版编目(CIP)数据

王政全书:《吕氏春秋》与中国文化/张富祥著.－开封:
河南大学出版社,2001.8(2005.4重印)
(元典文化丛书. 第三辑/李振宏主编)
ISBN 7-81041-723-1

Ⅰ.王… Ⅱ.张… Ⅲ.吕氏春秋－研究
Ⅳ.B229.25

中国版本图书馆 CIP 数据核字(2000)第 86019 号

责任编辑:张玉梅
责任校对:刘健吾
装帧设计:刘广祥

出版:河南大学出版社
　　　河南省开封市明伦街 85 号　(475001)
　　　0378－2865100
排版:河南大学出版社电脑照排室
发行:河南省新华书店
印刷:河南第一新华印刷厂
开本:850×1168　1/32
版次:2001 年 8 月第 1 版　　印次:2005 年 4 月第 2 次印刷
字数:255 千字　　　　　　　印张:10.375
印数:3001—5500 册　　　　　定价:26.00 元